*Hefyd gan Goronwy Jones*

Dyddiadur Dyn Dwad
Un Peth 'di Priodi, Peth Arall 'di Byw

# Y DYN DWAD

## Walia Wigli

### nofel gan Goronwy Jones

Argraffiad cyntaf: 2004

Cynllun clawr:  Robat Gruffudd

Rhif Llyfr Rhyngwladol: 0 86243 696 6

Cyhoeddwyd, argraffwyd a rhwymwyd yng Nghymru
gan Y Lolfa Cyf., Talybont, Ceredigion SY24 5AP
*e-bost* ylolfa@ylolfa.com
*gwefan* www.ylolfa.com
*ffôn* (01970) 832 304
*ffacs* 832 782

HB

29ain Ebrill
# Cymru'n cyfri
Cyfrifiad2001

Ffurflen Cartrefi Cymru

Llinell Gymorth y Cyfrifiad  0845 302 2001 Ffôn Testun ar gyfer y Byddar 0845 303 2001 Gwefan www.statistics.gov.uk

*29ain Ebrill*
ENW: Goronwy Jones
CYFEIRIAD:

CWBLHAU EICH FFURFLEN:
Mae cwblhau ffurflen y Cyfrifiad yn orfodol…
Cyfreithlonwyd y cyfrifiad gan Benderfyniadau 1284 a 1536
y Cenhedloedd Unedig…

CYFRINACHEDD:

Diogelir y wybodaeth a ddarperir gennych gan y gyfraith…
Ni chyhoeddir ond yr hyn sy'n fuddiol ar gyfer defnydd
propaganda Prydeinig…

DATGANIAD
Cwblhawyd y ffurflen hon hyd eithaf fy ngwybodaeth a'm cred.
Dychmygol yw holl gymeriadau y nofel hon. Mae'r atebion i gyd
yn wir ond ni ellir bod mor sicr ynglŷn â'r cwestiynau…

LLOFNOD:                                      Dyddiad: ?!x2*n
CAVEAT EMPTOR:
Warning! you have completed an illegal operation!


**Diolch am gymryd rhan.**

YSTADEGAU
gwladol

Len Cook
COFRESTRYDD CYFFREDINOL AR GYFER CYMRU A LLOEGR

5

# Pan-Demoniwm

"Dadi!! Ble wyt ti?"

"Yn yr atig. Pam? Be sy?"

"Dere lawr! Ma' M'gu moyn mynd i'r tŷ bach."

"Deud wrthi am fynd i'r tŷ bach mawr!"

"Wy i'n ffaelu!"

"Pam?"

"Wy i yn y tŷ bach mawr yn dysgu neud pŵ!! Ti'n ddrwg, Dadi! Dere lawr nawr, ti'n clywed?!"

"Hei, paid ti siarad fel 'na efo fi, madam... !"

Drws y bog mawr yn cau'n glep. Pwtan bach bedair oed yn siarad fel 'na efo'i thad. Meddylia!

Ond dyna fo. Sdim isho gofyn lle ma' hi'n 'i ga'l o, nag oes? Fel bydd y nain, bydd y fam, bydd y ferch, ia? Ma' swnian yn y DNA dwi'n meddwl.

Does 'na'm llonydd i ga'l hyd yn oed yn y siambar sori. Fa'ma o'n i wedi bod ers nosweithia yn cysgu yn yr oruwchystafell yn yr atig. Do'n i'm yn siŵr iawn be nesh i'n rong. Cwbwl dwi'n wbod ydi na to'n i'm yn ca'l rhannu'r gwely dwbwl efo Siân. Newydd bicio i fyny i drio twtio rom bach ar y lle. Dio'm yn jôc, 'sti, byw ac yn bôrd mewn un stafell... Nôl ryw grys ne' ddau i drio smwddio ryw chydig tra ro'n i'n paratoi swpar, dyna be o'n i'n feddwl, ond ma'n beryg bydd rhaid ei heglu hi pronto. Mrs Pugh isho gneud poogh. Mi fydd mam Siân yn gneud seremoni allan o fynd ar yr orsadd, yn comandio'r en-suite i gyd iddi hi 'i hun ond toes 'na ddim byd yn 'suite' ynglŷn â'r canlyniada, ella i ddeud hynny wrtha chdi. Fysa fo mo'r tro cynta i'r hen beunas neud yn ei blwmar jest o ran sbeit a'i feio fo ar Al Zheimer. Jest 'yn lwc i, ia? Fel ma'r hogan bach ma'n dechra ffeindio'i chyneddfa ma'r fam y'nghyfarth yn dechra colli'i rhei hi!

Bomio lawr grisia fatha dyn gwyllt ar drana: "Daliwch ych dŵr, Mrs Pugh! (A be bynnag arall sgynnoch chi!) Ma'r jeriw-atig yn wag rŵan ylwch… Cerwch i fyny a cherwch â'r brwsh bog a'r bleach efo chi… !" Ond ma' 'na rywun yn y drws ffrynt rŵan eto, yn curo'n daer cystal â deud 'Tyrd-laen-y-basdad-sgin-i'm-trw'r dydd-'sti!'

"'Dach chi isho i mi atab?" medda Mrs Pugh, wrthi'n crafu cedors ei thin yn anniddig.

"Dim diolch! Popeth yn iawn!" medda fi gan gofio tro dwutha agorodd hi'r drws i rywun. Dyna lle'r o'dd hi a dau Jehovah's Witless ar eu glinia'n gweddïo yn y parlwr. Ma' gofyn watshiad hon o ben y Watchtower dwi'n deud wrtha chdi!

"Ma'r sosejis yn dechra crimpio yn y badall!" medda Mrs Pugh ar ei ffor' i fyny grisia.

"Iawn!" medda fi gan obeithio'r Arglwydd bysa hi'n cyrraedd y geudy mewn pryd.

"Wedi bennu! Wedi bennu!" medda Gwenlli mewn bonllef fuddugoliaethus o'r bog. "Moyn sychu, Dadi! Moyn sychu!"

"Gna fo dy hun ia, yn hogan fawr!" medda fi, hannar ffor' lawr grisia i atab y drws.

"Ie ond pibo-pŵ yw e!" medda Gwenlli.

"O'r Arglwydd!" medda fi yn clwad ei ogla fo o fanno. "Gwitia funud bach 'ta. Fydd Dadi efo chdi rŵan!"

Atab y drws.

Sais – a hwnnw'n dal i gnocio hyd yn oed ar ôl i mi agor. Fysa fo wedi copio 'nhrwyn i 'blaw mod i wedi symud.

"Ma'ch cloch chi wedi torri!" medda fo'n flin.

"Yndi dwi'n gwbod!" me fi. "Dyna pam ma' 'na blastar drosti. Fydd isho bandej ar y drws 'ma hefyd, ffor' dach chi'n ei gnocio fo!"

"Official census!" mo a sodro ffurflen yn 'yn llaw i.

"Da i ddim byd i mi," me fi ar ôl cymryd stag syd arni. "Dwi isho ffurflen Gymraeg!"

"Be?!" mo. "Fydd rhaid i mi fynd yr holl ffor' i'r car yn y glaw i nôl un o rheiny!"

"Ddrwg calon gin i!" me fi. "Gobeithio na neith y ffurflen ddim glychu!"

Bomio i fyny grisia i sychu pen-ôl Gwenlli cyn i'r boi ddŵad yn ei ôl. Ma' pob eiliad yn cyfri pan 'dach chi'n magu plant.

"Pŵ!" medda'r fechan gan ddal ei thrwyn rhag yr ogla. "Ife 'na pam ma' nhw'n galw fe'n pŵ, Dadi?"

Mi o'dd y fechan yn iawn: pibo-pŵ go iawn o'dd o hefyd.

"Be roth dy Nain wirion i chdi i ginio, d'wad?" me fi.

"Helo?!" medda'r Sais diamynedd eto gan daro'i ben moel socian i mewn i'r cyntedd a gweiddi i fyny grisia'n bowld.

"Pam na ddowch chi i mewn?" medda fi'n sbeitlyd a drybowndian yn ôl lawr grisia efo stribyn hir o Andrex Extra Strong yn 'y nilyn i fatha ci bob cam o'r ffor'.

"Dyma'r trydydd gwaith i mi alw yma!" medda'r boi yn flin fatha cacwn. "Ydach chi wedi bod yn trio'n osgoi fi?"

"Naddo," medda fi, "ond taswn i'n gwbod be dwi'n wbod rŵan mi fyswn i wedi gneud! Ydyn nhw'n talu bonus i chi am fod yn annifyr, yndyn?"

"Pidwch hyd yn o'd meddwl am bido'i llenwi hi!" medda'r boi gan sgriblo'n enw fi ar y ffurflen i brofi mod i wedi cha'l hi. "Ma mil o bunne o ddirwy i ga'l. Bydd yr heddlu yn galw hibo!"

O'n i'n dechra ca'l llond bol ar y bustach. Cwdyn uffar, dechra 'mygwth i efo cyfraith cyn i mi hyd yn oed feddwl am ei thorri hi! Dyma fi'n cipio'r ffurflen o'i law o cyn sylweddoli na to'n i ddim wedi golchi 'nwylo ar ôl sychu pen-ôl Gwenlli a dyma 'na dalp o bibo-pŵ yn landio ar y ffurflen jest fel roedd 'y mys a mawd i'n cydio ynddi!

"Dyna chdi!" me fi. "Os wyt ti'n benderfynol o 'ngyrru fi i'r clinc waeth i chdi ga'l olion 'y mysedd i ddim!"

"You takin the piss?" medda'r boi.

"No," me fi. "I'm takin the shit actually. My daughter's got diarrhoea and you're wasting my Ffagan time!"

"I'll have you know that this is Crown property," medda fo wrtha fi. "That, sir, is a treasonable offence!"

"Beth sy'n mynd 'mla'n man hyn?" medda Siân o'dd newydd gyrradd adra o'r ysgol.

"Gestapo!" me fi. "Yr Official Cens-less." (Fuo jest iawn imi ddeud na fo o'dd y cynt- yn y cyntedd, ond mi o'dd Gwenlli'n hofran yn rhwla rhwng y lobi a'r gegin ac mi gesh i'r gras i beidio.)

"Welsh-speakers give me more hassle than anybody," medda'r brych. "I was just explaining to your partner..."

"My husband!" medda Siân.

"But you've got different surnames," mo.

"How very observant of you!" medda Siân. "Thank you very much. That'll be all!" medda hi a chau'r drws yn glep yn ei wynab o.

Un dda ydi Siân! Unrhyw un sy mewn awdurdod ac yn trio bod yn bwysig mae hi'n ei lorio fo'n seitan, syth bin. Trwbwl ydi, ma' hi'n dueddol o iwsho'r un tactics ar ei gŵr...

"'Co ni off!" medda Siân, yn stagio ar y ffurflen.

"Be sy rŵan eto?" medda fi, nabod tôn strop pan dwi'n clywad un.

"Typical dyn!" medda Siân. "Cymyd yn ganiataol taw'r gwryw yw deiliad y tŷ. Dy enw di sy ar hon."

"Sori mawr!" medda fi. "Wyt tisho i mi ofyn am ffurflen arall?"

"Rhy hwyr nawr, on'd yw hi? Dy fai di yw e am fod mor llyweth. Ond 'na fe. Cei di'r jobyn o'i llanw hi miwn, 'te!"

Ffagan Sant! Be s'arna i? Tydw i'm yn meddwl ymhellach na 'nhrwyn, nadw? Gas gin i lenwi ffurflenni. Siân sy'n arfar gneud bob dim fel'na ond dyna fo. O'n i wedi bolshio eto, do'n...?

"Ble ma' Mam, 'te? Ble ma' Gwenlli?"

"Ma'r ddwy o gwmpas y lle 'ma yn rwla, sti," medda fi. "Stedda..."

"Sdim amser 'da fi i ishte, o's e? Sdim syniad 'da ti! Wy i wedi ca'l dwrnod y jawl. Ar ddyletswydd yn y glaw. Colli gwers rydd. Pwyllgor gwaith 'da fi am wyth… hynny yw os bydd y nosweth rieni wedi bennu miwn pryd!"

"Hei, tyrd 'laen rŵan!" medda fi. "Paid â phoeni. Fydd bwyd yn barod cyn bo hir."

"Dadi!!" medda Gwenlli yn rhedeg o'r gegin mewn braw. "Ma'r sosejis yn grac ofnadw!"

'Grac' myn uffar i! O'dd y ffwcars yn ffiwmio. Mwg du bitsh yn dŵad i'w canlyn nhw a deci-bells y larwm dân yn dechra cwyno fel diawl.

"Ffycin hel!" medda Siân gan ddiffod y stôf ac agor y ffenast led y pen. "Beth yffarn sy'n bod 'not ti? Wyt ti wedi bod yn hifed?"

"Dim ond un glasiad bach amsar cinio!" me fi gan obeithio nad o'dd y 'nhrwyn i ddim yn tyfu. "Paid â rhegi rhag ofn i Gwenlli dy glwad di!"

"Beth o'dd Gwenlli'n neud miwn yn y gegin ben ei hunan?" medda Siân. "Cont dwl! Alle hi fod wedi ca'l ei lladd. Alla i mo dy drysto di i neud ffyc-ôl, alla i?"

A wedyn dyma mam Siân yn cyrradd, methu dallt be o'dd yr holl stŵr, wedi styrbio trwyddi pan glywodd hi'r larwm dân, ac wedi dybl-fflyshio'r Saniflow yn ei phanic. Cybolfa o gachu wedi codi trw' ddraen y gawod yn barod i janitor o'r enw Jôs ei llnau o. Anodd deud be o'dd ar fai, y mwg, y cachu ta'r holl lysh gesh i yn y Plymouth Arms amsar cinio, ond ta waeth am hynny mi fush i'n swp sâl yn y sinc ac yn gaeth i'r siambar sori am gyfnod amhenodol arall…

PERSON 1

☐ BETH YW EICH STATWS PRIODASOL?

☑ PRIOD (PRIODAS GYNTAF) – jyst abowt!

☐ DI-BRIOD

# Ie – Dros Gymru!

WYT TI'N COFIO Midnight's Children Salman Rushdie, stori am yr efeilliaid 'ma gafodd eu geni ar y noson cafodd India 'i hollti'n ddwy? Wel, yn rhyfadd iawn mi gafodd yr hogan Gwenllian 'ma 'i geni yn y flwyddyn cafodd Cymru 'i weldio'n un. Mi o'dd Market Thatcher wedi gneud llanast llwyr o'r wlad 'ma ers 1979 ac mi o'dd hi'n amsar uffarendwm arall yng Ngwalia i weld os bysa'r taeog yn licio ca'l ei ryddhau tro 'ma. Mi odd hi'n unfed awr ar ddeg yn ôl Siân a toedd hi ddim yn meddwl galla Cymru fwy na hitha witiad lot hirach cyn esgor ar rwbath.

Mi o'dd Siân a finna wedi bod yn briod ers saith mlynadd, ac i ddeud y gwir yn onast mi oeddan ni wedi derbyn y ffaith na toeddan ni ddim i fod i ga'l plant. O'n i reit amheus o'r busnas IVF 'na o'r cychwyn cynta. O'dd o'n swnio'n rhy debyg i un o esgyll milwrol yr Ulster Unionists ac mi o'n i'n teimlo fatha tasa Ian Paisley wedi rhoid melltith yr Orange Order ne' rwbath arnan ni. Ond gwyrth y gwyrthia, mi dda'th manna o'r nen. Ma' gobaith yn llechu yn y manna rhyfedda weithia, yndi?

Ond disgwl ne' beidio toedd Siân ddim yn mynd i nogio ar yr ymgyrch 'Ie – dros Gymru!'. Mygins yn ei chludo hi bob man yn y car tra ro'dd hi'n mynd i ganfasio o ddrws i ddrws yn y Cymoedd. O'n i wedi cynnig ei helpu hi ganfasio ond toedd hi ddim yn meddwl bod gin i ddigon o 'grebwyll gwleidyddol'. Ddim dyma'r amsar i ddechra mwydro pobol, medda hi.

O'dd gin i ddigon ar 'y mhlât beth bynnag rhwng bob dim. Mi o'n i wedi bod yn mynd i'r nosweithia paterniti 'ma ers wthnosa, lle roedd 'na ryw nyrs bach wrthi'n rhoid yr hogia

11

ar ben ffor' ynglŷn â'r enedigaeth a ballu. Fydda i'n meddwl bod 'na rwbath reit ansensitif mewn nyrsus weithia, gneud i'r holl beth swnio fatha rhyfal byd cynta efo'u pethadine a'u gas and air a'u hymarferion 'nadlu a ballu.

"Plentyn cynta, ife?" medda Edith Cavell, sylwi bod yr hogyn reit nyrfys ynglŷn â'r holl beth.

"Wel, ia a naci... Cynta i'r wraig, ia!" me fi.

Mi nesh i dipyn o ffrindia efo ryw Gymro arall. Wil James o Ddyffryn Aerwen. Hen foi iawn – fydd rhaid i ni ga'l peint efo'n gilydd rywbryd...

"Dwi 'di clwad sôn amdana chi'n rwla, do?" me fi.

"Dwi wedi ca'l bad press," mo. "Dosbarth gweithio Maldwyn. O'dd yr awdur yn rhy brysur yn achub eneidie'r ffycin bourgeoisie, t'wel!"

O'n i'n cachu brics ynglŷn â'r holl beth, deud gwir wrthat ti. Ca'l poena o gydymdeimlad efo Siân a bob dim. Rhieni hŷn, yli – dyna ma' nhw'n galw pobol fatha Siân a fi. Mi o'dd Siân yn dynesu at y deugain oed ac mi o'n i wedi ca'l rhybudd ynglŷn â chymhlethdoda a ballu. Ella na Siân oedd yn ca'l y babi ond fi o'dd yn ca'l cathod bach, ia?

"Gwranda," medda fi un noson pan oeddan ni wrthi'n plygu pamffledi 'Ie – dros Gymru!' efo'n gilydd yn y tŷ. "Ynglŷn â'r enedigaeth a ballu. Dim ond yn y ffor' byswn i, 'de? Dwi 'rioed wedi bod yn rhy ffond o'r theatr, fel ti'n gwbod yn iawn. Does dim rhaid i mi ddŵad i'r ysbyty, 'sti!"

"Drych!" medda Siân a'i llygaid hi'n tanio fatha draig goch mewn caetsh. "Wy i wedi ca'l llond bola 'not ti'n trial cachu mas o bob dim. Ti'n ffycin wel goffod dod, reit?"

Ffagots a phys, anghofia i byth. Dyna o'n i wedi neud i swpar noson cafon ni'r alwad...

O'dd Siân wrthi'n paratoi chwanag o daflenni 'It's Now or Never' ar gyfer eu dosbarthu i'r etholwyr trannoeth pan oedodd hi ar untroed oediog fatha cadno'n cachu asgwrn.

"Oh-oh!" medda hi.

"Be sy?" me fi.

"Ma'r dyfroedd wedi torri!" medda hi.

Dwi'm yn cofio dreifio i fyny i Ysbyty'r Heath ond ma' raid 'mod i wedi gneud.

"Peidiwch â becso!" medda'r nyrs bach, 'ngweld i'n dechra rhusio braidd. "Ma' digon o amser."

O'dd hi'n iawn hefyd. Naw awr yn ddiweddarach dyna lle'r oeddan ni yn dal yn y ward, y nyrsus yn dŵad i mewn ac allan fatha io-ios trw'r nos i weld sut o'dd y 'gwasgu' yn dŵad yn ei flaen. O'dd petha'n gwasgu arna i alla i ddeud hynny wrtha chdi! O'dd o fatha ista trw' oria o 'Ring Cycle' Wagner ne' rwbath. Ffagan artaith pur, ia? O Sir Benfro o'dd y fydwraig yn dŵad. 'Dach chi'n gwbod be ma' nhw'n ddeud am gowbois Crymych. O'n i'n dechra poeni os o'dd hi'n gwbod be o'dd hi'n neud.

O'dd Siân druan wedi ymlâdd cyn i ni gyrraedd y theatr, wedi laru 'i henaid ar ei hyd yn y gwely yn disgwl. Ma' disgwl babi yn union fatha syportio'r mudiad cenedlaethol. Cymru Fydd, Plaid Cymru, y Gweriniaethwyr, yr FWA, MAC, Meibion Glyndŵr – meddwl bod y wawr yn torri bob munud a dim byd yn digwydd yn diwadd! Dyna lle'r oedd Siân yn diawlio'r NHS i'r cymyla, yn beio pawb a phopeth ac yn deud wrth y staff be i neud.

"Athrawon!" medda'r doctor wrtha fi. "Terrible patients! Control freaks, t'wel! I gyd yr un peth."

"Sefa di mewn ar ôl ysgol, y twat!" medda Siân wrtho fo. "Dysga i ti reito prescripshon teidi!"

Ti wedi clwad am gasinab ar yr olwg gynta, do? O'dd Siân a'r doctor yng ngyddfa 'i gilydd trw' gydol y delifri.

To'n inna mo'r dyn mwya poblogaidd yn y byd, chwaith. Chwara teg i Siân, chafodd hi ddim llawer o grêfings pan o'dd hi'n disgwl ond mi ddaru hi grefu arna i beidio gneud chwanag o ffagots a phys tra byddwn i byw. O'dd hi'n ddigon drwg gorfod pwsho dros Gymru, medda hi, heb bod hi'n rhechu fatha deinasor hefyd!

O'dd Edith Cavell yn iawn, maes y gad oedd o! Y fforseps, y cyllyll, yr holl sisyrna 'na i gyd. Deud y gwir yn onast rŵan, fysa gin ti ddigon o gyts i ddechra cega efo doctor o'dd gin ddigon o arfa dinistriol i wasgaru dy berfeddion di ar hyd walia'r theatr i gyd?

"Pethadine!" medda'r doctor wrth y nyrs.

"Diolch!" medda fi, teimlo reit simsan deud gwir.

"Ddim i chi! I'r wraig," medda Miss Crymych. A dyma'r nyrsus bach i gyd yn chwerthin ar 'y mhen i.

Ond gneud ati o'n i siŵr Dduw! Trio codi rhywfaint ar galon y misus. Ffor' ddigri o fod o ddifri, dyna be 'di hiwmor, ia? Do'n i 'rioed wedi bod mewn drama fwy siriys yn 'y myw!

"Forceps delivery!" medda'r doctor.

Dal dim babi.

Siân yn dechra nogio a finna'n dechra panicio.

Monitor yn mynd i fyny ac i lawr fel diawl.

Nyrsus bach yn dechra sbio'n boenus ar ei gilydd.

Dal dim babi a neb yn deud dim byd wrtha i.

"Pwshwch, bach! Pwshwch!" medda'r fydwraig wrth Siân, ond o'dd yr wmff fel tasa fo wedi mynd o'i hymgyrch hi…

Dyma'r doctor yn syllu ar y bathodyn 'Ie – dros Gymru' ar 'yn lapel i, ac yn sydyn reit allan o nunlla yng nghanol act ola'r ddrama fawr dyma fo'n dechra dadla politics!

"Paid ti meiddio gwishgo hwnna yn 'yn theatr i!" medda fo a thrio tynnu'r bathodyn i ffwr'.

"Be ti'n neud?" medda fi.

"Shurrup you Nashi fool!" mo. "You people make me sick. Devolution is a load of bollocks!"

Pan glywodd hi hyn, blinedig ne' beidio, dyma'r wywedig Siân yn codi ar ei heistadd ac yn dechra bytheirio. A'th hi'n gynddeiriog, yn myll, yn lloerig, yn benwan walics fel bysa'i thad druan hi'n ddeud. Dwi wedi byw mewn byd o regi ar hyd 'yn oes ond chlywish i 'rioed araith fel hyn gin ddynas. O'dd hi'n ffwcio ac yn contio'r doctor ei hochor hi, yn ei alw fo'n bob math o enwa ffiaidd fysa'n ddigon i godi gwallt 'y mhen i tasa gin i beth.

"Y cotsyn digydwybod!"

"Y wancar dienaid!"

"Y ffwcar taeog!"

"Y pwrsyn di-fôls!"

"Gwedwch NA i ddatganoli!" medda'r doctor yn herfeiddiol wrth y gynulleidfa yn y theatr.

"Gwedwch IE!" medda Siân. "Y ffwcin bastard Brit!"

"NA!"

"IE!"

"NA! NA!"

"IE! IE!"

"NA! NA! NA!"

"IE! IE! IE!! IE!!!" medda Siân yn un sgrech esgorol derfynol!

Ac allan â Gwenlli wysg ei phen i'r byd. Yr un ffunud â'i mam, twtsh bach lleia o Seimon Pugh, ei thadcu...

"Heb y mwstash wrth gwrs!" medda Siân yn emosiynol.

Hon o'dd eiliad fwya'n bywyda ni efo'n gilydd. Fi o'dd y tad mwya balch yng Nghymru.

"Wyt ti moyn ei dal hi, 'te, Dadi?" medda Siân yn chwareus wrtha fi.

"Dal hi?" medda fi. "Fydda i'n geiban heno 'ma! Ma' hi fatha doli bach. Gin i ofn ei gwllwn hi."

"Dere 'mla'n! Sdim ishe bod ofan. Man-a-man iddo fe ddod i arfer, ife, doctor?"

"Athrawon!" medda'r doctor eto gan ysgwyd ei ben, fatha tasa fo biti drosta fi. Gwbod be o'dd o 'mlaen i reit siŵr, doedd?

Chwara teg i Siân, tydi hi'm yn dal dig. Dyma hi'n llongyfarch y doctor ar y 'dacteg ymosodol a'i hysgogodd hi i esgor'.

"Exploit the contradictions, t'wel!" medda'r doctor. "Ma' fe wastod yn gwitho yn y theatr!"

"So chi rili yn erbyn datganoli, y'ch chi?" medda Siân.

"Pidwch â holi!" medda'r doctor. "Pleidlais gudd, on'd yw hi?"

"What are we going to call her?" meddai'r sister ar y ward.

"Gwenllian Gwawr Arianrhod!" medda Siân.

"My goodness! That's a mouthful isn't it?" medda hi. "Shall

we call her 'baby G.G.' for short?"

"My wife is a Fifth Columnist," medda fi. "Why don't you call her Baby Spies?"


Bob tro bydd hi'n flin efo fi, sef yn amal iawn, mi fydd Siân yn cymyd cysur yn y ffaith y bydd Gwenllian Gwawr Arianrhod yn aeddfedu gam wrth gam ynghyd â'r Cynulliad, yn tyfu'n ferch ifanc dlos ac yn cymyd ei lle ymysg y gwledydd yng nghynteddau'r Cenhedloedd Unedig a ballu… Ne' rwbath fel'na eniwe. Fush i 'rioed yn un da iawn am ddatblygu delwedda fwy na dim byd arall. O'dd snapsiot o Siân a'r babi yn ddigon da i mi!

"Llongyfarchiade i chi!" medda Miss Crymych. "Shgwlwch ar ei hôl hi nawr."

"Siŵr o neud!" me fi. "Ma hi'n ddigon o sioe, tydi?"

"Nage'r babi, y wraig," medda hi. "Ma' hi wedi ca'l amser caled iawn."

"Gron!" medda Siân mewn llais bach egwan o'r gwely. "Ma' rhwbeth 'da fi weud wrthot ti… "

"Be sy?" me fi.

"Ma'n gas 'da fi weud hyn," medda hi'n ddagreuol, "ond ma' hi wedi mynd i'r pen 'no i. Alla i ddim mynd 'mla'n dim rhagor…"

"Arglwydd mawr!" medda fi, dechra panicio'n lân ynglŷn â'r ffor' roedd merchaid dros fforti yn dueddol o'i phegio hi ar ôl ymdrech yr esgor a ballu.

"So ti'n dyall!" medda hi. "Yr ymgyrch! Ma'r doctor wedi gweud bo raid i fi orffwys am o leia pythefnos. Wyt ti'n folon neud ffafar â fi?"

Ffor' deudodd Siân o, fedrwn i ddim gwrthod yn hawdd iawn. Ma' sôn am Owain Glyndŵr wastad yn toddi calonna'r cleta o'r Cymry, tydi? Pan fydda Owain wedi blino gormod i gwffio yn erbyn y Saeson ers talwm ma'n debyg bydda fo'n galw ar ei gadfridog ffyddlon Rhys Gethin i arwain y frwydr ar ei ran o. Dyn nos Lun ddistaw yn y pyb ydw i, ia, ond wysg 'y nhin a gwaetha fi'n 'y nannedd gosod dyma fi'n ca'l yr alwad i arwain yr ymgyrch ddatganoli yn lle fy ngwraig.

Goronwy Jones o'r Gaer yn Arfon, daeth dy awr fawr, mae Cymru'n galw! Deffro, mae'n ddydd…!

Dwn i'm sut hwyl gafodd Rhys Gethin ar flaen y gad ond dechra go simsan gesh i.

Peth dyfara nesh i 'rioed oedd mynd â'r hen go i'r 'Heath Hotel' i lychu pen y babi.

"Sgin ti sychad co?" medda fo wrtha fi, winc winc. "Ma' hi'n boeth uffernol yn yr 'ospitol 'ma, yndi?"

Dyma'r dynion yn mynd allan am sesh, deud bysa ni'n gweld pawb nes 'mlaen gan adael Siân, mam Siân a'r hen fod i edrach ar ôl y babi. Bwysig cadw'r hen draddodiada Cymreig yn fyw, yndi?

Aethon ni draw i ista efo Pat O'Mara, Jero Jones y Dysgwr a rheina i falu cachu am chydig. Ar ôl sbel dyma Pat yn gofyn i mi:

"Excuse me, Dai. I know it's your night and all that, but would you mind askin' your father to speak English?"

"He is speaking English!" me fi.

"Sowth Wêls iss y strenj plês," medda'r hen go. "Aid be ashêmd if ai cwdynt sbîc mai ffaddyr's tyng!"

"Does dim ots gen i naill neu'r llall!" medda Jero Jones. "Rydw i'n hollol wriggle erbyn hyn! Ond, gwaetha'r modd, mae Pat yn Bogtrotter, t'wel."

"Go on! Tell the trut," medda Pat. "You don't think I'm Welsh, do you?"

"Course you're Welsh, Pat!" medda fi. "You're as Welsh as I am. Cardiff born, Cardiff bred, aye!"

"What do you think of the local brew?" medda Pat, gneud i ora chwara teg i dynnu sgwrs efo'r hen go.

"S.A.?" medda'r hen go. "Ai don' no. It têsts laic wermod lwyd tw mi!"

"Like what?" medda Pat.

"Ai don' no wat iwd côl ut in In-glish," medda'r hen go. "Widow's piss, ai sypôs."

"Ffycin hel!" medda fi wrth yr hen go. "Ydach chi'n meindio, yndach?"

"Be sy?" mo.

"Dwi wedi treulio chwartar canrif yn trio perswadio'r hogia 'ma bod nhw'n Gymry, ca'l nhw i fotio dros Blaid Cymru a ballu, a dyma ni 'chydig o wsnosa cyn yr Uffarendwm a be 'dach chi'n neud? Dŵad i fan hyn a sbeitio'u diwylliant nhw!"

"Be ffwc ti'n fwydro?" medda'r hen go. "Be sy wedi digwydd i chdi? Wyt ti wedi ca'l llond bol ar ddeud y plaendra ne' be?"

"Ma' rhaid bod yn ofalus," medda fi. "Ma'r hogia 'ma'n sensitif. Ma' nhw'n meddwl bod y Gogledd yn dechra yn Gabalfa! A dyma chi yn bwydo'u paranoia nhw efo bob gair sy'n dŵad o'ch pen chi!"

"See you mid-week, bois!" me fi gan smyglo'r hen go i'r lolfa o'r ffor' cyn iddo fo danseilio'n holl bleidlais ni!

Mi nath hi sesh go iawn yn fanno ac oeddan ni dal i bropio'r bar i fyny ymhell ar ôl i bawb arall fynd adra. Peth dwutha dwi'n gofio ydi ffonio tacsi ar y ffor' allan. Unwaith cesh i awyr iach dyma'r galwyn gesh i yn galw digon ac mi a'th hi'n nos arna i am yr eilwaith mewn pedair awr ar higian.

Dyma'r tacsi'n cyrraedd a'r dreifar yn troi at yr hen go ac yn gofyn, "Where to, pal?"

"Don't no," medda'r hen go a throi at y boi dwutha o'dd yn dŵad allan o far yr 'Heath'. "Ecsciws mi! Dw iw hapyn tw no ddus man?"

"What?" medda'r boi. "The tramp in the gutter?"

"Don't sbait ddy man – he's mai syn!" medda'r hen go. "Ai dont no wêr hi lifs, ddat's ddy trybl!"

Gorod i mam Siân ddŵad i'n nôl ni, do? Tynnu'r BMW o'r garej berfeddion nos ar ôl i'r hen go ffeindio'i rhif ffôn hi ar fat cwrw o'dd gin i yn 'y mhocad.

"Be sy haru chi 'dwch, dwyn gwaradwydd ar rywun!" medda hi wrth helpu'r hen go i'n llusgo fi o'r gwtar a'n sodro fi fatha sach o datws yn y sêt gefn.

"Sori!" medda'r hen go a dechra rhigian SA ei hochor hi gyntad byth ag y dechreuodd y car fynd lawr môr tymhestlog Heol-y-Crwys. "Dwi'n ddiolchgar iawn i chi am..."

Dwi'm yn meddwl ddaru mam Siân byth siarad efo fo eto ar ôl be ddigwyddodd wedyn. Be 'dach chi fod i neud pan sgynnoch chi ddim sic-bag? O'n i'n teimlo'n swp sâl yn hun fora trannoeth wrth drio pysgota 'i kid gloves gora hi o ganol y môr o chŵd o'dd yn y glove compartment.

Paid camddallt. Boi sensitif iawn oedd yr hen go, cofia, yn ei ffor' bach ddistaw ei hun. Doedd o ddim yn trafod lot.

Byth bythoedd yn trafod politics. Ond mi o'dd o'n teimlo i'r byw ynglŷn â rhei petha.

"Gwenllian Gwawr Arianrhod, ia?" medda fo ar ganol y sesh yn yr 'Heath'. "Wyt ti'n siŵr ma' dyna wyt ti am alw'r fechan?"

"Yndw. Pam?" me fi.

"Beth rhyfadd, tydi?" mo. "Gin i saith o wyrion a dim un ohonyn nhw'n Jones!"

"So what, ia?" medda fi. "Be sy mor sbeshal ynglŷn â'r Jonesus?"

"Dwi'm yn gwbod," medda'r hen go, "ond mi 'dach chi i gyd yn brysur uffernol yn trio cadw i fyny efo nhw! Chwith gin i feddwl bydd 'yn henw ni'n diflannu o'r tir. 'Diwadd y llinach' wyt ti'n galw peth fel'na!"

Coblyn o beth ydi cyfrifoldab, ia?

Bora 'ma pan godish i, doedd gin i 'mond fi'n hun a Siân i boeni amdano fo, ond rŵan mwya sydyn ma' gin i fabi, ma' gin i genedl, ma' gin i hyd yn oed faich parhad y Jonesus ar 'yn sgwydda! Siân isho hyn, yr hen go isho llall: Duw a ŵyr be fydd Gwenllian Arianrhod isho! Doedd 'na ddim byd i neud ond drachtio'n ddwfn o bot peint y 'Dutch Courage'. Pan ma' plentyn yn cael ei eni ma' 'na rwbath arall yn marw. Ddaru neb 'yn rhybuddio fi na fysa 'mywyd i byth yr un fath eto!

# Englan Dan Wales

Sefyll tu allan i'r Butcher's Arms yn Llandaf yn disgwl i'r Cwin a'r Diwc ddŵad heibio yn eu cart a'u ceffyl. Agor y Cynulliad o'dd y syniad ond mi o'dd rhaid i bawb fynd i'r Eglwys Gadeiriol gynta er mwyn i'r Cwin ga'l diolch i Dduw am y saith can mlynadd o wasanaeth roth y Cymry iddi am ddim.

O'n i wedi bod yn dre ddoe yn prynu tei draig goch ar gyfer yr achlysur. Does neb i weld yn gwisgo nhw dyddia yma – ydyn nhw allan o ffasiwn ne' rwbath, yndyn? Tydw i'm yn arfar gwisgo tei yn Duw. O'dd y ffycar wedi landio yn 'y mheint i doedd, ac wedi glychu'r ddraig reit at ei thin mewn 'Brains Dark'.

"Gad weld ti! Sdim posib mynd â ti i unman, o's e?" medda Siân yn flin. "So ti wedi bod yn hifed ben bore, wyt ti?"

"O'dd rhaid i mi neud rwbath tra o'n i'n gwitiad amdanoch chi doedd?" medda fi.

O'dd y gweithwyr cyflog – Ben, Lun a Siân – wedi gorod ca'l hannar dwrnod o'r gwaith a dim ond ca'l a cha'l oedd hi iddyn nhw gyrradd mewn pryd.

"Paid â phoeni!" medda fi yng nghlust Ben Bach. "Ma'r wya drwg gin i yn barod!"

"Na, na, na! So ti'n dyall!" medda Ben. "So ni'n eggo'r Cwin heddi. Am unweth yn 'yn hanes ni hi sy'n dod i fasajo'n eggo ni!"

Yr un hen bobol sy'n bob man, ia? Faint o'r hogia sy yn yr Eglwys Lloegar yng Nghymru 'ma heddiw? Faint gath wadd? Faint fedra ga'l dwrnod o'r gwaith tasa nhw wedi ca'l? Lord Mayor's Banquet, Gloddest Fawr y Seiri Rhyddion, Honourable Society Cymryd-dorion – yr un rhei sydd â'u trwyna yn y cafn o hyd. Ella bod yr Amusements wedi symud i Gaerdydd ond y nhw sy pia'r slot-machines o hyd, ia?

"I don't care what the separatists say!" medda ryw hen beunas tu nôl i mi yn yr eglwys. "I've always been in favour of devolution. Doesn't she look radiant? We've still got the monarchy, see, still got the pound!"

Ond buan 'rath y wind of change yn ormod iddi. Bai Luned Bengoch oedd o, ista ar y bocad lle'r o'n i'n cadw'n wya drwg. A'th yr hen beunas tu nôl i mi'n biws pan glywodd hi'r ogla. Ddim hi o'dd yr unig un. Barnu yn ôl y gwynab surbwch o'dd o'n neud yn ystod araith yr Archesgob dwi'n meddwl bod y Diwc wedi clwad hefyd.

"Hwnnw glyw hwnnw yw, ia?" medda fi a dechra piffian chwerthin yng nghlust Ben Bach, nes i Siân roid pinshad hegar imi yng nghesail 'y nghedors a'n siarsio fi i fihafio.

"Paid ti meiddio codi cywilydd 'no i – heddi o bob dwrnod! Ma' hyn i gyd yn wyrth – ti'n gwbod 'ny, wyt ti?"


Esh i lawr grisia un bora Sul a dyna ble'r oedd Siân yn y gegin yn beichio crio.

"Be sy?" me fi.

"So ti wedi clywed?" medda hi. "Ma' Diana wedi marw."

"Diana pwy?" me fi.

"Diana 'Princess of Wales'," medda hi. "Ma' hi wedi ca'l ei lladd miwn damwain car ym Mharis!"

"Iesu Grist, do?" medda fi. Dipyn o sioc pan 'dach chi'n clwad rwbath fel'na yndi? O'dd tôn ddolefus 'Thais' Massenet yn ca'l ei chwara ar Radio 4 jest cyn y newyddion, dwi'n cofio'n iawn...

O'dd biti gin i wrth gwrs ond to'n i'm cweit yn dallt pam bod Siân yn torri 'i chalon mor ofnadwy, chwaith.

"Nag wyt ti'n dyall?" medda Siân. "Ma' Cymru wedi 'i witsho on'd yw hi? O'n i'n meddwl na alle dim byd stopo ni tro 'ma, ond ma' hyn yn mynd i roi sbocsen yn yr olwyn 'to on'd yw e?"

Yr ofn o'dd gin Siân oedd y bysa chwa o Brydeindod yn sgubo drw'r wlad ac yn troi pobol yn erbyn y syniad o ddatganoli eto. Mi o'dd hi'n iawn hefyd. A'th pawb yn wallgo ulw bost, yn Diana-addolwyr lloerig. Welish i rioed le mor wag â Dinas Caerdydd ddwrnod y cnebrwn. O'n i'n teimlo fatha Charlton Heston ar 'Planet of the Apes': dim enaid byw ar y ddaear dim ond ni.

"Tro cyntaf i Heol-y-Frenhines fod yn uniaith Gymraeg ers 1282!" medda Jero Jones y Dysgwr, y ddau ohonon ni wedi denig i'r dre i osgoi'r holl falu cachu. O'dd Diana'n hen hogan iawn dwi'm yn deud ond hogan o'dd hi ddim duwies, ia?

"Un peth na toedd hi'n sicir ddim oedd Tywysoges Cymru!" medda fi wrth Siân. Ond toedd hi ddim isho gwbod.

"Paid ti meiddio gweud shwt beth!!" medda hi'n stowt. "Yn enwedig ar stepan drws pobol!"

"Dal dy ddŵr, del bach," medda fi. "Paid â deud bo chditha wedi dal y clefyd!"

"'Clefyd y posib' yw gwleidyddiaeth!" medda Siân a golwg fatha Archimedes yn dŵad allan o'r bath arni. "Os taw Diana ma' nhw moyn, Diana gewn nhw!"

O'n i wedi dŵad ar draws digon o nytars yn ystod yr ymgyrch. O'dd na foi yn y Rhondda yn taeru'n ddu las efo fi bod Cymru'n cael ei chynrychioli ar yr Union Jack: Draig Goch ar gefndir coch: ma' hi yna, mo, 'blaw bo ni ddim yn ei gweld hi!

"Ma' 'na senedd yn Gaerdydd hefyd, 'sti," medda fi'n trio'i hiwmro fo. "Wyt ti'm yn gweld honno?"

"Fuck off you mad bastard!" mo. "What d'you think I am, stupid or somethin'?"

Peth peryg ar y naw ydi tynnu'n groes i emosiyna pobol, medda Siân. Tydi trydydd rhan pobol Cymru ddim yn gweld rhaglen o Gymru ar y teledu heb sôn am un dim Cymraeg. Tydyn nhw byth yn darllen llyfr am Gymru, byth yn gwrando ar CDs nac yn gwbod nemor ddim am 'yn hanes ni. Mae eu hunaniaeth nhw'n dibynnu ar y petha sy tu hwnt i'w cyrradd nhw fatha pop stars a chwaraewyr pêl-droed a ffilm stars a ballu sy'n ffiltro trwadd bob hyn-a-hyn ar y cyfrynga Susnag.

Ma' Cymreictod cannoedd o filoedd o bobol yn dibynnu'n llwyr ar y ffaith eu bod nhw wedi mopio ar Diana, Princess of Wales, felly pwy ydan ni i wrthwynebu? Fel y dudodd Sian, "Os oes rhywun yn gofyn ar stepan y drws – teml i Diana, 'na beth yw'r Cynulliad, reit?"

Dyna pryd esh i ar streic, ac ymddiswyddo o'r ymgyrch. Doedd dim ots gin i baldaruo efo pobol ar y stryd, trio'u perswadio nhw a ballu ond mi o'dd 'Ie – dros falu cach!' yn slogan rhy bell, diolch yn fowr!

"Dere 'mla'n!" medda Ben. "Bydd e i gyd werth e yn y diwedd."

"Be?" medda fi. "Twyllo pobol?"

"Tacteg ife'r bat," medda Ben. "Nag wyt ti'n dyall dim byd ymbytu gwleidyddieth? Ca'l miwn, 'na'r unig beth sy'n bwysig. Allwn ni neud beth ni moyn wedi 'ny! Teml i Diana, 'na beth yw'r Cynulliad. Cer mas a bloeddia fe drw' Gymru benbaladr!"

Noson y cyfri yn y Park Hotel. O'dd perchennog y lle wedi colli'r plot yn llwyr, achos mi oeddan nhw wedi ailenwi'r lle yn Thistle Hotel. O'dd hi'n edrach yn debyg na colli fysa'n hanas ninna hefyd. Dwi wedi mynd, dwi wedi dysgu peidio disgwl dim byd: chei di mo dy siomi wedyn, na chei? Boddi yn ymyl y lan, dyna'n hanas ni 'rioed, ia?

O'dd Ben Bach wedi mynd adra i'w wely, grediniol bod hi wedi cachu arnon ni cyn i bleidlais Sir Drefaldwyn a Sir Gaerfyrddin ddŵad drwadd. O'dd 'na genod bach yn croesi 'u bysadd a bob dim arall o'dd gynnyn nhw wrth wrando ar y canlyniada. Boi arall ar ei linia ar lawr yn gweddïo: "Will it, will it Lywelyn?"

O'dd Siân yn grediniol na blw-rins brigêd brenhinol Shir Gâr a'th â hi yn y diwadd a bod ei thacteg hi wedi gweithio ar ei chanfed. Ca'l a cha'l oedd hi dwi'm yn deud, ond dyna fo, land-mines o'dd petha Diana, ddim land-slides, ia?

Pwniad hegar ym mhwll 'yn stumog courtesy of f'annwl wraig yn eglwys Llandaf.

"Grondo!" medda hi wrtha i, hishian yn gas yng nghlust i.

"Os wyt ti'n mynd i rochian cysgu trw'r gwasaneth, wy i'n awgrymu bo ti'n ffwcio o'ma, reit?"

O'dd Siân a phob un arall yn yr eglwys yn cymyd y dwrnod o ddifri calon. Tro cynta ers chwe chan mlynadd i Senedd Gymreig gyfarfod. Holides ha' go hir hyd yn oed i MPs, ma'n rhaid i mi gyfadda hynny, ond dwn i'm be o'dd arna i. To'n i'm yn gweld bod cwarfod yn yr Eglwys Loegr yng Nghymru yn gneud lot o sens ar y dwrnod roeddan ni i fod i ddatgysylltu o'rwth y basdads. Ond dyna fo. Pwy ydw i i daflyd dŵr oer pan ma'r genedl yn cael cyfla i orfoleddu? Sbio o 'nghwmpas a gweld dynion yn eu hoed a'u hamsar yn beichio crio wrth i ni ganu 'Hen Wlad Fy Nhada'. Tro dwutha clywish i am Esgob Llandaf oedd o wedi ca'l ei ddal mewn toilet cyhoeddus ond dyna lle'r oedd o heddiw yn edrach yn fengach na buo fo ers blynyddoedd yn helpu'r hogia i ddathlu.

Ond toedd dim byd wedi newid tu allan. Dyna lle'r oeddan nhw, llond gwlad o ryw hen ferchaid gwirion, schitzophrenics Caerdydd, yn chwifio'u Hiwnion Jacs, 'Brat y Bwtsiar' chwedl Jero Jones y Dysgwr. Gwaed y Bitches Empire yn diferyd drosto fo i gyd. Be sy haru nhw yn yr ysgolion 'ma? Pwy siort o athrawon sy'n dysgu plant i chwifio fflag na tydi 'u gwlad nhw eu hunan ddim hyd yn oed arni?

Dwi'm yn meddwl bod y Cwin wedi dallt yn iawn, chwaith. Dyna lle'r oedd hi yn y broses o agor Cynulliad Cenedlaethol rhywun arall ond yn dal i sôn am y 'nation', Britain, yn union fatha tasa rhywun wedi anghofio newid y meicro-chips yn ei brên hi. Ac am y Diwc, o'dd hi'n amlwg bod o wedi laru gachu ar ôl bod yn gneud yr un peth yn yr Alban wsnos cynt. Ti byth yn gwbod, ella bod y cont wedi gobeithio bod yn Duke of Scotland ryw ddwrnod, ond dim ond Duke of Edinburgh fydd o am byth rŵan, ia?

Ffwr' â nhw yn y ceffyl a chart drw' strydoedd gwag Caerdydd gan godi llaw ar gwpwl o alcis chwil oedd yn chwifio'u dylo ac yn gweiddi arnyn nhw wrth iddyn nhw drotian eu ffordd lawr Bute Street, tua'r Bae. 'Rapturous Welcome' medda'r Western Mail trannoeth. Ond oeddan nhw wedi camddallt. Ddim 'God Save the Queen' oedd yr alcis yn weiddi ond "Got any change, missus?"

"Eich aruchelaf, ardderchocaf fawrhydi, ymerodres St Helena, Tristan da Cunha, hafanau treth Ynysoedd Cayman a mân diriogaethau eraill ym Meicronesia, bendigedig ydwyt ymhlith dynion..." medda Llywydd y Cynulliad a'i drwyn wedi sgriffio i gyd ar y pafin tu allan wrth iddo foesymgrymu mor isel ag y galla neb fynd heb syrthio.

"Dafydd yn ei morio hi heddi!" medda Ben.

"Tydi o hefyd?" me fi. "Ma raid bod o wedi ca'l dipyn o êl i ga'l ei dafod rownd geiria mawr fel'na!"

"Paid grondo 'no fe!" medda Ben. "So fe'n golygu gair o fe. Gweriniaethwr i'r carn, on'd yw e?"

"Arglwydd, yndi?" me fi.

Chafodd neb ohonon ni wadd i'r cinio swyddogol felly mi aethon ni am beint tra roedd y Royal Party'n gloddesta yn y Big Windsor.

"Cimwch Ynysoedd y Moelrhoniaid ynghyd ag wystrys Gorffrydiau Caswennan. Cig oen Cantre'r Gwaelod ar wely o gennin Pen-pyrod dan gwrlid o gedor y wrach..." medda'r waitress bach allan o wynt yn lân ar ôl cyhoeddi be o'dd ar y fwydlen.

"Sorry," medda'r Diwc. "Could you say that again? Must be difficult to read Double Dutch with those slitty eyes of yours!"

"Diwc Ariad yw!" medda Ben, be bynnag o'dd hynny'n feddwl. Ma 'i jôcs o gyn ddyfnad â'i bocedi fo weithia.

Hen sbôrts iawn, cofiwch, y Windsors. O'dd pawb yn meddwl bysan nhw'n ei gleuo hi'n ôl i Lundan yn eu hofrennydd ar ôl swpar yn hytrach na hofran o gwmpas fan hyn. Ond penderfynu newid i'w 'Levis' neuthon nhw a dechra bopio efo'r gweddill ohonon ni yn y 'Gig yn y Bae'.

Ffycin hel – tydyn nhw ddim yn wirion, nag'dyn? Datganoli ne' beidio, ma' hi'n amlwg na toes na neb ar fwriad eu torri nhw allan o betha Cymreig a hitha mor hawdd cael rhyw dacog ne'i gilydd i ganu 'Rule Putania' a 'Land of Dope and

Gory' yn y Proms bob blwyddyn.

"Arglwydd! Ma'r docia 'ma wedi newid," medda fi wrth Siân. "Casablanca, North Star – ma'r hen glybia i gyd wedi cael eu cnocio i lawr. Lwcus bo ni wedi cwarfod yn y Casino chwartar canrif yn ôl, ia," medda fi. "Fysa'n llwybra ni ddim wedi croesi heddiw!" O'dd Ben a Lun yn dyfaru 'u henaid na fysan nhw wedi prynu tŷ yma flynyddoedd yn ôl. Ma' tai fysat ti'n medru'u prynu am bris mynediad i'r Casino wedi mynd trw' seiling y Rachman-scale erbyn hyn.

Gig dwyieithog oedd gig y dathlu achos bod y bobol yn ddwyieithog, ia? Wel – rhei ohonon ni eniwe. O'dd y rhan fwya o'r Sowth Welians yn yr un cwch â'r Cwin a'r Diwc. Ar wahân i'r Super Manic Catatonic Preachers toes gin neb ohonyn nhw syniad be 'di canu Cymraeg. 'Bryn Vaughan? Is he related to Frankie?' 'Daffyd You Won? Never heard of him, butt. Never mind, we all Won today!'

Pinacl y dathliad Cymraeg oedd set gin Snowdon Black Dave, hogia o Wynedd sy wedi bod ar Top of the Pops. Siani Flewog oedd eu henwa nhw ers talwm ond oeddan nhw lot mwy cŵl rŵan ar ôl newid eu henwa. Chwara teg, toeddan nhw ddim wedi anghofio 'u gwreiddia chwaith. Oeddan nhw'n dal i ganu '10%' o'u set yn Gymraeg er mwyn reflectio true nature y society yng Nghymru heddiw 'ma, ia?

"Superb! Amazing! Stupendous!" medda'r boi ifanc 'ma wrth 'yn ochor i, creadur mwya gwirion welsoch chi 'rioed efo tea-cosy am ei ben er bod hi'n ganol ha'.

"Cymro wyt ti?" me fi.

"Ia, pam?" mo.

"Sgin i'm ansoddair i ddisgrifio dy iaith di," me fi.

"Ga i'ch otograff chi, plis?" medda fi wrth brif ganwr Snowdon Black Dave. Dim ond blwydd oed ydi'r hogan bach 'cw ond dwi'n siŵr bydd hi'n 'ych licio chi pan fydd hi'n hŷn!"

"Dwi'm yn neud otograffs!" medda'r boi a chodi'r ddau

fys o'dd yn dynn am ei joint o.

"Nag wyt ti wir?" medda fi. "Pwy ti'n feddwl wyt ti'r cont bach pwysig? Ffwcin wancars taeog. Be 'dach chi isho canu yn Susnag?"

"Dim ond hen ddyn fysa'n gofyn hynny," medda fo. "Ingejo grid y greadigaeth, dyna'r cwbwl sy'n bwysig, reit?"

"Ingeja dy frêns, y cŵd dŵr!" me fi. Be nei di efo coc oen sydd ar gocên, ia?

"Be di'r ots pa ffycin iaith ti'n ganu?" medda'i fêt o'n flin.

"Novya Zemylia Svalbard Vladivostok!" me fi.

"Y?" mo.

"Be di'r ots pa ffycin iaith ti'n siarad?" me fi.

"Ti jest ddim yn dallt nag wyt, cont?" medda fo. "Ni sy wedi rhoid Cymru ar y map!"

"Pa fap?" medda fi. "Yr Ordnance Servile, ia? Cŵl Cymru myn uffar! Pam sa chi'm yn galw'ch hunan yn Shakin Shithouses and the Sheepshaggers a diwadd arni?"

"Hei, be sy'n mynd ymlaen man hyn?" medda Siân.

"Dim byd!" medda fi. "Mynd yn 'yn hola ydan ni. Pobol ifanc dyddia yma. Fysa Edward H. yn troi yn ei fedd tasa rhywun yn ei atgyfodi fo!"

"Dere 'mla'n, nawr!" medda Ben. "So ni'n mynd i gwmpo mas heddi o bob dwrnod, o's bosib?"

"'Na beth sy'n digwydd pan ti'n dechre hifed yn y 'Butchers' am unarddeg y bore," medda Siân yn flin.

"Chei di ddim byd os nag wyt ti'n fodlon cwffio drosto fo!" medda fi.

"Nag wyt ti'n dyall," medda Ben. "Ma'r frwydr drosto! Ma' Llythyr Pennal wedi cynnal y Pennal Coloni olaf. Am y tro cyntaf ers chwe chan mlynedd ma' 'da ni Senedd ar 'yn tir 'yn hunen!"

O'dd yr aer yn llawn dôp, côc, opiwm... Dyna sy i ga'l pan 'dach chi'n mynnu bildio Senedd lawr y Docia, ia?

Uchafbwynt y noson oedd yr hen Birley Shassey oedd

wedi lapio 'i hun mewn Draig Goch ar gyfer yr achlysur. Nath hi ddim canu 'Far, Far Away from Tiger Bay' ond mi ddylia hi fod wedi gneud achos dyna oedd Cymru iddi hi, ia? A chwara teg iddi am fod mor ffyddlon. O'dd y lleuad yn llawn ac o'dd y sêr yn gwenu. Ac yn sydyn o'n i'n teimlo'n rhyfeddol o hanesyddol, Ewropeaidd a rhyng-wladol. Dwi'm yn gwbod os na fi o'dd isho testio'n llgada ond fyswn i'n taeru bod map yr Ordnance Servile yn deud 'Englan Dan Wales'. O'dd yr hogia ar eu ffordd o'r diwadd – i rwla p'run bynnag...

# Glân Geriwbiaid

Iselder ôl-esgor: dyna ma' nhw'n ei alw fo. Cyffredin ofnadwy ar ôl i rywun ga'l babi. Y gofal cyson, y diffyg cwsg, y newid aruthrol ma' plentyn yn neud i'ch bywyd chi. Mae o bownd o ddeud ar 'ych nyrfa chi, tydi? Teimlo'n giami, teimlo'r felan yn gafal, crio am y nesa peth i ddim... Dim ond fi o'dd hynna. O'dd Siân yn waeth byth!

Mae'r cyntafanedig yn effeithio ar rei yn waeth na'i gilydd. Colli 'i ffrwt nath Siân, colli 'i hawch at fywyd, colli diddordeb yn yr hen arfer Cymreig o garu-yn-y-gwely a bob dim. Mi o'dd dyddia digymar ôl-ddatganoli yn anti-cleimacs mewn mwy nag un ffor' alla i ddeud wrtha chdi.

Tegwch y bore: o'dd bob dim yn edrach mor addawol pan ddaethon ni'n tri adra o'r ysbyty. Mi roish i ochenaid o ryddhad pan glywish i bod Siân yn bwriadu bwydo o'r frest. Well i'r babi, tydi? Bwyd gwell o'r hannar na ryw hen botal. Sefyll i reswm, creu premium bond rhwng y fam a'r plentyn, nadu asthma a phob math o afiechydon. Dyna be o'dd y paedo-ffeil yn ddeud, eniwe, felly pwy o'n i i ddadla, ia?

Beth rhyfadd sut ma' merchaid yn newid eu siâp pan ma' gynnyn nhw blentyn, tydi? O'dd Siân wedi magu bronna fatha bronna Eryri, bronna cry' dim-isho-bra, bronna ddylsa gynhyrchu digon o lefrith i fwydo pawb yn Llŷn efo Monterey Jack am flwyddyn. 'Braf yw a bendigedig,' medda fi wrth pwy bynnag ydw i, 'melys cwsg bwydo'ch hun!'

Be o'n i wedi dychmygu oedd bysa Siân yn codi i nôl y fechan o'i chrud pan o'dd hi'n crio gefn nos, rhoid tutsan iddi nes o'dd hi'n fodlon, a wedyn ei rhoid hi yn ôl lawr i gysgu. 'Yn job i fysa bod yn gloc larwm – gwrando ar John

Peel ar y World Service efo plwg yn un glust a gwrando am y babi efo'r llall.

Ond och a gwae ac ych-a-fi! Peth peryg ar y naw ydi dychymyg, ia? Prin roedd diwydiant llaeth Siân wedi dechra ar ei waith nad oedd rwbath ne' 'i gilydd wedi mynd ar streic. Do'dd y pwmp llefrith ddim yn gweithio fel peiriant awtomatig, nag oedd? Anodd deud pwy o'dd y mwya rhwystredig am hannar awr wedi tri yn y bora – Siân 'ta Gwenlli. Chwara teg i'r babi. Sut bysa chdi'n teimlo tasa ti'n sugno fatha peth gwirion ar fronna rhywun a chael dim ymateb o gwbwl?

"Ffyc mi!" medda Siân. "Ma' hyn yn mynd ar 'y nhits i!"

"Potal amdani 'ta, ia?" medda fi.

"Ffwc o beryg!" medda Siân. "Bydd rhaid dechre ecspreso, 'na i gyd."

"Elli di'm rhoid coffi i beth bach fel'na siŵr Dduw!" medda fi.

"Twat dwl! So ti'n dyall dim byd, wyt ti?" medda Siân. "Ystyr ecspreso yw tynnu lla'th pan ma' fe i ga'l a'i gadw fe miwn potel nes bo'r babi moyn e! Gna'n fawr o dy gwsg, 'ngwas i!"

Wyt ti wedi clwad am Milton Sterilizing Liquid? Dyna i chdi fasdad o beth ydi hwnna! O'n i'n gorod codi bob nos, dal 'yn llgada ar agor efo prenia matshis a trio lladd jyrms odd' ar offer ecspreso Siân. Ella bod o'n lladd jyrms, ia, ond mi laddith chditha hefyd os na watshi di! 'Mai i o'dd o ma' siŵr, ddim yn golchi 'nwylo'n iawn ar ôl ei iwsho fo, ond ymhen dwrnod ne' ddau mi o'dd y sglyfath peth wedi dechra byta fatha Ebola mewn i gnawd 'y mys modrwy fi a chyn bo hir mi o'dd gin i ddau ewin yn tyfu arno fo!

"Dere 'mla'n! Dere 'mla'n!" medda Siân yn nwydwyllt o'r rŵm ffrynt. "Wy i'n diferyd fel ffycin tap man hyn!"

Un noson, yn 'y mrys, mi gollish i fymryn o'r hylif hyll ar hyd ffrynt trowsus 'y mhyjamas. Dim ond cal a chal o'dd hi dwi'n deud wrthat ti! Dwi'n deud 'y mhadar bob nos byth ers hynny. Os o'dd o'n gneud hynna i dy fys modrwy di, dychmyga be fysa fo'n neud i dy goc di!

Wele, ni huna ac ni chwsg ceidwad Israel! Be o'dd enw'r llyfr 'na gin Milton – Paradise Lost, ia? Doedd hyn ddim yn nefoedd alla i ddeud wrtha chdi!

Ddylswn i fod wedi gwbod be o'dd o 'mlaen i. O'n i wedi ca'l rhybudd noson gynta da'th pawb i weld y babi yn yr ysbyty. Gwendid ne' beidio, mi o'dd Siân wedi mynnu bod y nyrs yn gosod clwt babi ar y gwely a dangos i mi sut o'dd ei neud o. Finna'n straffaglu fanna, trio gneud siâp ceit ar y clwt a 'nwylo fi'n facha-byns i gyd.

"Tydi hyd yn oed safety pins ddim yn saff yn nwylo hwn!" medda'r hen go, piso chwerthin am 'y mhen i.

"Mae o'n frenin i chdi," medda'r hen fod, trio cadw part yr hogyn druan. "Fysa na'r un dyn yn dre 'cw'n trio!"

Ar y dôl ma' hogia dre, ia? Tydi 'ar y clwt' yn golygu dim iddyn nhw!

A phan ma' Siân yn deud clwt, clwt ma' hi'n feddwl. Er bod Milton ne' 'i frawd o sy'n gweithio yn Boots yn gneud clytia-fflich medrwch chi'u rhoid yn y bun ag anghofio amdanyn nhw, mi o'dd Siân yn mynnu iwsho'r hen dechnoleg. Doedd hi ddim yn mynd i ddechra bradychu'r achos drw' lygru'r ddaear efo tunelli o glytia plastig tra bod modd rhoid clwt go iawn mewn peiriant golchi.

Ella bod hyn yn beth da iawn i'r amgylchedd, ia, ond nath o ddim byd i 'nghonsyrfio fi! Digon hawdd sôn am roid y clytia'n wlych a'u golchi nhw, ond ma' gofyn ca'l y giach oddi arnyn nhw gynta. Digon hawdd deud bysa'r papur-leining yn dal yr aflendid yn un lwmpyn bach twt hawdd i'w lechio, ond tueddu i orlifo ma' trybola o gachu llaeth piblyd, a tydi o ddim yn jôc trio watsiad bod llefrith poeth y ryscs ddim yn berwi drosodd tra bo chdi'n crafu napi'n lân efo'r spatula.

"Ma' Mami mewn mŵd," medda fi dan ganu wrth Gwenlli. Myfi sy'n magu'r baban, ia. To'n i 'rioed yn gwbod 'mod i'n medru canu tan i ni ga'l y babi. To'n i ddim yn sylweddoli cymaint o hwiangerddi ro'n i'n eu medru, chwaith. Syndod gymaint o ganeuon sy'n dŵad yn ôl i chdi, yndi, pan ti'n mynd drot-drot drw' Llyfr Hwiangerddi'r Dref Wen?

Ond wedyn, yn goron ar y cwbwl, cyfnod mamolaeth ne' beidio, dyma Siân yn cyhoeddi'n sydyn un noson bod hi'n mynd yn ôl i'r gwaith. Doctor yn deud bod ailafael yn ei gyrfa a'i bywyd gwleidyddol yn bwysig aruthrol yn y frwydr yn erbyn y felan-coli. Pwy o'n i i ddadla efo'r cwac, ia? Doedd gin i ddim dewis ond gŵr-foddoli i aros adra i ddraenio'r coli-fflŵar a deud straeon Wil Cwac Cwac trw' dydd.

"Dau singl plis!" medda fi wrth ddreifar y bys ar y ffor' i dre.

"Sdim isho talu dros y babi!" medda fo.

"Nag oes dwi'n gwbod," medda fi, "ond dwi'n cario'r wraig hefyd, yli!"

O'n i wastad wedi cwyno pa mor anodd o'dd 'y mywyd i fatha sgwennwr/gŵr tŷ ond to'n i'm yn gwbod 'y ngeni nes i mi ddechra bod yn fam! Talcian caled ofnadwy ydi'r cyntafanedig. Ma'r Chinese wedi dallt hynny'n iawn. Y cyntafanedig ydi'r unig un gewch chi yn China! Ddim fi fysa'r cynta i gracio dan y straen. Mi nath y cyntafanedig Herod Frenin yn seicopath, do? Mi driodd o ladd y blydi lot ohonyn nhw! Ac mi o'dd 'na adega, tasa hi'n weddus i mi gyfadda, lle bysa 'Myfi sy'n Mygu'r Baban' wedi bod yn deitl mwy addas i'r gân o'n inna'n ganu hefyd!

Ond dyna fo. Mi o'dd o i gyd werth o yn y diwadd. Gweld y fechan yn cropian, gweld hi'n dechra cerddad, chlwad hi'n mwmial y geiria bach cynta... Sat ti'n ei chlywad hi'n canu'r gân gynta, boi! Cystal â Bobi Jones bob tamad. Efengyl i chdi!

O'n i wedi dechra setlo mewn i batrwm reit ddel. O'dd Gwenlli'n ca'l nap bach bob pnawn, doedd, a finna'n ca'l dipyn o amsar i llnau a pharatoi swpar chwaral a ballu. Ond wrth gwrs, does dim byd byth yn ddigon, nag oes? Buan iawn roedd nacw'n dechra grinjan eto, ffor' o'dd hi'n colli allan ar gerrig milltir pwysica bywyd y fechan a ballu. Paid camddallt, o'dd Siân yn fam dda iawn yn ystod y Quality Time o'dd hi'n roid iddi rhwng dŵad adra o'r ysgol a chychwyn allan eto i droi Plaid Cymru yn Party of Wales. Ond fedri di mo'i cha'l hi bob ffor', na fedri? Oni bai bo chdi'n betio each-way a gweithio rhan amsar ne' rwbath. Ond o'dd petha'n fwy cymhleth na hynny, toedd?

Tydi Siân byth yn mynd i mewn i bwyllgor heb agenda gudd. Ti'n cofio fel bydda Father Brown yn deud ers talwm? 'Rho di'r plentyn i mi nes mae o'n bump,' mo, 'a mi ddangosa i'r dyn i chdi.' Fysa neb yn ei iawn bwyll yn rhoid ei blentyn i Father Brown dyddia yma, wrth gwrs, ond deud ydw i. O'dd gin Gwenlli lond ceg o Gymraeg gogleddol braf erbyn o'dd hi'n ddyflwydd oed. Trwbwl ydi, dwi'm yn meddwl bod Siân yn licio'r diwylliant o'dd hi'n ga'l trwy'i gyfrwng o.

O'n i'n darllen yn papur am ryw fasdad dwl o'dd wedi gadal ei blentyn i rostio yn y sêt-saff yn gefn y car tra roedd o yn siop Ladbrokes ar bnawn chwilboeth o Awst. Dwi'm yn gwbod os ddaru Siân ddarllan y stori. Ddim yn amal ma hi'n agor y Sun, ond mi ddechreuish i ga'l y teimlad na toedd hi ddim yn 'y nhrystio fi...

"Ble buoch chi heddi, 'te, Gwenlli?" medda Siân amsar swpar un noson.

"Parc, ia?" medda Gwenlli. "Siglen, ia? Llithren, ia?"

"Da iawn!" medda Siân.

"Gynni hi eirfa dda iawn, toes Mami?" medda fi.

"On'd o's e, 'te?" medda Siân. "Sa i'n siŵr ymbytu'r acen, cofia. Ble o'dd y parc hyn 'te, cariad – yng Nghaernarfon?"

"Naci!" medda Gwenlli, gan chwerthin ar ben ei mam am fod mor dwp. "Llancarfan. Ffocth an Hownth. Tikken ygets – neis! Cwrw Dadi – ych-a-fi!"

On'd yw hi'n haden?

On'd yw hi'n sbarcen?

Trystio plant i'ch bradychu chi, ia?

Ma' Siân yn ffyrnig yn erbyn i mi fynd â'r car am beint, heb sôn am fynd â Gwenlli efo fi. Ond chwara teg i ddiawl, os na swings a rowndabouts ydi bod yn riant siawns nag o's gin ddyn druan hawl i oelio rhywfaint ar y peirianwaith tra bod o wrthi! Pybs, bwcis, siopa tships a caffis-loris a ballu –

dyna'r math o lefydd dwi'n licio mynd iddyn nhw. Cymysgu efo'r werin datws, ia, fatha taswn i adra. Ond tydi hynny ddim yn plesio yntôl. Ma' Siân yn ffond iawn o sôn am y dosbarth gweithio, gwarchod ei hawlia fo a ballu, ond pan ma' 'na aelod ohono fo'n trio hawlio'i hawlia, be sy'n digwydd?

"Nage 'na'r pwynt!" medda Siân. "Ma'r groten yn dod i o'd nawr! Ma' ishe iddi ddechre cymysgu."

"Ma' hi yn cymysgu!"

"Gyda pwy? Wy i wedi gofyn a gofyn i ti. So ti byth yn cwrdd ag unrhyw rieni erill. Ma' Bro Morgannwg 'ma mor Seisnig nawr bydde hyd yn o'd Iolo ddim yn gallu dychmygu! Ma' ishe cymdeithas Gwmrâg arni!"

"Ma' gynni hi dy fam toes? Ma' gynni hi fi!"

"Sori Gron! Gas 'da fi weud hyn ond sa i moyn iddi dyfu lan i fod yn loner fel ti! Wy i moyn iddi fynd i 'Glân Geriwbiaid', reit?"

Meithrinfa ym Mhontcala ydi 'Glân Geriwbiaid'. Ma'r ardal yn frith o lefydd lle ma'r dosbarth canol yn dympio'u plant fel bo nhw'n medru manijo'u morgej nes bo nhw'n ddigon hen i fynd i'r Ysgol Feithrin.

"Gardd bach neis, ia?" medda fi wrth Gwenlli ar y ffor' mewn. "Siglen a bob dim, yli!"

Chymrodd hi ddim sylw ohona i, dim ond sbio'n sorllyd arna i cystal â deud 'mod i'n rhyw fath o fradwr yn ei gadal hi yn y fath le. Gweld dim bai arni deud gwir. O'dd y lle fatha 'Gweledigaeth Uffern': y 'Glân Geriwbiaid' i gyd yn udo ac yn sgrechian ac yn taflyd bwyd at ei gilydd, yn dringo i fyny'r walia ac yn colbio'r merchaid druan o'dd yn edrach ar eu hola nhw. "I want my mum-mai! I want my mum-mai!"

"Plant bach neis, ia?" medda fi wrth Gwenlli, ond to'dd hi ddim yn dwp, nag oedd? Dyma hi'n sori'n bwt ac yn gwrthod mynd i mewn nes i fos y lle roid ei throed i lawr ar ganpunt arall yr wthnos, a chydio yn ei llaw hi.

"Dewch gyda fi! Mae hwyl mawr. Rydyn ni'n cael llawer o teganau…"

O'n i'n teimlo rêl cachwr yn ei gadal hi. Prin oedd hi allan o'i chlytia, fel'na o'n i'n teimlo. Ond dyna fo. Roedd Colby a Kyra a Miah a Siarlys i gyd yn yr un twll, toeddan? Ar wahân i'r ffaith bod nhw'n siarad Susnag bob gair…

"Sut wyt ti, was?" medda ryw dad arall oedd yn edrach yr un mor harasd â finna.

"Wil James, y cont! Sut wyt ti?" me fi.

O'dd o wedi heneiddio gymint nesh i mo'i nabod o i ddechra.

"Taswn i'n gwbod bod hi mor galed â hyn fyswn i wedi aros yn wês ffarm!" mo. "Dwi'n teimlo fathe mynd yn ôl i Leifior myn uffern!"

O'dd y sŵn yn 'y nilyn i hannar ffor' lawr y llwybyr. Dyma fi'n troi rownd ac yn sbio ar yr arwydd 'Glân Geriwbiaid' yn siglo yn y gwynt. Arwydd o'r amseroedd, ia? Y bwlch rhwng y sein a'r seiniau. Dwi'n byw yng Nghaerdydd ers chwartar canrif bellach. O'n i'n meddwl ar un adag bod petha'n gwella yng Nghymru 'ma, ond be 'di'r iws medda fi wrth 'yn hun yng nghragan wag y tŷ pan esh i adra. Magu plant yn Gymry a thalu i rywun arall eu Seisnigo nhw. Ryw bryd rhwng cynt a wedyn mi dyfodd Gwenlli allan o'i chlytia ac mi droiodd traed moch yn shambles…

# Rhestr yr ysTADegau gwladol

**Boots Free Checklist  (for idiots)**

- ☑ Sudocreme
- ☑ Bonjela
- ☑ Gripewater
- ☑ Pripsen (blas uffernol – well gin lyngyr farw na'i glwad o)
- ☑ Junior Asprin
- ☑ Elastoplast
- ☑ Shampw: dim mwy o ddagra
- ☑ Powdwr Talcwm
- ☑ Calming-mine Lotion
- ☑ Gwlân Cotwm x 3
- ☑ Cod liver oil   (welist ti 'rioed goldfish rhwym?)
- ☑ Calpol (does dim tystiolaeth ei fod yn arwain at gymyd cyffuriau caletach nes 'mlaen)
- ☑ Pampers (dwi'n iwsho nhw ar y slei pan ma' Siân yn y Gynhadledd Flynyddol)
- ☑ Full Marks Mousse (ma'r nits yn mynd yn llau ac yn llau)
- ❓ Milton Sterilizing Liquid (voulez-vous protection, monsieur?)

NB:

Bocs mawr plastig efo handlan arno fo o ~~Mother~~Fathercare:
£37.99

"Y rech a ddaw o rych ei din
I weud bod yr ych ar gychwyn…"
'Cywydd y Cewyn', Eirwyn Pontsiân

AM HELP, FFONIWCH LINELL
GYMORTH Y CYFRIFIAD: 0845-302…

# Nain, Nain, Nain!

"Pam ma' nhw'n galw fe'n sbageti bola-neis, Nain? Ife achos bo fe'n neis i'r bola?"

"Siortan ydi hon!" medda'r hen fod efo'r llwy yn ei llaw. "Debyg iawn i chdi yn poetsio efo geiria trw'r amsar."

"Watshiwch bo chi ddim yn poetsio'r lolfa!" medda fi, trio hwrjo dipyn bach o fwyd i Seren ffrind Gwenlli sy wedi dŵad adra o 'Glân Geriwbiaid' i chwara efo hi.

"Chdi â dy lolfa!" medda'r hen fod. "To'dd gin i 'rioed barlwr i'w boetsio pan oeddach chi'n blant. Tasa gynnoch chi delifishyn yn y gegin fysa'n rwbath. 'Dan ni isho watshad Neighbours tra 'dan ni'n ca'l te, toes cariad?"

"Tyrd 'laen, Seren bach," medda fi. "Un gegiad bach arall rŵan."

"Ie!" medda Seren sy'n deud 'ie' i bob dim hyd yn oed os ydi hi'n meddwl 'nage'.

"Enw od ar blentyn," medda'r hen fod dan ei gwynt. "Enw buwch ydi Seren, ia."

"'Dach chi'm 'di clwad Serena Williams pan ma' hi'n syrfio?" medda fi. "Ma' hi'n gweryru fatha gyr ohonyn nhw!"

Sglyfath o beth ydi sbageti bola-neis. Dim ots pa mor ofalus ydi rhywun ma'r ffycar yn fflicio 'ddar dy fforc di bob gafal. Hyd yn oed pan ma' rhywun yn ei falu fo'n fân iddi ma' bib y fechan fatha brat y bwtshiar...

"Be sy, Seren bach?" medda fi, dechra colli mynadd. "Wyt ti'm yn licio sbageti ne' rwbath?"

"Ma' hi'n heto fe!" medda Gwenlli.

"Sori!" medda fi. "Os ydi hi'n ca'l bwyd efo ni ma'n rhaid iddi eat-o fo!"

"Ti'n horrible, Dadi!" medda Gwenlli. "Os ti'n gas i ffrind fi, fi ddim yn byta 'fyd!"

"Sori!" medda'r hen fod, a chlirio twmpath o fola-neis i'r bun. "Fedra i neud dim byd efo nhw. Plant yr oed yma yn mynd ar streic. Ma' hi fatha Fiction Deinamic yma myn uffar i!"

"Watshiwch be 'dach chi'n neud!" medda fi, sylwi bod hannar y sbageti'n llithro fatha cynrhon lawr ochor y bun. "Ma'r gegin ma' fatha Beirut gynnoch chi! Gynnon ni reola yn y tŷ 'ma, w'chi!"

"Be ti'n feddwl ydw i – dall?" medda'r hen fod, nelu ar y rhestr ar y ffrij:

Deg gorchymyn Siân:
1. Dim ysmygu
2. Dim bwyd yn y lolfa
3. Dim halen yn y bwyd
4. Dim siwgr ychwanegol mewn diodydd
5. Dim losin (un darn o siocled ar ôl bwyd)
6. Dim dymi
7. Dim rhegi
8. Dim mwy nag awr o deledu bob dydd
9. Dim cerydd corfforol na thrais tafod
10. Dim ymolch yn y gegin (na siafo chwaith)

Dim yw dim, ia? Ella bod y rhestr yn edrach yn negatif ond ma' Siân yn bositif bod rhaid ei dilyn hi.

"Sori!" medda'r hen fod. "Ma' rhaid i mi ga'l ffag!"

"Peidiwch chi â meiddio!" medda fi. "Ma' Siân yn clwad ogla mwg filltiroedd i ffwr'. Ma' hi'n meddwl dŵad yn 'i hôl fatha smoke detector tro nesa! Fydd rhaid i chi fynd allan i'r cowt a dyna fo!"

"Arglwydd Mawr, ma' isho gras!" medda'r hen fod, torri

darn o jocled bob un i'r genod a chychwyn yn ôl i'r lolfa. "Dwi'n teimlo'n union fatha'r Wini Funny Haddock 'no!"

"Pwy?"

"Mam Kate Roberts! O'dd hi'n byw ar ochor Mynydd Eliffant, yn smocio cetyn ac yn rhegi fatha trŵpar. Ond be nath ei merch hi? Symud i dre fawr Susnag, dechra sgwennu, troi'n snob fatha chditha. Fysa neb call yn symud i Denbi 'blaw bo fo'n ca'l ei yrru yno, na fysa?"

"Sori!" medda fi. "Mae o'n 'y ngyrru finna'n soldiwr hefyd. Ond be fedar soldiwr neud ond cymyd ordors? Ydach chi isho i mi ga'l court martial ne' rwbath?"

"Dyma hi Siân rŵan ar y gair!" me fi, gweld cysgod rhywun yn dŵad rownd y gongol. "Ffag off, rŵan hyn, reit?"

"Iŵ-hŵ, fi sy 'ma!" medda rywun yn drws cefn.

Ffagan Sant! Ddim Siân o'dd hi ond ei mham hi.

(Tydi 'mam' ddim yn treiglo'n drwynol medda Siân ond pan ma' rhywun yn gymint o hen drwyn â'i mham hi dwi'n meddwl dylsan nhw newid y rheola.)

Tydi Siân a fi ddim yn credu mewn apartheid fel ti'n gwbod yn iawn ond dwy nain neith gythral bob amsar a mi 'dan ni'n gneud 'yn gora glas i'w cadw nhw ar wahân. Ddaru nhw ddechra ffraeo noson gynta daethon nhw i weld Gwenlli yn yr ysbyty. Tebyg i bwy oedd y babi a ballu – dim un ohonyn nhw gobeithio! Fydda i'n teimlo fatha ffonio nain, nain, nain bob tro ma' nhw'n cwarfod!

Black Wednesday: ti'n cofio hwnnw? Swnio fatha nodyn yn y dyddiadur ar gyfer nos Sadwrn bach yn y Black Boy, yndi? Ond naci. Hwn o'dd y dwrnod ddaru'r farchnad stoc grasho ac y collodd miliyna o fuddsoddwyr filiyna o bres (a pan dwi'n deud 'filiyna', 'biliyna' dwi'n feddwl – ma'r treigliada 'ma'n blydi niwsans, yndyn?). O'dd Seimon Pugh tad Siân wedi gadal toman o siârs i'w wraig, ond ar 'Ddydd Mercher Lludw' mi a'th y cwbwl yn sindars a mi gollodd Sylvia Pugh ffortiwn. Tydi'r hen gnawas ddim yn dlawd o bell ffor', tasa 'mond am yr horwth tŷ 'na sgynni hi yng

40

Nghaerdydd. Ond mi ddeudodd yr holl sioc yn arw arni a'r peth mwya gollodd hi o'dd ei marblis. Pan wyt ti wedi seilio dy holl fodolaeth ar y ffaith bo chdi'n well na phobol erill am bod gin ti fwy o bres na nhw, ma' hi'n dipyn o job dygymod efo'r ffaith na tydi dy siârs di ddim cweit yn gyfan-ddaliada bellach, yndi?

'O'r Halifax i'r Principality': atgofion hen gybyddas mewn dwsin o gyfrola 'account closed' a thylla wedi'u pynsho ynddyn nhw. Ffwc o beth, ia? Un peth ydi colli pres ond be ti'n neud pan ma' dy ffydd di'n methdalu?

"Does gynnoch chi ddim diléit yn yr ardd, nag oes?" medda mam Siân wrtha i tra roedd hi'n smalio sychu llestri.

"Pam 'dach chi'n deud hynny?" medda fi.

"Fedra i weld dim byd allan o ffenest y gegin 'ma," medda hi. "Ma'r Forsyth-ia 'na'n ddigon mawr i alw Bruce arni!"

"Da iawn rŵan!" medda fi. "'Dach chi'n siŵr na newch chi ddim aros i swpar?"

Fysa'r ddynas yn gneud stand-up comic da iawn tasa hi 'mond yn medru sefyll i fyny.

O'dd y plant wrthi'n gyrru'r hen fod yn boncyrs yn y lolfa. O'dd hi wedi magu chwech o wyrion yn barod ond o'dd hyn yn wyrion bost, medda hi.

"Gwrandwch!" medda fi wrth y ffernols bach. "Ydach chi wedi gyrru llythyra at Santa, do? 'Dach chi'n gwbod be ma' plant drwg yn ga'l yn bresanta? Crayons wedi torri a matshis wedi llosgi!"

Dyma Seren yn gneud gwep ac yn dechra beichio crio. Dyna ydi'r trwbwl efo plant sy ddim yn mynd i'r capal, ma' 'u rhieni nhw'n chwilio am eu sentimentaliti yn rhwla arall. O'dd mam a tad Seren wedi buddsoddi'n drwm iawn yn y busnas Siôn Corn 'ma, mynd â'r fechan i Lap-land am drip-dwrnod a ballu er mwyn iddi ga'l ista ar ei lin o a bob dim. Ma' siŵr na chlywodd hi 'rioed neb yn awgrymu bod Santa'n medru bod yn hen gont hefyd pan mae o wedi blino ond dyna fo, o'n i wedi rhoid 'y nhroed ynddi, do'n? Dyma

Gwenlli'n dechra crio efo Seren mewn gweithred arall o solidariti pur...

Amseru perffaith!

Bob amsar 'run fath... Mi ddychwelodd Siân fatha ryw Alfred Hitchcock sy'n gneud cameo rôl yn ei ffilms ei hun – absennol drw'r rhan fwya o'r sioe, jest dŵad yn ôl mewn pryd i weld pob dim yn mynd yn 'Psycho', ia?

"Ha-ia Mam! Ha-ia Nain!" medda Siân. "Beth yn y byd sy'n mynd 'mla'n man hyn 'te?"

"Dadi wedi bod yn gas i ni!" medda Gwenllian gan nelu dagr ei dagra tuag ata fi.

"Yli..." me fi, meddwl bod well i mi egluro.

"Sori!" medda Siân. "Sdim amser 'da fi. Ma' pwyllgor gwaith 'da fi miwn llai nag awr... Smwdda'r flows hyn i fi, nei di? Tecst wrtho tad Seren. Bydd e 'ma 'whap... So swper yn mynd i fod yn hir ody e?"

A ffwrdd â hi i roid dipyn o Quality Time i Gwenlli. Ma' ymchwil yn dangos bod mam a merch sy'n cael cawod efo'i gilydd yn aros efo'i gilydd (am hanner awr o leia).

Brys gwyllt yn y gegin: trio smwddio blows Siân tra dwi'n hwylio swpar. Be fydda i'n neud ydi cwcio toman o gig briwedig ar ddydd Llun: mins i bawb o bobol y byd, ia? Mae o'n para am wsnos wedyn.

Nos Lun – pastai'r bwthyn

Nos Fawrth – lasagne

Nos Fercher – sbageti bola-neis

Nos Iau – sbar-geti (be bynnag sydd ar ôl ers neithiwr efo salad a mayonnaise ('mae-o'n-neis' medda Gwenlli))

Nos Wener – chilli a reis (Sweet Chilli i Gwenlli, Hot Chilli i Siân a fi a Very Extra Hot Chilli Bowel Blaster i Sylvia Pugh a'i hel hi adra i neud ei busnas)

"Yr un hen ddeiet o'r naill wthnos i'r llall!" medda'r hen ast anniolchgar. "Fyddwch chi byth yn troi at Dudley o gwbwl?"

"Bydda, Tad!" medda fi. "Dwi am neud cawl cadach heno..."

"Cawl be?"

"Hen resipi traddodiadol," me fi. "Meddyliwch am yr holl fwyd 'dach chi'n wastio pan 'dach chi'n sychu'r topia 'ma efo cadach llestri. Yr holl refi blasus, y tomato sôs, y ffa pôb a'r briwsion 'na i gyd. Dau glwtyn llestri, dŵr berwedig ar eu penna nhw, dipyn o bupur a halan a phinsiad o Herbes de Provence a ma' gynnoch chi swpar siort ora, toes?"

"Be sy haru chi, d'wch?" medda mam Siân yn flin. "Ma' rhaid i chi roid gora i'r gwamalrwydd 'ma ne' neith neb byth 'ych cymryd chi o ddifri!"

Ddim bod hi'n poeni botwm corn amdana i. Poeni am ei hwyras ma' hi – meddwl tybad sut fydd hi'n troi allan ar ôl ista wrth draed Gwamaliel yn tŷ drw' dydd, ia?

"Sut 'dach chi'n dŵad ymlaen 'ma?" medda'r hen fod, yn taro'i phen mewn i'r gegin.

"Cystal â'r disgwyl ma' siŵr," medda Sylvia'n sbeitlyd. "Mi fysa Siân wedi medru priodi doctor, w'chi!"

"Pam, be sy? Ydi hi'n sâl?" medda'r hen fod.

"Salach ei byd reit siŵr!" medda Sylvia.

"Dwn i'm am hynny," medda'r hen fod. "Ddim pob dyn fysa'n fodlon aros adra a bod yn forwyn iddi!"

"Nage, diolch i'r drefn!" medda Sylvia Pugh. "Be ydi'r ogla 'na? Ydi'r bolognese yn llosgi?"

To'n i ddim wedi ca'l damwain ar y bwr' smwddio ers blynyddoedd, ddim ers pan anghofish i dynnu'r plastig oddi arno fo cyn smwddio 'nghrys... Ond be 'dach chi'n ddisgwl pan ma' rhywun fatha mam Siân yn sefyll wrth 'ych pen chi yn 'ych fflatno chi fatha steam-roller trw'r amsar? Fedar neb ei dal hi ym mhob man, na fedar?

"Beth yw'r gwynt hyn?" medda Siân, rhedag i mewn yn dal ei bronna noeth rhag iddyn nhw ddenig. "Shgwl ar yr amser! Ma' hi'n ben-set. Ody'n flows i'n barod?"

O'n i ar fin deud wrthi bod hi'n fwy na barod pan gyrhaeddodd tad Seren. Tydi'r cont byth yn cnocio dim ond cerddad i mewn fatha tasa fo pia'r lle. Chafodd Siân ddim cyfla i neud dim byd ond taro'r flows amdani a chuddio'i chywilydd jest mewn pryd…

Ond Ffagan Sant! Sbiwch ar y llun. Freeze-frame: tad Seren yn syllu'n gegrwth ar Siân wrthi'n gneud y botyma ar ei blows ac un o'i bronna hi'n hongian allan o'r twll o'dd yr hetarn smwddio wedi'i losgi ynddi!

O'n i wrthi'n torri'r Forsythia yn yr ardd ac yn syllu ar Ynys Ronech allan yn Môr Hafren fan'cw – pwynt mwya deheuol Cymru tasa Lloegar ddim wedi'i nabio hi – Steepholm i'w ffrindia sy'n dal i siarad Viking. Ynys dywyll, ynys ddu – cysgwch yno am noson ac mi ddeffrwch yn boncyrs yn bora, meddan nhw. Tipyn bach fatha tŷ ni, dwi'n meddwl.

Torri'r berth a dŵad ar draws nyth bach twt. Pedwar cyw bronfraith yn syllu arna fi cystal â deud 'be wyt tisho'r cont?'. Gwbod yn iawn sut oeddan nhw'n teimlo – estron ar y nyth a ballu – a dyma fi'n rhoid gora i chwalu'u cartra nhw mewn ystum o gydymdeimlad. Dyna ydi biwti Forsythia – fedri di 'thorri hi siâp leci di, medri? Union fatha nofal.

Dyma fi'n gweld yr hen fod yn sefyll yn nrws y tŷ yn sbio ar lunia ohoni hi a'r hen go a Gwenlli tro dwutha oeddan nhw i lawr.

"'Dach chitha wedi denig hefyd?" me fi. "Gas gin i arddio ond mae o'n haws na bod yn tŷ, yndi?"

"Gwyn dy fyd di, 'ngwash i!" medda hi wrtha fi a syllu'n hiraethus tuag at y gorwel. "Ella na twyt ti'm yn ei weld o rŵan ond rhein ydi dyddia hapusa dy fywyd di, 'sti!"

# Kyffiniau Caerdydd

i Dadi ar Sul y Mamau,
Cariad mawr,
Gwenlli
X X X

# Y Ferch ar y Til yn Tesco

POWLIO'R TROLI rownd Tesco Ecstra, Gwenlli fatha joci bach jocôs yn reidio'r ceffyl haearn a finna under starter's orders yn gwrando arni'n pwyntio at y shilffoedd ac yn mynnu hwn, llall ac arall. Ma' nhw'n gwbod yn iawn be ma' nhw isho dyddia yma, tydyn? Dyn hys-bys wedi'u rheibio nhw ac wedi'u cyflyru nhw o'r crud i'r bedd. Con-siwm a society, ia? Ond dyna fo, ma'n rhaid i bawb fyta, does?

Lle digon coman o'dd Tesco pan o'n i'n hogyn. Tessa Cohen a'i gŵr wedi penderfynu bod 'na ddyfodol mewn gwerthu bwyd rhad i bobol – dyna'r cwbwl oedd o – a sbia arno fo heddiw! Bwyd dyn tlawd oedd gwydda ers stalwm ond sbia arnyn nhw rŵan. Dwywaith pris tyrci, cont! Bernard Matthews amdani heddiw 'ma, dwi'n meddwl. Ddim rhy fawr chwaith, cofia.

Weithia, pan fydd rhaid i mi, mi fydda i'n dŵad â mam Siân efo fi. Helpu efo Gwenlli, dyna ydi'r esgus, ond deud gwir yn onast fysa waeth i chdi ga'l dau blentyn efo chdi ddim. Ti'n gwbod y ddynas 'na ar yr hys-bys ar y teli – gwraig Basil Fawlty, Cressila Prunes ne' rwbath ydi henw hi? Fel 'na ma' mam Siân 'blaw bod hi'n waeth. Mwydro dy ben di'r holl ffor' rownd y siop, totio bob dim ar ei chyfrifiannell. Wedyn wrth y til ma' gynni hi fwy o gwpons na Littlewoods. Rhei rong hefyd rhan fwya ohonyn nhw. "No, luv. That's a special offer in the Western Mail. We don't do cut-price funerals."

"Gwrandwch!" me fi. "Tydi troli ecstra'n costio dim byd i chi. Awn ni rownd ar wahân, ia? Arbad amsar."

"Iawn!" medda hi. "Wela i chi wrth Til 23 mewn hanner awr."

Ddim os gwela i chi gynta! medda fi wrth 'yn hun. Ond

dyna fo, peth handi ydi troli i bwshad stori yn ei blaen, ia?

Welist ti'r stori 'na am y boi 'na o'r Gogledd ga'th ei ddal yn nabio yn Tesco? Uffar o dric da deud gwir os elli di ga'l get-awê efo fo. Be o'dd o'n neud yn gall iawn, wahanol i fi, o'dd mynd â'i wraig i siopa efo fo bob wsnos, troli bob un gynnyn nhw a rhestr-negas efo'n union yr un eitema ar y ddwy. Ar ôl llenwi'r troli mi fydda'r boi'n mynd at y til a thalu, mynd â'r stwff allan i'r car a wedyn dŵad yn ei ôl efo'r receipt a'i roid o i'w wraig. Honno'n cerddad yn syth allan efo'r ail droli heb dalu. Tasa'r Securi-co yn digwydd holi, mi o'dd y receipt gynni hi'n barod, toedd?

Da, ia? Dychymyg sgin y boi yna, ddylsa fo fod yn sgwennu nofal ne' rwbath!

Ia, ond diwadd trist sydd i'r stori, cofia. Gafon nhw gopsan, do? CCTV a ballu, ia. Ma'r lens yn llond bob lle, presennol yn bob man dyddia yma, yndi? Fedri di'm pigo dy drwyn nag oes rhywun yn sylwi arna chdi...

"Stopia fod yn hogan ddrwg!" medda fi wrth Gwenlli.

O'dd hi'n iawn yn y fruit an' veg a'r cowntar caws a'r cigoedd oer ond unwaith inni gyrradd y 'Byrbrydau a'r Creision' dyma hi'n dechra strancio a nabio 'Penguins' oddi ar y shilffoedd a ballu. Finna yn 'y ngwaith yn eu rhoid nhw i gyd yn eu hola.

"Jackie Bigi! Ffa Bîns! Blas mefus!" medda hi'n un ribi-di-rês o orchmynion rodd isho intyrprytyr Swahili i'w dehongli nhw.

Gas gin i weld plant yn cambihafio. Arna chdi ma' pobol yn gweld bai, ia? Pawb yn sbio'n ddirmygus ddu arna fi. Dyma 'na hogyn yn dŵad rownd y gornol ar sgêt-bord – y gwasanaeth ecspres 'na ma' nhw'n gynnig i siopwyr dioglyd yn Tesco Ecstra.

"Dwsin o wya? Dim problem, syr! Hannar munud!"

"Yli be sy' fanna!" me fi yn pwyntio at y boi i drio troi sylw'r fechan. Peth dyfara nesh i 'rioed! O'dd hi isho ffycin bwr' sglefrio wedyn, toedd?

"Tisho i Dadi ga'l sgil efo chdi ar y troli, oes?" me fi,

gobeithio bysa hynny 'i thawelu hi.

Cofio fel bydda'r hogia yn gneud trycs allan o hen goitshis yn dre 'stalwm. Sbîdio fatha Stirling Moss rownd y stâd! Dyma fi'n rhoid un droed ar y bar ar y troli, hwyth i'r llawr efo'r droed arall, ac awê, ia? Codi sbîd. Gyrru fel Jehu rownd y siop. Sgimio un cwsmar a'r aisle a'r trydydd – Gwenlli'n dechra chwerthin – a'r dyn busnas 'ma, snob, yn sbio fatha bwch arnan ni.

"Be ti'n sbio'r cŵd?" medda fi wrth yr hen snich. O'n i'n dechra enjoio'n hun go iawn tan i'r hogyn ddŵad rownd y gongol eto ar y sgêt-bord… Madarch hud a phacbys! Crash, bang, wallop! Dyma ni'n hitio'r hogyn yn seitan ar lawr. Do'n i'm yn gwbod be o'dd free-range eggs o'r blaen. Dwi'm yn meddwl bod y dyn busnas chwaith tan iddo fo sylwi ar y melynwy yn llifo lawr ei dei o.

Trawma'r troli, ia? Ond dyna fo. O'dd Gwenlli ddim gwaeth. Ma' 'na ryw dda ym mhob drwg, does? O leia toedd mam Siân ddim yn gwbod.

Be ddigwyddodd i'r boi arall 'na, 'ta?

Pwy?

Y boi o'r Gogledd oedd yn nabio o Tesco? Ffyc-ôl! Be ti'n ddisgwl? O'dd y cont yn ddyn busnas, doedd? Ynadon o'r un dosbarth canol â fynta yn ista ar eu gorsedd yn barnu. 'Just look who's in court!' chwedl pennawd glafoeriog y Pontypridd Observer gan ymhyfrydu yn nhrallod pobol dlawd sydd heb ddisg treth ne' shiwrans car ne' rwbath. Ond be sy'n digwydd i'r lladron go iawn? Ma' nhw'n chwthu 'u trwyna ac yn ca'l conditional discharge! Pa mor strêt ydi magistrêt? Pam bo ni'n cymyd gin y ffwcars?

"You're a lovely little thing, aren't you?" medda'r ferch ar y til wrth Gwenlli. "Who could 'arm 'em, eh?"

"She doesn't speak English!" medda mam Siân yn sych.

"Poor love!" medda'r hogan. "Can't you learn 'er?"

Wyt ti'n cofio'r genod bach 'na ar y til yn Tesco Dulyn ers talwm? Cerddad allan ar streic en masse er mwyn cefnogi'r mudiad gwrth-apartheid? Ennill dim ond ceiniog a dima 'u hunan, creaduriaid, ond yn fodlon aberthu 'u cyfloga er mwyn eu brodyr du yn Ne Affrica. Ma' 'na arwr ynddon ni i gyd, meddan nhw, toes, tasat ti jest yn medru'i dynnu fo o'i gragan. Ma'r dosbarth gweithio'n fodlon gneud petha mawr tasa rhywun ddim ond yn gofyn iddyn nhw weithia...

# Anni-Bendod

## gan Goronwy Jones (Gwasg Disgyrchiant)

"Dadi – alla i ga'l un stori arall?"

"Na, chwara teg. Dyna fo rŵan. Ma' hi wedi mynd yn hwyr."

"Plis?"

"Nos dawch!"

"Sa i'n mynd i gysgu, 'te!"

"Hei, gwranda di, madam. Dim o dy lol di. Ma' Dadi wedi blino!"

"Pam?" medda hi a dechra sorri'n bwt. "So ti'n neud dim byd trw' dydd!"

O enau plant bychain, ia? Toes dim isho gofyn pwy ddeudodd hynna wrthi, nag oes? Dyna ydi'r trwbwl efo merchaid sy'n mynd allan i weithio. Ma' nhw'n meddwl bod y tylwyth teg yn dŵad i mewn a gneud bob dim yn tŷ. Ma' cadw Gwenlli'n ddiddig yn job llawn amsar ynddi 'i hun alla i ddeud wrthat ti! Ma' hi'n llyncu straeon fatha bysa Siôn Blewyn Coch yn llyncu Wil Cwac Cwac a fedra i jest ddim dal i fyny efo hi.

"Pam so ti'n sgwennu llyfre i blant?" medda Siân wrtha i.

"Ma' 'na rai pobol yn deud na dyna be dwi yn neud!" medda fi.

"Dere 'mla'n! Gad dy ddwli. Ma' ishe rhagor o lyfre Cwmrâg, o's e?"

O'dd Siân yn iawn. O'dd 'na ddigon o lyfra Saesnag i ga'l. O'dd 'na ddigon o lyfra Serbo-Croat i ga'l hefyd ond toedd Gwenlli'm yn dallt rheini

chwaith. Mi o'dd deunydd wedi
mynd mor brin gorod i mi
gyfieithu Roald Dahl a ballu
iddi. 'Danny, Pencampwr y
Byd', hanas hogyn o'dd yn byw
efo'i dad mewn carafan. Doedd
'na ddim sôn am fam (ydi
hynna'n canu cloch?) ond toedd
yr hogyn ddim ar ei golled. Tad
Danny o'dd y tad mwya sbeshal
welodd neb 'rioed. Tad egnïol,
tad llawn dychymyg.

"Tad â sbarc ynddo fe!" medda Siân a'i ll'gada hi'n pefrio.
"Wyt ti'n credu allet ti fod yn dad fel 'na i Gwenlli?"

Trwbwl efo fi ydi toes gin i'm lot o stamina. Toes gin i'm
tamad o help achos dwi'n meddwl bod o'n rhedag yn y teulu.
Digon hawdd i Siân siarad. O'dd Seimon Pugh ei thad hi, yr
hen fancar, wedi'i difetha hi a'i chwaer yn rhacs, doedd?
Mynd â nhw i Sbaen bob gwylia ha' a ballu, a hynny yn y
chwedega cynnar cyn i neb feddwl am package holide heb
sôn am roid llinyn rowndo fo. Ond be o'dd yr hen go'n neud
efo ni? Dympio ni yn cae swings tra roedd o'n mynd am
beint a dŵad yn ei ôl ymhen dwyawr efo potal 'Vimto' a thri
gwelltyn ynddi. Y cyw a fegir yn uffar, ma' siŵr na uffar o
dad fydd o'i hun, ia?

"Sa i ishe clywed dim negyddieth!" medda Siân. "Wy i'n
gwbod yn nêt beth yw dy ddiffygion di ond dyfodol dy blentyn
di sy'n y fantol man hyn!"

Fel pob comiwnydd da ma' Siân yn ffond iawn o
ddyfynnu'r Beibil.

"Arian ac aur nid oes gennyf," medda hi, "ond yr hyn sydd
gennyf yr wyf yn ei roddi i ti... Wy i'n gwbod bo meddwl yn
neud dolur i ti, Gron, ond meddylia tybed beth allet ti 'i roi'n
rhodd i Gwenlli!"

"OK, 'ta!" medda fi wrth y fechan a'i swatio hi yn y gwely.
"Un stori bach arall. Stori be wyt tisho?"

Oes isho gofyn? Yr un peth ydi'r encore bob tro ers oes pys. Peth od ydi traddodiad, ia. Does neb byth yn cofio pryd mae o'n dechra, ond ers pan ma' hi'n ddim o beth dwi wedi bod yn deud straeon wrthi am Anni-bendod…

Trwbwl efo fi, dwi byth yn taflu dim byd i ffwr. Ma'r atig 'cw'n llawn dop o focsus-ffeil a llyfra nodiada a hen gylchgrona, cardia post a dyddiaduron a chlips dwi wedi'u torri allan o bapura newydd a ballu. Pob math o geriach a 'nialwch fysa'n llenwi llond atig arall taswn i'n ddigon stiwpid i restru'r blydi lot lawr ar bapur… Casetiau dirifedi: 'Gwenlli'n siarad', 'Gwenlli'n canu', 'Gwenlli'n sgrechian am 2 x 45' isho mami, a dadi jest â mynd yn soldiwr yn y cefndir. Tapia fideo di-bendraw: Gwenlli'n perfformio yn nrama Dolig y Ceriwbiaid, Gwenlli'n bowio ar ddiwedd yr act ac yn cyhoeddi yn ei Saesneg bach clapiog: "And now you've got to give us the clap"!

Dwi'n gwbod bod papur yn hel llwch. Dwi'n gwbod bod llwch yn beth ciami i asthma'r fechan a ballu, ond wyt ti wedi trio hwfro twmpath o bapur efo 'Dyson DC02 Dual Cyclone'? Mae o fatha ca'l dy sugno i mewn i blac hôl a dim byd ar ôl ond lle buest ti. Fedra i mo'u taflyd nhw, na fedra? Be 'di bywyd heb ei atgofion? Dwi ofn nes dwi'n swp sâl byswn i'n anghofio bob dim 'blaw bod o ar gof a chadw. Ond tydi Siân ddim yn dallt.

"Trysora!" medda fi.

"Annibendod!" medda Siân.

Be newch chi efo'r bwlch rhwng y geiria ond ei lenwi fo? Be newch chi efo llanast 'ych bywyd ond ei ailgylchu fo'n straeon?

Hogan bach beniog ydi Anni. Bob tro ma' petha'n mynd yn flêr a'r byd fel petai o'n chwalu'n rhacs jibidêrs o'i chwmpas hi'n bob man, ma' Anni'n iwsho'i dychymyg ac yn dod o hyd i'r atab. Does dim problem dan haul na tydi hi'n medru'i datrys hi. Dwi'n siŵr bod hynna'n gysur di-bendraw i'r hogan bach sy'n swatio dan y dillad a mynd i gysgu…

Bechod na fysa bob dim mor syml â hynny, ia? Cychwyn

i fyny grisia'r atig am noson arall yn unigedd y siambar sori...
Ochneidio'n ddwfn i gyfeiliant Sylvia Pugh yn rhochian fatha
hwch yn y llofft sbâr... Sefyll ar untroed oediog ar y grisia a
phenderfynu'n sydyn, 'Na, ffwcia fo! Dwi'm yn cysgu fyny
fanna eto heno 'ma...'

Cerddad ar flaena 'nhraed ar hyd y landing a gweld drws
stafell Siân yn gilagorad. Mentro taro 'mhen dros y parapet
i no-man's land...

"Psst!" medda fi yn betrus.

"Beth... ?" medda Siân yn flin o'r byncyr.

"Wyt ti'n cysgu?"

"Odw! Wy i jyst yn siarad yn 'y 'nghwsg 'na i gyd. Beth ti
moyn?"

"Ma' hi'n oer yn yr atig!"

"Dod grys dy byjamas drosti, 'te!" medda Siân yn sych.

Does na'm byd mwy creulon na rhywun yn lluchio'ch jôcs
chi'ch hun yn ôl yn 'ych gwynab chi, nag oes? Heb arwydd o
hiwmor, heb sôn am chwerthin.

"Dwi wedi twtio'r atig!" me fi.

"Twt, twt! Do fe? Watshia straenio dy hun," medda hi eto.
Mentro'n nes at y gwely a thrio cocsio rom bach arni.

"Nesh i freuddwydio amdanat ti neithiwr, 'sti!" me fi.

"Nest ti...?"

"Naddo – neuthat ti'm gadal i mi!"

Ma' hi'n trio dal yn ôl ond fedar hi ddim. Gwaetha hi'n ei
dannadd ma' Siân yn piffian chwerthin.

"Cer o man hyn, nei di?" medda hi a rhoid hergwd ddim-
mor-hegar-â-hynny i mi oddi ar erchwyn y gwely. "Weda i un
peth amdanot ti. O leia ti'n gallu hala fi 'wherthin!"

Dyna ydi'r peth, yli – dio'm ots be dwi'n drio, dôs o biti,
dôs o bŵd, dôs o bathos – do's na'm byd yn gweithio fatha
chwa o chwerthin. Fydda i'n meddwl weithia na dyna pam
bod Duw wedi creu'r byd 'ma yn lle mor abswrd – jest er
mwyn i ni i gyd ga'l laff, ia?

"Gwranda! Dwi'n sori, reit?" medda fi, trio taro'r haearn
tra roedd o'n boeth. "Ma' ddrwg gin i. 'Na i byth mono fo

eto. Er, ma' cymaint o amser wedi mynd heibio, dwi'm yn siŵr iawn be nesh i!"

"Nage'n gwment beth nest ti yw e!" medda Siân. "Ond beth wyt ti ddim yn neud. Pam so ti'n neis i fi, Gron?"

"Dwi yn neis i chdi!" me fi. "Dwi'n gneud bob dim ti'n ofyn..."

"Ie, wy i'n gwbod, ond... So ti'n cofio John Hurt yn *Captain Corelli's Mandolin*?"

"Pwy?"

"Y doctor, w! Tad Penelope Lopez. Hwnna o'dd yn rhoi cyngor i bobol. Newch y pethe bychen, wedodd e. Dodwch siôl dros ysgwydde'r wraig pan ma'r gwynt yn fain min nos. Cerwch mas i gasglu co'd tân ar gyfer y bore heb iddi offod gofyn i chi... Gron! Ti jyst ddim yn gwbod shwt i drin menyw, wyt ti?"

"Nadw, dwi'n gwbod," medda fi. "Dwi'n ffycin iwsles, tydw? Da i ddim byd i neb..."

"Paid â dechre!"

"Chdi sy'n deud...!"

"'Sa i ishe clywed rhagor o'r hunandosturi pathetig hyn, reit? Ti'n ddyn yn dy oed a d'amser. Ti'n dad i ddau o blant. Ma'n hen bryd i ti..."

"Be 'di'r iws?" me fi. "Dwi'n rhy hen i..."

"Gwed ti unweth 'to bo ti'n rhy hen i newid a tshopa i dy ffycin bôls di off, reit?"

"OK!... OK!" medda fi, trio cha'l hi i bwyllo rom bach. Peth peryg ar y naw ydi dadla efo nail-file yn y twllwch.

"Os nag wyt ti'n shapo, byddi di'n cysgu yn yr atig am weddill y flwyddyn, reit? Ffycin hels bels, Gron! So ti'n fforti 'to. Rho un arwydd bach o obeth i fi, 'nei di? Ma' digon o botensial 'da ti. Ma' ishe i ti aeddfedu. Datblygu dy dalente... (Sniff, sniff) ...Wyt ti wedi bod yn hifed?"

"Ma' rhaid i bawb ga'l rwbath, toes?" me fi. "Be dwi fod neud yn ystod oria hir y gaea? Twyt ti byth adra gyda'r nos. Dwi byth yn gweld enaid byw ar ôl i Gwenlli fynd i'r gwely!"

"Ma' Mami bytu'r lle..."

"Enaid byw, ddudish i! Yr unig ffrindia sgin i ydi Johnny Walker, Glen Fiddich, Charles House a rheina…"

"So rheina'n ffrindie i neb!"

"Well na dim byd! Twyt ti'm yn grinjan i mi ga'l tropyn gobeithio!"

"Tropyn? O'n i'n ailgylchu llond wheelie-bin o boteli wisgi wthnos dwetha!"

"Twyt ti jest ddim yn dallt, nag wyt? Fedra i ddim cario 'mlaen i weithio mewn vacuum fel hyn. Ma'n straeon i'n dechra mynd yn boring!"

"Ma' dy straeon di wastod wedi bod yn boring!"

"Dyna ni! Diolch yn fawr i ti. Gna di hwyl am 'y mhen i. Boring efo brillo-pad ydyn nhw tro 'ma yli. Disinffectant! Sterilizing liquid! Chwynladdwyr! Nid ar lendid yn unig y bydd byw llyfr, ti'n gwbod. Dwi'n teimlo mor wan â meicrob sy'n trio nofio yn erbyn y teid mewn môr o bleach. Glywish i ddoctor ar Woman's Hour yn deud bysa fo'n lles i ni i gyd fyta dipyn bach mwy o faw. Fyddi di'm yn dyheu am rywfaint o jyrms yn dy fywyd weithia? Gin i gasgliad o straeon fan hyn a fedra i'm meddwl am deitl gwell iddyn nhw na Domestos!"

"Dere 'ma!" medda Siân yn dosturiol a 'nhynnu fi mewn i'r gwely. "Ma' hi'r un peth i bob un sy'n magu plentyn. Daw pethe'n well gan bwyll bach. Sa i'n credu taw alcohol yw'r ateb!"

"Naci?"

"Nage! Fi'n credu bo fe'n dy neud di'n berson hunanol ac ansensitif. Dyna natur y bwystfil, ontefe?"

"Ffyc off! Dwi'n meddwl bo fi'n neud yn dda iawn," medda fi. "Tydw i'm yn gneud sioe o lyshio bellach nag dw…"

"'Na beth sy'n 'yn fecso i!" medda Siân. "Ci tawel sy'n cnoi, ontefe? Lysho lot, lysho ben dy hunan… Est ti â Gwenlli i'r wers nofio heno?"

"Do – pam?"

"Ble buest ti tra o'dd hi wrthi? Sawl peint hifest ti cyn dreifo gatre?"

Ddeudish i ddim byd – bosib iawn mod i dros y rhicyn, ond Duw Duw, pwy sy'n poeni allan yn y weilds yn fama? Pryd gwelist ti blisman ddwutha?

"Sawl gwaith ma' ishe gweud 'thot ti? Sa i moyn i ti hifed tropyn pan ti'n gyrru Gwenlli 'bytu'r lle, reit?!" meddai Siân, dechra mynd yn boncyrs eto.

"Yfad a gyrru – 'na chdi ddeud gwirion ydi hynna," me fi. "Be ti'n feddwl ydw i, octopus? Gwydyr yn un llaw – llall ar y llyw!"

"Gad e fod, reit!" medda hi a'i llgada hi'n tanio.

"Be?" medda fi.

"Yr acto'n ddwl hyn! So fe'n ddoniol rhagor, Gron. Nag wyt ti byth wedi meddwl am drial acto'n glefer? Sa i moyn ti'n meddwi pan ti'n dishgwl ar ôl Gwenlli, reit? Ne' Duw a ŵyr ble bydd y stori'n bennu!"

---

A OES GENNYCH UNRHYW SALWCH, PROBLEM IECHYD NEU ANABLEDD HIR DYMOR SY'N CYFYNGU AR EICH GWEITHGAREDDAU BOB DYDD NEU'R GWAITH Y GALLWCH EI WNEUD:

☑ ~~Nac oes~~

☑ Oes!

---

# Dadeni Dysg
# Dyn Dŵad

gan Ben J. Howells

'Danteithion diwylliannol i gadw Gron dan y gronglwyd: neu o'i gyfieithu i dafodiaith Arfon, lyfli-jybli i gadw Jôs 'ddar y jiws.'

BYTH ERS I GWENLLI ga'l ei geni o'dd hi wedi bod yn strygl i mi gadw allan o'r dafarn. Peth garw ydi torri arferion oes, ia? O'dd y patrwm fel tasa fo wedi'i serio ar 'yn DNA fi – gorffan gorchwylion y dydd efo Grolsch – DNA o'dd y dîl, ia? O'dd dim ots gin i siglo'r crud a chanu hwiangerddi a ballu ond be o'n i fod i neud wedyn? Olreit i Gwenlli achos o'dd hi'n cysgu ond o'dd Siân allan mor amal yn achub y genedl a dyna lle'r o'n i ar ben 'yn hun yn canu 'Magl 'di'r magu 'ma, hei, now, now', ia?

Ond, chwara teg i Ben a Lun, ma' nhw wedi bod yn driw iawn i ni. O'dd eu plant nhw wedi tyfu fyny ac ar eu TASA a'u TGAU a phob acronym arall fedri di feddwl amdano fo erbyn i ni ddechra magu, ac mi o'dd Ceidrych a Gwenhwyfar yn gymorth hawdd ei ga'l mewn cyfyngdar lawar tro pan o'dd isho rhywun i warchod am isafswm cyflog o igian punt y noson.

Ac eto, mi o'dd isho mwy na dôs gyffredin o help ar yr hogyn (dyna ydw i'n dal i alw'n hun, yli!). O'n i'n gwbod bod petha wedi mynd i'r pen arna i y noson cesh i 'nal gin y bag-lysh am yr eildro, y cop bach ifanc 'na'n gofyn imi, "Lle 'dach chi wedi bod heno, syr?" A finna'n methu meddwl lle bysa neb yn mynd â'r car gyda'r nos 'blaw at gysur Siôn Heidden a'r hogia...

Ma' nhw'n deud bod dyn sy'n ca'l ei ddal gin y bag-lysh unwaith yn anlwcus. Os 'dio'n ca'l 'i ddal ddwywaith mae o'n rhyfygus... Ond, os 'dio'n ei cha'l hi deirgwaith tydi o ddim yn ffycin call...

Dyna pryd da'th Ben Bach i'r adwy efo'r rhestr o betha 'ma i 'nghadw fi'n ddiddig yn y tŷ gefn gaea. Ei genadwri fo mewn bywyd o'dd trosglwyddo 'Oll Synnwyr Ben Gymro i gyd' i ben rwd yr hog.

"Tasg nid ansylweddol," medda Ben wrth Siân, ond os o'dd Beibil William Morgan wedi achub y Gymraeg, o'dd o'n meddwl bysa diwylliant yn medru achub un o'i ddefaid o.

# Yr Opera-C'est Bon

"Yr opera yw'r mwyaf abswrd o'r celfyddydau!" medda Ben Bach un noson pan oeddan ni'n sipian sieri ac yn gwrando ar waith ryw gyfansoddwr chwil o'r enw Dan-y-seti.

"Elli di ddeud hynna eto!" medda fi.

"Falch bo ti'n cytuno!" medda Ben. "'Na pham dylet ti ddechre ymddiddori ynddo fe. Ffor' ti'n ymddwyn, ffor' ti'n byw. Shwt ma' hen rebel fel ti wedi derbyn dy lot domestic mor rhwydd. Ma' 'na'n abswrd ynddo'i hun, on'd yw e?"

"Tisho lab, cont?" me fi.

"Na, na! Paid cymryd o 'whith. Trial ffindo niche i ti odw i. Alla i ddyall pam bo gas 'da ti'r theatr glasurol: Shakespeare a Saunders a pethe. So pob un yn mwynhau her intelectol ond theatr yr emosiyne yw'r opera, t'wel. 'Na pham bydde fe'n dy siwto di."

"Be ti'n feddwl?"

"Dere 'mla'n! Chi Gogs. So chi'n dangos 'ych teimlade'n rhwydd iawn, y'ch chi?"

"Gwranda'r cŵd!" medda fi gan gydio yn ei golar o. "Ma'r Gogs yn llawn emosiwn, reit, jest bod ni ddim yn sychu'r dagra ar 'yn llewys fatha rei pobol. Os ti isho gweld be 'di dangos teimlada, jest deud hynna eto, reit?"

"Olreit! Olreit! I rest my case!" medda Ben, gan batio 'mocha fi'n nawddoglyd fel bydd o. "Dyw e ddim yn neud lles cadw teimlade i miwn nes bo ti'n ffit i fyrsto, t'wel. Falle dylet ti ymollwng tam bach yn amlach!"

Ddoth Siân adra'n ecseited i gyd un noson. "La Boheme nos Fercher!" medda hi.

"Iawn!" me fi. "Dwi'n colli nabod ar Gaerdydd 'ma. Ma'

'na ryw restaurant newydd yn agor 'ma bob dydd!"

"Opera'r bat!" medda Siân. "Ma' Ben wedi bwco bocs i ni."

"Bocs? Lle ddiawl 'dan ni'n mynd – i'n cnebrwn 'yn hunan ne' rwbath?" Ond gan y gwirion ceir y gwir, ia? O'dd 'na fwy o hwyl mewn angladd nag oedd 'na fan hyn.

'Theatr Newydd'. Profiad newydd. Oeddan nhw wedi gneud i mi wisgo i fyny mewn deining-siwt a dici-bo ac o'n i'n teimlo fatha ryw Phantom of the Opera myn uffar i.

"Pst!" medda Ben yn 'y nghlust i. "Pam nag yw eirth gwyn byth yn lladd penguins? Achos do's dim eirth gwyn ym mhegwn y De a does dim penguins yn y Gogledd – ar wahân i ti, ontife!" mo, a phiso chwerthin am 'y mhen i.

Dwi'n troi at Siân, yn gafal yn ei llaw hi ac yn deud, "Your tiny hand is frozen – ond paid â phoeni, neith y surgeon ei thynnu hi allan o'r ffrij a phwytho hi'n ôl i chdi!"

"Hisht, w!" medda Siân. "Ma' pobol yn dishgwl arnot ti."

Dyna ydi'r trwbwl efo ista mewn bocs sy wedi'i syspendio uwchben y theatr: ma' pob ffycar yn y theatr yn sbio fyny arna chdi, yndi? Fatha mwnci mewn caetsh myn uffar. Pam bysa neb yn talu mwy i ista fyny fan hyn? Cwbwl dwi'n weld ar y stej ydi bol lysh Rodolfo o'r ochor, ia?

Dwi'm yn meindio gwrando ar bobol yn canu ond ffwc, ma' rhaid i chdi neud rwbath i ddiddori dy hun tan ma' nhw'n gorffan oes?

Darllen rhaglen uniaith Susnag La Boheme: 'Where is Bohemia? Bohemia is a district in the department of the Seine bordered on the north by cold, on the west by hunger...' Swnio'n debyg uffernol i Gymru! '...on the south by love, on the east by hope.' Second thoughts, nadi, tydi o ddim yn debyg o gwbwl!

O'dd Ben wedi gaddo'n ffyddlon i mi byswn i wrth 'y modd efo La Boheme.

"Cerddoriaeth mor felys – gwmws fel grondo ar Melon a La Cartney ne' rwbeth!"

Ystyr 'opera' ydi 'gwaith', medda fo – dwi'n ca'l gwaith

gwrando arno fo dwi'n gwbod hynny! O'r diwadd mi ddath diwadd Act 2 a'r egwyl lysh, a dyma fi'n gneud B# am y bar. O'dd y lleill wedi stopio i siarad efo Kinnock Davies a Blowin John Thomas a rheina – pobol ma' nhw'n nabod yn y Cynulliad – ac o'n i hannar ffor' trw' 'mheint o lager pan ddaethon nhw i'r bar…

"Ydach chi isho diod?" me fi a phwyntio at y shilff.

"W! Diolch, Gron," medda Luned Bengoch, wedi gwirioni ca'l rhwbath am ddim.

"Jin an' tonic. 'Co ti, Siân!"

"Neis iawn o' ti, Gron!" medda Ben Bach gan gydio yn ei beint o Brains a sbio dros 'yn ysgwydd i i weld fedra fo sbotio rhywun arall mwy diddorol na fi. "Pingo ma', on'd yw hi?"

Ymhen tipyn bach dyma Jimmy'r barman draw efo cwsmar blin ac anfodlon iawn.

"Oi'm sure I left them here," medda Jimmy, a sbio ar bishyn o bapur a syllu ar y shilff lle oeddan ni'n sefyll a chrafu'i ben mewn penblath.

"What's the matter?" medda Siân.

"It's too bad," medda'r Sais. "Things have gone to the dogs. Some rotter has pinched our drinks!"

Snapsiot o Ben-a-Lun-a-Siân-a-fi. Llond bocs o bobl grand yn cochi at eu clustia.

"Sori!" medda fi. "'Y mai i ydi o. Pris y ticedi – o'n i'n meddwl siŵr bod y diodydd am ddim!"

Be ti fod i neud ydi rhoid archeb 'lysh yr egwyl' i mewn ar bishyn o bapur cyn dechra'r sioe. Syniad gwych gin rywun sy'n nabod ei faes – gwbod peth mor uffernol o sych ydi opera, ia? Ond tydyn nhw ddim yn nabod hogia dre, na'dyn? Union fatha'r bars 'na ar y cyfandir lle 'dach chi'n hel 'ych 'shits' i gyd a thalu ar ddiwadd y noson. Ydyn nhw'n gall, yndyn? Oes 'na neb 'rioed wedi clywad am neud rynnyr ne' be?

"Paid â phoeni!" medda fi wrth Siân. "Fydda i'n gwbod be i neud egwyl nesa."

"Sdim egwyl nesa i ga'l!" medda hi. "Diolch byth am 'ny! Cywilydd 'no i ddangos 'y ngwyneb. Ma' rhywun bown o fod wedi dy weld di!"

Ella bod hi'n iawn hefyd. Deud y gwir wrthat ti, ddim un peint o lager gesh i – o'n i wedi bachu dau ac o'n i jest â marw isho pishad drw' gydol Act 3 a 4.

"Joiest ti?" medda Ben wrtha fi pan oeddan ni'n cyd-biso ym mog Dylan's Bar nes 'mlaen.

"Iesu, do!" medda fi. "Trist iawn, very sad, La Boheme, yndi? O'n i jest â marw isho colli deigryn erbyn y diwadd!"

"Wyt ti'n gwbod pam a'th Dylan i America?" medda Ben. "Achos bo fe wedi blino'n Laugharne!" mo.

Nesh i'm dallt honna tan nesh i sgwennu hi lawr ond mi nesh ddallt hon…

Dyma 'na aelod o'r corws yn dŵad draw aton ni, a dyna lle oeddan ni'n cyd-ymffrydio efo'n gilydd.

"Tri Tenor yn ca'l tapad!" medda fi wrth Ben. "Swnio fatha teitl CD yndi?"

Ond o'dd Ben wedi mynd a'i glust o wedi mynd efo fo…

"So ti gyda fe, wyt ti?" medda'r tenor, nelu at Ben.

"Yndw, pam?" me fi.

"Ma fe'n hala fi'n wyllt!" mo. "Dwgyd y tamed o'n cege ni. So'r cont byth yn talu am fynd i'r opera, t'wel! Ma' fe wastod yn sbynjo bocsus am ddim!"

Dyma ni'n cerddad trw'r dre tuag at y maes parcio: lle da i sgwennu nofel multi-stori medda fi wrth 'yn hun. Hanas ryw Ben o'r enw Bach a'th yn multi-millionaire drw' jarjo'i ffrindia £40 yr un am docynna opera o'dd o wedi'u ca'l am ddim!

"Sori! Sdim newid 'da chi, o's e?" medda Lun yn lle parcio.

"'Co ti!" medda Siân. (Be 'di'r pwynt newid arferion oes, chwadal hitha? Dyna sut ma' Ben a Lun mor gyfoethog: tydyn nhw ddim yn delio mewn pres mân.)

"'Co!" medda Ben, pwyntio i fyny at benthouse yn yr entrychion. "Fflat Bryn Terfel i ti."

"Paid â mwydro!" medda fi. "Fuodd Bryn 'rioed yn fflat

yn ei fywyd! Mae o'n taro'r nodyn yn well na 'rioed, yn enwedig y C a'r B a'r E, ia?"

"Wel, os o's rhywun yn haeddu anrhydedd…" medda Lun. "Beta i bo'r fflat 'na wedi costu rhwbeth iddo fe!"

"Sawl Gŵyl y Vinyl sy wedi bod nawr, Siân?" medda Ben. "Dipyn o record, on'd yw hi?"

Ond o'dd Siân wedi mynd o'n blaena ni. Does na ddim stopio dynas sy ar y 'Grand March', nag oes?

Cyrraedd adra jest mewn pryd i weld Gelynes Chinook yn llarpio Ieuan Winjo ar Question Time. O'dd 'na ryw foi o'r enw Gaiman Slim wedi dechra taranu yn erbyn y mewnlifiad. Cont hiliol, cont dwl, cont ffashist! Cont cenedlaetholgar, baw isa'r doman, fatha pob gwladgarwr eithafol arall yn y byd!

"Ar wahân i Ho Chi Minh!

A Fidel Castro…!

A Nelson Mandela…!

A Gandhi…!" medda Siân.

"Freedom fighters gwrth-imperialaidd oedd rheina i gyd wrth gwrs. Ma'r Brits mor unllygeidiog, on'd y'n nhw? Gobeitho ceith Bryn hwyl ar gomandio'i British Empire. Ma' un peth yn sicir, does dim rhaid iddo fe edrych yn bell i ddod o hyd iddi!"

# Fool's Mate

Ma' parlwr Ben a Lun fatha pin mewn papur bob amsar. Hynny ydi, tasat ti'n medru ffeindio papur i roid pin ynddo fo. Tydi Lun ddim yn credu mewn prynu papura newydd. 'So nhw'n newydd erbyn fory, odyn nhw?' chwadal hitha. 'Dim ond i'r bun ma' nhw'n mynd!' Tydyn nhw ddim yn gredwyr cry' iawn mewn llyfra chwaith yn ôl y shilffoedd gweigion... 'Minimalist' ydi Lun o'i phen i'w sawdl, gan gynnwys ei brên hi medda Siân. O'n i'n ista ar ben 'yn hun yn stagio ar y bôrd stiff o 'mlaen i. Ma' 'na gêm o jess yna beth bynnag, fatha pob lolfa yn Gaerdydd. Jess er mwyn sioe, ia, dwi'n meddwl.

"Wyt ti ishe gêm?" medda Ben ar ei ffor' o'r gegin efo dwy botal o Hoegaarden i ni.

"Iawn!" medda fi. "Lle ti'n cadw'r draffts?"

"Nage draffts, w! Gwyddbwyll!"

"Wyt ti'n gall, cont?" me fi. "Fyswn i'm yn gwbod lle i ddechra!"

"Dere 'mla'n! Ddysga i ti. All unrhyw ffŵl 'whare gwyddbwyll!" mo.

Rhyfal di-drais ydi chess medda Ben. "Lle gwych i ga'l gwared ar dy rwystredigaethe. Lle i ymgolli'n llwyr ynddo fe. Lle i ddianc rhag y storm a'i stŵr a'i dwndwr a'i gwawd..."

"O'n i'n meddwl na gwers wyddbwyll o'dd hon," medda fi. "Ddim gwers farddoniaeth!"

"Celfyddyd yw e i gyd, t'wel," medda Ben. "Nawr, y peth cynta i neud yw nabod dy fyddin. Y cestyll, y ceffyle – y ddau esgob yw'r rheina 'da twll yn eu tine..."

"Dim byd newydd yn fan'na 'ta, nag oes?" me fi.

"Gad dy ddwli homoffobig!" medda Ben. "A gwranda! Ma' rheina werth pump a ma' rheina werth tri. Ma'r frenhines werth naw ac ma' brenin yn amhrisiadwy wrth gwrs!"

"Ffycin hel! Cau dy geg, nei di?" me fi. "Dwi wedi ca'l llond bol yn barod! Lle gest ti'r cwrw 'ma?"

"Gwlad Belg! Pam – ti'n lico fe?"

"Dwi'm yn gwbod am d'un di," medda fi, "ond ma' hwn yn gymylog uffernol!"

"Cymylog yw cwrw gwenith, y bat!" medda Ben. "Unrhyw gwestiyne?"

"Pwy di rheina, 'ta?" medda fi am y rhesiad o bishis bach di-nod sy'n ista yn y seti swllt yn y ffrynt.

"Y gwystlon yw rheina. Y milwyr. Dim ond un pwynt ma' rheina werth, wedyn allan nhw ga'l eu haberthu yn y frwydr, t'wel."

"Dim byd yn newydd yn fan'na chwaith, nag oes?" medda fi.

"Nag o's, ti'n iawn," medda Ben. "Cannon-fodder – 'na beth yw'r dosbarth gwitho wedi bod ar hyd yr oesoedd, t'wel. O't ti'n gwbod taw Celtiaid o'dd rhan helaeth o filwyr y Confederacy yn ystod rhyfel catre America? O't ti'n gwbod taw dynon duon o'dd rhan helaeth o'r cavalry fu'n difa'r Indiaid Cochion? O't ti'n gwbod bo 20,000,000 o Rwsiaid wedi cael eu lladd yn yr ail ryfel byd i gymharu 'da 100,000 o Iancs?"

"Taw, cont!" me fi. "Sgin i'm mynadd efo hanas, reit?"

"Pwy ran o hanes ti ddim yn lico?" medda Ben. "…Heddiw, ddoe 'te fory?"

"Fedra i jest ddim cofio ffeithia, reit?" medda fi. "Ma bob un o'r pishis 'ma'n symud i gyfeiriad gwahanol. Does 'na'm rhyfadd na tydi'r Cymry ddim yn chwara'r gêm!"

"Beth ti'n siarad?" medda Ben. "Ma'r Cymry ar fla'n y gad yn y maes! Ti wedi clywed am T. Llew Jones, do fe?"

"Pwy?"

"Yr awdur, w!"

"Do, siŵr Dduw!" medda fi. 'Twm Sionc Ati' a 'Bandit yr Andy's' a ballu."

"Na fe! Falch bo ti'n gyfarwydd â'i waith e, ond so fe wedi neud lot o les i dy sillafu di, ody fe?"

"Dwi'm yn deud bo fi wedi darllan nhw!" medda fi. "Mr Fleming o'dd yn darllan nhw i ni yn 'rysgol fach – i'n cadw ni'n ddistaw tan i'r gloch ganu, ia?"

"Nage dim ond sgwennu o'dd T. Llew Jones yn neud, t'wel. O'dd e'n 'whare gwyddbwyll dros Gymru. Ma' ishe lot o ddychymyg i 'whare'r gêm hyn!"

"Nawrte!" medda Ben. "Ody 'na'n glir?"

"Clir fel y cwrw 'ma!" medda fi. "Be ti'n neud?"

"Dechre'r cloc!" medda Ben, sy'n cymyd bob gêm o ddifri. "Dere 'mla'n! Bach o dân! Ma' rhaid i ti fod moyn 'yn maeddu fi! Pwy wyt ti'n gasáu fwya yn y byd?"

"Dwi'm isho deud wrtha chdi," medda fi, "ne' mi fysat ti'n 'y ngalw fi'n hiliol! Ddim bob un ohonyn nhw, cofia, dim ond y rhei sy wedi neud cam efo ni!"

"Gad i ni jyst galw fe'n rhyfel dosbarth, 'te, ife?" medda Ben. "Nod y gêm yw lladd y brenin, t'wel!"

"Amen i hynny, ia?" medda fi a symud 'y ngwystl druan i ganol y Rhyfal Mawr.

Tua hanner munud wedyn, ar ôl tua dau symudiad yr un, dyma Ben yn gweiddi "Checkmate!"

"Be ti'n neud?" medda fi. O'n i'n meddwl bod gwyddbwyll yn para am oria. O'dd honna drosodd mewn sbwnc mwnci!

"Sori, byt!" medda Ben, piso chwerthin am 'y mhen i. "Ffaelu madde! 'Fool's Mate' ma' nhw'n galw hynna, t'wel. Ond paid â becso, fe ddysgi di!"

# Dagra'r Ddraig

To'n i 'rioed wedi bod yn Stadiwm y Mileniwm o'r blaen. O'n i'n ffansïo mynd tasa dim ond i weld y to 'na sy'n cau ond o'n i wedi bod lot rhy brysur yn magu'r to 'na sy'n codi. O'dd Gwenlli wedi bod yn flin fel cacwn ers dyrnodia. Roedd holl blant y byd mewn stâd ar y pryd, cachu yn eu trowsusa ofn bod byg y mileniwm yn mynd i ddinistrio'r data ar eu playstations nhw. Felly o'n i reit falch pan gynigiodd Data Ben i Data Gron bo ni'n mynd i'r dre i weld Cymru'n chwara'n erbyn Lloegar.

"Be, rygbi?" medda fi.

"Nage cricet ife'r bat?" medda Ben. "Ganol gaea fel hyn! Iesu! Ti'n anwybodus."

"Digon teg," medda fi. "Dyna pam dwi'n ista wrth dy draed Gamaliel di! Dwi'n awyddus i ddysgu mwy am y gêm."

Mi o'dd gin y llywodrath lot fawr o bres loteri i'w rannu ac mi oedd gynnyn nhw ddau ddewis: tŷ opera ne' gae rygbi newydd. Mi benderfynon nhw'n gall iawn bysa'n well gin yr hogia weld y 'Ba-Baas' na'r 'Ba-Baas of Seville' felly stadiwm newydd amdani.

Ma' gin Ben Bach

ryw ffetish ynglŷn â bocsus dwi'n meddwl. Dyna lle'r oeddan ni yn y 'Lloc Lletygarwch' 'ma yn hob-nobio efo rhai o grachach rygbi mwya'r wlad. O'dd 'na gymaint o grysa gwyn o gwmpas y lle o'n i'n meddwl bo ni'n dal i chwara'n gemau cartra yn Wembli, myn uffar i. Ond dyna fo, faint o'r hogia oedd yn medru fforddio bod mewn llefydd fel hyn? Hyd yn oed os oedd y lysh i gyd am ddim mi oedd £300 + VAT yn dipyn o bres i dalu am dicad a sgram a chyfla i wrando ar ryw gont o'r 'Oes Aur' yn malu cachu ar ôl cinio.

"Co nhw!" medda Ben, yn ecseitio i gyd gan bwyntio at dri cawr o'r saithdegau o'dd yn cyfarch y sgrym o seico-phants o'dd wedi hel o'u cwmpas nhw. Anodd credu bod dim un ohonyn nhw wedi chwara rygbi 'rioed efo bolia lyshis fel'na ond dyna fo. Y tri hyn – a'r mwyaf o'r rhai hyn oedd y blaenwr mwya mawr yn hanes y gêm, gwladgarwr glew, Cymro i'r carn, dinistriwr amddiffynfeydd ein gelynion oll, neb llai na Seamus Lacrimosa!

Roedd Seamus yn enwog dros y byd i gyd – nid yn unig am ei chwarae cydnerth, ond am y galwyni anhygoel o ddagrau fydda'n llifo lawr ei ruddiau bob tro y bydda fo'n clywad 'Hen Wlad Fy Nhadau' yn ca'l ei chanu. O'dd o'n crio cymaint o'dd Gazza ddim ynddi. O'dd o'n beichio mor aruthrol fel bod rhaid i'r mascot ddŵad ar y cae efo bwcedi i ddal y cenlli rhag bod y maes yn gorlifo cyn y gêm.

Gwladgarwr tra mad, ma' hi'n amlwg. Dyn emosiynol iawn, iawn, ac mi gafodd o fonllef o gymeradwyaeth pan sefodd o ar ei draed i'n hannerch ni ar ôl cinio Stadiwm y Mileniwm (-iwm-iwm, lyfli jybli).

"It was a big ask, see! It's always hard 'Down Under', playin' away so far from 'ome, but the boys were up for it, giving 120% all the way... And that was just in the bordellos afterwards. The game wasn't bad either!"

Bonllef o chwerthin a'r ddau glown arall, 'Triple Clown' a 'Gran's Lamb', yn eu dybla fatha tasan nhw 'rioed wedi clwad y jôc o'r blaen.

"But, jokes aside boys," mo. "Sydney, Wellington,

Johannesburg – it doesn't matter where I am. Every morning when I wake up, I thank the Lord I'm Welsh!" mo gan dynnu'i sbectol a dechra sychu'r stêm odd'arnyn nhw. Dyn dan deimlad ma' hi'n amlwg.

"Cont rhagrithiol!" medda Ben yn 'y nghlust i.

"Be sy?" medda fi, synnu glwad o'n siarad fel hyn am arwr mor genedlaethol.

"Cymro Cymrag, t'wel," medda Ben. "Ond faint o Gymrag sda'i blant e? Ffyc-ôl!"

"Paid â malu cachu!" me fi.

"Efengyl i ti!" mo.

Do'n i'm yn gwbod tan i Ben ddeud wrtha fi bod Lacrimosa wedi gneud ei ffortiwn yn gwerthu sent o'r enw 'Dagra'r Ddraig / Dragon's Dew': stwff o'dd yn garantîd i gynnwys o leia un deigryn go iawn o lygaid yr arwr ei hun. Ma' rhei pobol mor despret am hunaniaeth ma' nhw'n fodlon ar ddim ond ei ogla fo, meddan nhw.

"English bastard! Kill the cunt! Sorry Clarence..." medda Lacrimosa wrth y Sais o'dd yn sbio ar y gêm efo fo. "Abide with me! I just can't stand seein anybody standin' offside in the ruck!"

Gêm sâl uffernol oedd hi hefyd, Lloegr wedi ennill erbyn hannar amsar, medda Ben.

"Sut fedri di ennill erbyn hannar amsar?" me fi.

"Sdim platfform 'da ni!" medda Ben.

"Lle ti'n feddwl wyt ti – ffycin steshon?" me fi.

"Ie!" medda Ben. "'Da tocyn singl hefyd. Sdim ffordd yn ôl nawr, t'wel!"

Dybl-dytsh, myn uffar i! Dallt dim! O'dd hyn fatha gwyddbwyll, ond ganwaith gwaeth. Taswn i'n byw i fod yn gant na i byth ddallt rheola rygbi – na'r gêm ma' Ben Bach yn ei chwara chwaith.

Gêm drosodd. Saeson wedi'n rhychu ni.

"Hey, you've pinched me pint!" medda'r Sais wrth Lacrimosa.

"Fuck off, you English twat! You've pinched my country!" medda Lacrimosa cyn i'w wynab creithiog o dorri allan yn un wên fawr o ddannadd gosod. "Only jokin, butt! Good game. Put it there! Swing low, Switch Harriets, aye? From the bottom of my heart. For the sake of all of us in the northern hemisphere! On behalf of everybody in the 'Cambrian Crusaders' regional side, I really, really do 'ope you win the World Cup for us, aye!"

"Wankers R.U.!" medda Ben dan ei wynt. "Tosser Watkins! Sgrym of the Earth. Sdim gair o Gwmrâg ar y tocyn hyn, 'drych!"

"Reit," medda fi. "Dwi 'di ca'l digon…"

"Ble ti'n mynd?"

"Dwi'n mynd i roid llond bol i'r Lacrimosa 'na!"

"Paid ti meiddio!" medda Ben. "Ca' fi byth freebie i ddod 'ma 'to!"

"Pam wyt ti'n deud hyn i gyd wrtha fi, 'ta?" medda fi.

"Er mwyn i ti ga'l gwbod!" mo. "Ma' grym mewn gwbodeth, t'wel. Dod e dan dy het ar gof a chadw. Ti byth yn gwbod pryd daw e miwn yn handi!"

# Gweld y Goleuni

BUSHELL TELESCOPE: Deep Space Series 675x. Mi brynodd Siân un o rhein i mi'n bresant Dolig un flwyddyn i drio 'nghadw fi o'r pyb pan o'dd Gwenlli'n fach. Nath o ddim cweit gweithio ond mi o'dd Ben Bach yn meddwl bysa fo'n fwy difyr na hel stamps ac yn gobeithio bysa'r 60mm Coated Glass Objective Lens yn 'yn helpu fi sbio dipyn bach mwy gwrthrychol ar betha, ia?

Tydi Caerdydd mo'r lle gora yn y byd i wylio'r sêr achos bod 'na filoedd o oleuada 'mlaen trw' nos. Ond tydi hi ddim yn rhy ddrwg allan fama ar y cyrion. Dwi wedi dysgu lot fawr am astrology a dipyn bach o Gymraeg yn ei sgîl o hefyd. Mercher ydi Mercury, Sadwrn ydi Saturn a Fenws ydi Venus... sy'n gneud sens o'r diwadd o'r hen gân werin wirion honno, 'Ma' 'nghariad i'n Fenws'. Er, dwi'm yn gwbod sut ti fod i weld dy fodan os ydi hi yn Venus chwaith. Fysach chi'm yn cwarfod ar nos Sadwrn heb sôn am nos Ferchar!

Ydi sbio ar yr Aradr yn well na mynd i'r 'Plough'?

Ydi 'Corona' yn well na lysh?

Castor a Bollux! Ond, dyna fo, ma'n rhaid chwara'r gêm, does?

Ma' 'na rwbath i ddeud o blaid sbio ar gylchoedd y blaned Sadwrn yn hytrach na gweld sêr pen-mawr ar fora dydd Sul...

Ma' 'na ddwy psalm dwi'n licio yn y Beibil: 'Pan edrychwyf ar y nefoedd, y lloer a'r sêr y rhai a ordeiniaist, pa beth yw dyn i ti i'w gofio a mab dyn i ti ymweled ag ef?'

Cymraeg dyn oedd yn byw bedwar can mlynadd yn ôl, geiria llawar iawn hynach na hynny, ond be sy wedi newid?

Dwi'n dal i sbio ar y sêr a rhyfeddu.

Does 'na ddim rhyfadd bod nhw wedi fedyddio fo yn Patrick More – fel bydda Nain yn deud am y lysh ers talwm: 'Paid â dechra arno fo 'ngwash i, rhag ofn i ti fynd i licio fo!' Ma' syllu ar y gofod yn llyncu dipyn o amsar sgwennu hefyd. Ond dyna fo. Ella bod y gofod yn goblyn o le mawr ond os nag wyt ti yn y mŵd toes 'na ddim byd sy'n edrach yn fwy na'r dudalen wag, nag oes?

Dwi'n chwara 'Planedau' Holst ar y CD yn y cefndir a chân Roussalka i'r lleuad. Dvorak sgwennodd honna ond Vorshak ti'n ddeud. Ma'r Cheques yn waeth na'r Saeson gyn bellad â ma' sbelio yn y cwestiwn!

Gemini o'dd gynnyn nhw yn America ers talwm a Vostok o'dd gin Rwsia. Ond yng Nghymru er cyn co' o'dd gynnon ni hen ddyn bach pechadurus a'th i hel pricia ar y Sul...

'It's four o'clock in Nairobi. It's twenty two hours in Buenos Aires. It's deng munud i hannar nos yng Nghaerdydd... Coastal stations ... Inshore waters... General synopsis at the witching-hour. St Anne's Head to Holyhead. Deep depression moving west... Losing its identity... Visibility millions of light years, becoming nil later...'

Ma'r bydysawd yn debyg iawn i'r straeon ma sgin i. Dwi'n siŵr bod 'na gyswllt rhwng y cwbwl lot taswn i 'mond yn gwbod be 'dio! Dwi'n syllu ar seren, gola sy'n llewyrchu o haul na tydi o bellach yn bod. A faint callach ydw i? Erbyn i mi weld y goleuni ma'r cwbwl wedi marw.

— *Straeon Siambar Sorri*

# Capel Split

"Sori!" medda Siân un bora Sul. "Ti sy'n mynd â Gwenlli i'r capel heddi."

Pan ma' Siân yn deud 'sori', tydi hi ddim yn sori o gwbwl. Mi wyt ti'n gwbod yn iawn na troi tu min ma' hi. Ma' hi'n gweithio mor galad bob bora o'r wsnos – codi am chwech i neud yoga cyn brecwast (os na dyna wyt ti'n galw kiwi fruit a chnau). Dwrnod i'r brenin ydi dydd Sul i Siân ac ma' hi'n tueddu i adal busnas y Brenin Mawr i mi!

Chwara teg i Siân, to'n i'm yn meindio mynd lawr i Gaerdydd i ollwng Gwenlli yn yr ysgol Sul. Fyswn i'n picio mewn i weld Jero Jones y Dysgwr ne' rywun i hel atgofion am yr hen ddyddia pan o'dd na ffasiwn beth â chymdeithas yn y lle 'ma, pan o'dd dyn yn siarad efo'i gymydog yn hytrach na thyfu aspersions am y cloddia a chau ei hun yn y gazebo i yfad yn slei ar ben ei hun.

Ond ail gesh i, ia, a thrydydd a phedwerydd hefyd, achos ma' capeli ffor' hyn wedi gweld drw' rieni dioglyd sy'n dympio'u plant a'i gleuo hi o'na. Tydi'r ysgol Sul ddim yn dechra tan ganol y gwasanaeth a ma'n rhaid i'r rhieni aros efo'r rhai bach. Peth peryg ar y naw ydi gneud ffafr efo'ch partnar. Ddim jest un bora Sul o'dd hyn… O'n i wedi seinio contract heb hyd yn oed ei weld o!

Parcio'r Peugeot bach ar bishyn chwech tua hannar milltir lawr lôn o'r capal. Ofn nes o'n i'n swp sâl tolcio'r Jag a'r Volvo Awst bob ochor i mi. Gwenlli'n strancio ddim isho mynd a'i thad hi'n dyheu am yr hen ddyddia pan o'dd o'n rhydd i ddeud na toedd ynta ddim isho mynd chwaith.

Cario Gwenlli mewn i'r cyntedd.

"Croeso, gyfaill!" medda'r dyn wrth y pyrth a rhoi copi o'r 'Caniedydd' newydd i mi. Yr horwth sol-ffa 'na sy'n drymach na phlentyn pum mlwydd oed. Gwyn eu byd y rhai sy'n llwythog a blinderog canys hwy a gânt gopi am ddim o CD digitally-remastered ddiweddara Williams Pantycelyn, yr hon a fydd yn Neg Uchaf Y Cymro hyd byth bythoedd amen.

Nelu am y sêt gefn allan o'r ffor' reit sydyn ond wrth gwrs ma' Gwenlli wedi gweld ei ffrind o'r ysgol feithrin, tydi, ac ma'n rhaid, rhaid, rhaid mynd i ista i'r meincia croes yn y ffrynt, er mwyn Duw, lle ma' gweddill Cymru'n medru syllu arnoch chi! Tasa'r Cyfrifiad wedi gofyn y cwestiwn mi fysan nhw wedi ca'l gwbod bod na fwy o bobol yn dŵad i'r capal yma nag sy 'na yn y byd mawr crwn i gyd. Ma' nhw'n dylifo i mewn fatha lli Awst ac yn plygu'u penna i ddeud gair. Fyswn inna wedi licio deud gair hefyd ond toedd fiw imi ddeud o yn Nhŷ yr Arglwydd. Dyna lle'r o'n i, yr haul yn twnnu mewn trw'r ffenast, yr organ yn canu emyn-dôn hyfryd; Stella Artaith yn dobio tu mewn i 'mhen i fel cosb am be nesh i neithiwr, Gwenllian Arianrhod yn gwingo fatha cnonyn ar 'y nglin i ac yn gweiddi 'Mami! Mami! Mami!' trw' gydol y weddi a'i thad hi'n gweiddi 'Mama-mia'!

Mae'r dyn sy'n codi yn y sêt fawr yn edrach yn gyfarwydd.

Ond wedyn ma' pawb sy'n deud stori'n gyfarwydd, tydi?

Wrth iddo fo ddechra gneud y cyhoeddiada o'dd ei lais o'n swnio'n union fatha rhywun o'n i'n nabod yn y 'New Ely' ers talwm.

Dai Corduroy – y con'!

Be ddiawl?

Tro dwutha welish i o o'dd o'n piso ar wal y 'Chinese' ar ôl stop-tap. Heddiw ma' gynno fo newyddion drwg i ni. Ma' Undeb yr Annibynwyr wedi gwrthod uno'r enwada. Sawl Duw sydd? Un Duw sydd medda'r Rhodd Mam ond ma' 'na lot fawr o gapeli ac ma'r Undeb isho gneud yn siŵr bod nhw'n dal yn wag. Fel y pwrs. Fel yr ystyr.

Ma' 'na fwy o blant yn y sêt fawr nag sy 'na o bobol yn y gynulleidfa, ac mae hi'n cymyd tragwyddoldeb maith iddyn nhw ddeud eu hadnoda. Ond chwara teg i'r weinidogas bach ifanc 'ma sgynnon ni, ma' hi'n nabod bob un wrth eu henwa.

"Gwenllian Arianrhod," medda hi'n annwyl. "Oes 'da ti adnod i ni?"

Mudandod llwyr.

Dim sill. Dim ebwch. Dim byd.

Dim ond sefyll fan'na'n siglo'i hun a pigo'i thrwyn.

"Sa i'n credu bo hi lan man 'na, ody hi?" medda'r weinidogas.

Gynulleidfa'n chwerthin, Gwenlli'n symud ei bys o'i thrwyn i'w cheg ac yn chwerthin efo nhw.

"Ti wedi anghofio, wyt ti?" medda'r golar gron. "Paid â becso! Wy i'n siŵr bo Mami'n gwbod!"

Llond capal o bobol yn troi rownd yn eu seti ac yn sbio o'u cwmpas fatha tasan nhw yn Steddfod yn disgwl i fardd y gadar godi...

"Dadi!" medda'r fechan fradwrus a 'mhwyntio fi allan i bawb.

Cochi at 'y nghlustia, cachu lond 'y nhrowsus deirgwaith a sylweddoli na toedd gin i ddim dewis ond rhyw led-godi wysg 'y nhin o'r sêt a phromtio'r adnod yn gryg: "Myfi yw..." me fi.

"Ah! Chi yw..." medda'r weinidogas.

"Naci," medda fi. "'Myfi yw'r...' – honna ydi'r adnod!"

Tyd 'laen, Gwenlli bach, wir Dduw! Gna siâp arni, nei di? "Myfi yw'r... Myfi yw'r... Myfi yw'r..."

Ac yn y diwadd dyma'r geiniog yn syrthio. Mi benderfynodd yr hogan bach gymyd trugaredd ar yr hen ddyn ei thad a chan lefaru hi a lefarodd yn groch: "Myfi yw'r bara brith!" medda hi.

Bonllef o gymeradwyaeth! Pob enaid byw yn y lle yn syllu ac yn gwenu'n glên arna fi. Er mwyn dyn! O'dd hi wedi Dŵad i hyn, oedd? O'n i wedi manijo cadw allan o'u crafanga nhw ers blynyddoedd ond rhy fyr yw tragwyddoldeb maith, ia? Os na chân nhw chi tro cynta rownd mi cân nhw chi trw'ch plant. O'n i wedi derbyn sêl bendith Undeb yr Annibynwyr!

"Yn bresennol mi nawn y casgliad!" medda Dai Corduroy gan ailadrodd dywediad na ddalltish i 'rioed mono fo. Os na 'dach chi'n bresennol sut fedrwch chi roid dim byd yn casgliad?

Mass-Exodus a Lefi a Deuteronomiwm a phawb i'r festri i'r ysgol Sul er mwyn i hynny o bobol sy ar ôl ga'l gwrando ar y bregath mewn heddwch. Ne' dyna be o'n i'n feddwl eniwe. Ma'r weinidogas bach yn ddigon clên a ballu ond ma' hi'n rhy ffond o gimics at 'y nhast i. Ma' hi'n fforsio pawb i ddarllan yn uchal trw' bennod allan o lyfr Job: ma' isho mynadd does? Pam na thrown nhw at y straeon difyr? Wyt ti'n cofio'r boi cyfoethog 'nw ers talwm yn dŵad i fyny at Iesu Grist a deud rwbath tebyg i hyn wrtho fo:

"Rabbi," mo. "Ti'n foi grêt! Gad i mi brynu peint i chdi."

"Na, ma' hi'n iawn, 'sti," medda Iesu Grist. "Dwi wedi bod yn troi'r dŵr yn win yn Pont-canna trw'r pnawn!"

"Tyrd 'laen!" medda'r dyn cyfoethog. "Dwi'n edmygu dy waith di'n ofnadwy. Rwbath fedra i neud drostach chdi mi 'na i o."

"OK, 'ta," medda Iesu Grist. "Os ti isho neud rwbath go iawn, gwertha bob dim sgin ti a rho fo i'r tlodion."

Wyt ti'n cofio be nath y boi cyfoethog? Cerddad i ffwr' â'i gynffon rhwng ei goesa a golwg drist uffernol arno fo. Toedd Iesu Grist ddim yn malu cachu, nag oedd? Pan oedda chdi'n gofyn cwestiwn iddo fo oeddat ti'n ca'l atab strêt. Ond ma'r pris yn ormod i dalu, tydi? Meddylia, ddyn bach! Bob dim sgin ti yn mynd yn bob dim sgint ti! A hynny dros nos. Haws i gamal fynd trw' grai nodwydd ddur nag i ddyn cyfoethog fynd i deyrnas nefoedd, meddan nhw, ond ma' hi'n bosib cymyd y Beibil yn rhy llythrennol weithia, yndi?

"Dadi – alla i ga'l capal split?"

"Na – ddim cyn cinio!"

"Plis!"

"Fydd Mami'n stowt."

"Plis! Plis! Plis!"

Bob tro byddwn ni'n mynd i capal ma' Gwenlli isho'r hufan iâ 'ma – y 'Mivvi Mihafan'. Ti'n gwbod – yr hannar loli, hannar

I scream. 'Strobri Split' – dyna ma' rhai enwada'n ddeud. Ond capal split ma' Gwenlli'n ei alw fo. Habit drwg ydi arfar, ia? Os nag ydi hi'n ca'l un ar ôl capal ma' hi'n ca'l yr hysericlustod mwya uffernol welist ti 'rioed, yn codi cywilydd arna i o flaen pobol capal i gyd ac yn bygwth na ddeudith hi byth adnod eto.

"OK! Un bach sydyn. Ond dim gair wrth Mami, reit?"

Paid â meddwl bo' fi'n sofft na dim byd ond dwi wedi dysgu sut i drin y merchaid 'ma. Taswn i'n mynd â hogan bach biwis adra at mam mi fyswn i'n ca'l 'y nal yng nghanol 'pincer movement', 'double check', 'fianchettoed rook', be bynnag tisho alw fo – banshees gwyllt yn ymosod arna i o sawl cyfeiriad. Dyna ydi bendith 'Gardd Eden' – y dafarn yn y Fro sy'n gwerthu hufen iâ i'r plant yn ogystal â pheint i Dadi. Ista yn yr ardd ar ôl capal fel bydda Williams Pantycelyn a rheina'n neud ers talwm cyn mynd i bregethu yn y mynwentydd a chodi'r meirw'n fyw a ballu. Chwart o 'gwrw bach' fel byddan nhw'n ddeud ym Morgannwg. Well na chael chwart o 'stowt' gin Siân, yndi?

"Weloch chi rywun o'ch chi'n nabod?" medda Siân, dipyn bach yn fflystyrd pan gyrhaeddon ni'n ôl.

"Welson ni Dai Corduroy," medda fi.

"Do fe?" medda Siân. "Shwt ma' fe?"

"Dwi'm yn gwbod," me fi. "Ti wedi deud wrtha fi am gadw'n glir o'r hen gronies..."

"Ie – ond os yw e'n ddiacon..."

"Rheini ydi'r gwaetha yn amal iawn, 'sti," medda fi. "Y spin-ddoctoriaid. Yr henchmen... Welish i Hattie Sgrech ar y ffor' allan..."

"O yffarn, do fe? Wy i'n gweld digon arni yn yr ysgol bob dydd."

"O'dd hi'n holi amdanat ti..."

"Beth wedest ti?"

"Deud bo' chdi'n brysur."

"Be wedodd hi?"

"Dim byd, dim ond 'y mhwnio fi'n gellweirus, wincio arna i a deud: 'Credu bo dod i'r capel yn difetha'i street-cred hi Siân, on'd yw e?'"

"'Na nonsens, ife?! Sda fi ddim byd yn erbyn... Ma' lot o bethe i weud o blaid mynd i'r capel. Ma'n bwysig bo' Gwenlli'n cyfranogi o'r etifeddiaeth ddiwylliannol..."

"Gyn bellad na fi sy'n mynd â hi, ia?"

"Gad i ni alw fe'n 'Rhodd Dad', ife?" medda Siân.

"Ia, da iawn rŵan!" me fi. "Deud i mi. Ydan ni'n anffyddwyr?"

"Pam ti'n gofyn 'na? Paid â bod mor negyddol, nei di? Anghredinwyr wir! Sa i'n gwbod bytu ti ond sa i'n 'an–' dim byd i neb diolch yn fawr!"

"Iawn!" medda fi. "Dim ond gofyn!"

"Nage dim ond Cristnogion sy'n credu pethe, t'wel," medda Siân. "Ydwyf yr hyn ydwyf, ife Gron? Ma' 'na'n ddigon da i fi!"

A ffwrdd â hi i sychu gwynab Gwenlli cyn mynd am ginio Sul i 'Misgyn Manor'... Ma' un peth yn saff i chdi: o'dd Karl Marx yn rong; ddim crefydd ydi opiwm y misus!

O'dd hi'n Sul y Cadoediad a dyma ryw foi'n dŵad draw a gofyn os oeddan ni isho popi.

"Dim diolch!" medda Siân.

"Why not?" medda'r dyn.

"It's royal, it's British and it's a legion," medda Siân. "Apart from that I'd have no objections at all!"

Ma' Siân yn solad. Ma' Siân yn gry. A ddim jest yn gorfforol dwi'n feddwl rŵan. Dwi'n ei hedmygu hi'n ofnadwy. 'Ydwyf yr hyn ydwyf' – lein dda – dwi'n licio honna... Sgwn i lle cath hi hi? Fyswn i'n deud hynna amdana fi'n hun dwi'n meddwl – taswn i 'mond yn gwbod be ydw i...

Beth yw eich crefydd?

- ☐ Dim
- ☐ Cristnogaeth
- ☐ Bwdaeth
- ☐ Hindw
- ☐ Iddewiaeth
- ☐ Moslem
- ☐ Siciaeth
- ☑ Arall — dwi'n meddwl...

# Y TYST

Sefydlwyd 1867   Cyfrol 137,   Rhif 28   Gorffennat 8, 2004   Pris – 40c.

## Tîm Ffwtbol y Fatican

**Gôl: Y Pab.**
Profiad helaeth o chwarae yng ngwlad Pwyl pan oedd o'n ifanc. Dywedir nad oes neb erioed wedi sgorio gôl yn ei erbyn gan ei fod yn anffaeledig.

**Cefnwyr: Y Swiss Guard.**
Anodd iawn i neb fynd heibio rheina.

**Canol yr amddiffyn: Sant Pedr.**
Fel craig bob amsar. Bechod am Joni Condom (suspended).

**Awgrymir chwarae system 4–5–1.**
Bernir bod un streicar yn hen ddigon gan y bydd aelodau o'r Maffia yn saethu trwy ganol cae a rhoi cynigion iddo na all mo'u gwrthod.

**Subs:**
Mae gan y Pab ffydd mawr yn yr archangel Gabriel. Chwaraewr amryddawn iawn gyda'r gallu i chwarae ar ddwy asgell.

**Dirgelwch:**
Pam nad yw'r tîm amryddawn hwn erioed wedi cystadlu am Gwpan y Byd? Oherwydd bod yn well ganddo gael ei wobr mewn byd arall.

*—sgriblwyd ar gefn copi o'r 'Tyst' yng nghanol pregath sychach na'i gilydd.*

Seiont
MannerS
WALES CYMRU
☆☆☆☆☆

FFAGAN SANT – dwi'n fforti!

Dyddia dyn sydd fel glaswelltyn, ia? Dwi gin hynad rŵan ag y buodd John Lennon druan 'rioed a'r blynyddoedd wedi chwythu ymaith efo'r gwynt chwadal yr hen Bob Dylan ar bwys ei zimmer-frame.

Ond dyna fo, i fyny bo'r nod a ballu. Deugain oed. Rŵan ma' bywyd yn dechra, meddan nhw, ia?

O'dd Siân wedi mynnu mod i'n gneud rhwbath sbeshal ar 'y mhen-blwydd a finna, yn gysetlyd i gyd fel bydda i, wedi gwrthod bob dim o'dd hi'n gynnig.

"Dere 'mla'n! Ma' rhaid i ti ga'l rhwbeth," medda Siân. "Wy i'n mynnu!"

"OK! OK!" medda fi, gan bod hi wedi twistio 'mraich i fatha half-nelson tu ôl i 'nghefn i. "Os wyt ti'n mynnu, fyswn i wrth 'y modd ca'l sgram efo'r hogia yn y Gogladd…"

Y 'Chwech Rhech' ma' Siân yn galw gang ni erioed, ond łyna fo, hi ofynnodd. Os na dyna oedd 'y nymuniad i… dyma ιι'n bwcio'r lle gora yn y fro i ni: 'Seiont Manners' amdani, ia?

"Sgiwsiwch fi!" medda'r waiter bach. "Oeddach chi wedi ⲛcio i chwech oeddach?"

"Fferat bach 'yn ffrind," medda fi, pwyntio at y lle gwag y bwr'. "Mae o wedi'n gadal ni, yli!"

"Be – ydi o'n dŵad nôl nes 'mlaen, yndi?" medda'r waiter.

"Na'di," medda fi. "Mae o wedi mynd i'r ochor draw!"

Dyma'r boi bach yn stagio i ben draw'r deining-rŵm i weld os gwela fo Fferat yn rwla. Ma' gofyn malu petha'n fân i'r hogia ifanc 'ma heddiw. Os ti'n iwsho priod-ddullia ma' nhw'n sbio fatha idiom arna chdi.

"Ma' Fferat wedi marw!" medda fi. "Ond 'dan ni bob amsar yn cadw lle iddo fo achos mi fysa fo wedi licio bod yma hefo ni."

"O – dwi'n dallt!" medda'r boi, sbio'n wirion.

Dallt na tydw i'm llawn llathan, siŵr o fod, ne' chwartar liter yn llai na meter fel bysa fo'n ddeud ma' siŵr, ia?

Ma'r hogia wedi'u gwasgaru ar hyd a lled Eryri bob man erbyn hyn a gesh i gythral o job eu hel nhw i gyd at ei gilydd. 'Dim car!' medda un. 'Dim leishans!' medda'r llall. Dim mynadd, dim pres, dim dillad... Unwaith yn ddyn, dwywaith yn blentyn, myn uffar i. Fuo rhaid i mi roid lifft i'w hannar nhw a gwisgo'r lleill.

O'dd hi'n anodd ca'l yr hen hipi George Cooks i wisgo colar a thei a toedd Mimw Besda 'rioed wedi prynu siwt yn ei fywyd. O'dd y naill yn 6'4" a'r llall yn 5'3" a to'dd siwtia'r hen go' – 5'8" – ddim cweit yn ffitio'r un ohonyn nhw. Ond dyna fo. 'Bygyrs can't be choosey' chwadal Sam Cei. Dyna lle'r oeddan ni yn sbio ar y fwydlen ddruta yn Arfon a'n hannar ni'n edrach fatha dymis yn ffenast siop Oxfam. Pen punt a chynffon dima, fatha bysa Nain Nefyn yn ddeud, ia?

"Ffycin hel! Sbia ar y prisia," medda Mimw. "Ma' isho morgej i brynu ffycin peint yma, cont!"

"Paid â phoeni!" medda fi. "Fi sy'n pigo'r tab i fyny heno!"

"Diolch i Dduw am hynny," medda Mimw. "Ond pwy sy'n mynd i bigo George i fyny? Ma'r cont wedi ffeintio meddwl bod rhaid iddo fo dalu!"

"Gwranda, Mimw," me fi. "Dio'm ots gin i bo chdi'n rhegi, ia, ond dwi'm yn meddwl bod y bobol yn yr atig 'cw isho dy glywad di. Cadw dy lais i lawr, ia?"

"Cont parchus!" medda Mimw.

"Na, dwi'n 'i feddwl o," medda fi. "Siân sy'n rhoid lifft adra i ni heno 'ma, ylwch..."

"Say no more!" medda George, cofio'r helynt gath o yn tŷ

ni yn Radyr ers talwm. "Drawing-pin Jones! Dan y fawd fel arfar, ia?"

"Dwi'm isho gweld neb yn mynd dros ben llestri, reit?" me fi. "Dwi'n meddwl bysa well i ni i gyd gadw 'ddar y cwrw heno..."

"Y????" medda pawb fatha Côr Bleimi efo'i gilydd.

"Noson ar y gwin ydi hi heno, ia!" me fi. "Dyna pam dwi wedi ordro chwe photal o champagne i ddechra!"

"Con' dwl!" medda Bob Blaid Bach. "O'n i'n meddwl bo' ni'n mynd i ga'l noson sych am funud!"

"Be ti'n feddwl ydi hwn – Party of Wales?" medda Sam. "Dyna chdi be 'di sych, ia?"

"'Na i anwybyddu hynna," medda Bob Blaid Bach yn ddoeth. "Yli, Gron," medda fo. "Dy barti di ydi hwn. Fysa'r hogia byth yn ei ddifetha fo i chdi!"

"Dwn i'm am hynny!" medda fi.

Ac ar y gair dyma gorcyn ei botal champagne o'n sboncio'n nwy-dwyllt syth mewn i wydr 'Brecon Carreg' ryw gont ar fwr' arall.

"Sori!" medda Bob, cochi at ei glustia.

"Ti wedi colli floatin' voter yn fan'na!" medda Sam.

"Be sy, George?" medda Mimw, gweld Cooks yn sipian ei ddiod fatha sisi. "Fysa chdi'n licio i mi mên-leinio dy champagne i chdi?"

Chwara teg i George, fy hen gyfaill hipiaidd hannar Scot a hannar call. Ella bod o wedi gneud hash o'i fywyd ond fuodd o'm yn nes at neud heroin na buodd popi British Legion. Cofio mynd â Gwenlli i weld o pan oedd hi'n fabi, powlio'r pram dros y caea i fyny at y wigwam yn Croesor a fynta'n ista tu allan yn cynna'i getyn-resin.

"Heddwch dyn!" medda George. "Pam na fysa chdi'n deud bod chdi'n dŵad?"

"Efo be?" medda fi. "Smoke-signals?"

Tydi George ddim yn credu mewn dyfeisia modern fatha ffôns a ballu. Mae o'n deud bod o o blaid byd natur ond mae o'n gymaint o Luddite, tasa fo'n ca'l ei ffor' fysa gin y gwenoliaid druan ddim polion teligraff i eistedd yn rhes arnyn nhw yn yr hydref.

"Hogyn ydi o, ia?" medda George, pwyntio at Gwenlli yn y pram.

"Ia," medda fi. "Dyna pam ma' hi'n gwisgo pinc."

"Be 'di enw fo?" medda George, sy ddim yn credu mewn cenedl enwa.

"Gwenllian Gwawr Arianrhod!" medda fi.

"Neis iawn," medda George. "Be ti'n galw fo mewn emergency?"

Un da i siarad, ia? Cofio gweld ei ddwy hyna fo yn cwrt yn dre efo'u mam ers talwm. Lavender Dewdrop a Marigold Crystal. Petha bach dela welsoch chi 'rioed i feddwl bo' nhw wedi cael eu magu mewn wigwam. Be ydi unigol tipi – tip, ia?

O'dd Strawberry Monday, gwraig gynta George, ddim yn credu mewn addysg ffurfiol medda hi wrth y llys, achos bod hi'n dilyn y 'Steiner Method', dysgu nhw'i hun a disgwl iddyn nhw ofyn pan oeddan nhw'n barod i fynd i'r ysgol. Trwbwl ydi neuthon nhw byth ofyn ac oedd George yn ca'l slang bob tro. Ddim 'Method' ond 'Methodd Steiner', dyna fyswn i'n galw hynna, ia.

"Lle ma'r ddwy hyna gin ti rŵan, George?" me fi.

"Yn Australia ac yn America," medda George.

"Be ma' nhw'n neud?" medda Sam. "Neud y splits?"

"Un yn Brisbane a'r llall yn New York," medda George. "Con' dwl ydi hwn, ia?"

"Sut ma'r wraig?" medda Mimw wrtha fi. "Dwi'm 'di gweld hi ers sbel."

"Iawn, 'sti," me fi.

"…i feddwl na Sowth Walian ydi hi, ia?" medda Mimw a dechra chwerthin fatha con' dwl.

"Chdi a dy South Wêls!" medda Bob. "Un genedl 'dan ni 'de, Gron?"

"Nath gwraig fi ddechra dysgu Cymraeg ryw dro, 'sti," medda George. "Trwbwl ydi, Sowth Walian oedd y teacher, ia."

"Be?" medda fi. "O'dd hi'm yn ei dallt hi?"

"Naci! O'dd hi a'r teacher yn dallt ei gilydd yn iawn," medda George. "Fi oedd yn cael traffath. Ddoth Strawberry adra un noson a disgwl i fi alw hi'n ffycin Mavis!"

"Dyddia dyn sydd fel Glaswegian!" medda Bob Blaid Bach gan ysgwyd ei ben mewn anobaith.

O'dd y bwyd yn mynd i lawr yn dda. Pawb wedi gorffan ei starter cyn iddyn nhw ddechra jest. Bob dim yn mynd siort ora tan i Mimw ffeindio blewyn yn ei sŵp.

"Ddim blewyn ydi hwnna," medda Sam, rhoid ei sbectol NHS ar ei drwyn a chraffu. "Ffycin cedor ydi hwnna, cont!"

Dyma ll'gada Mimw'n troi fatha soseri yn ei ben o. Dyma fo'n codi'i botal, ei drachtio hi i'r gwaelod a dechra garglio tiwn 'Fanny by Gaslight' efo'r champagne. Pawb yn piso chwerthin am ei ben o.

"Be uffar wyt ti'n neud, Mimw?" me fi.

"Alcohol, ia. Anaesthetic, ia," medda Mimw. "Jest rhag ofn i mi ga'l Gron-oreia 'ddar y cedor 'na, cont!" medda fo a fflemio jochiad o champagne i mewn i'r pot bloda tu nôl iddo fo.

"Basdad dwl!" medda Sam. "Ti wedi gorffan dy champagne rŵan!"

"Ffwc o beryg!" medda Mimw. "Gymra i botal Fferat Bach. Dwi'n siŵr na fysa fo ddim yn meindio!"

O'n i wedi dechra'i dal hi'n hun erbyn i'r prif gwrs gyrradd a dyma fi'n deud stori gyfrinachol wrth yr hogia ar yr un thema. O'dd Siân a fi yn y bath efo'n gilydd un noson jest ar ôl i ni briodi a dyna pryd nesh i ffeindio allan na toedd hi ddim yn gwbod be o'dd ystyr y gair 'cedor'.

"Be? Ffyc off! Paid â mwydro!" medda'r hogia i gyd efo'i gilydd.

"Wir Dduw i chi!" me fi.

"Sut fedri di clirio nhw 'ddar waelod y bath os nag wyt ti'n gwbod be 'dyn nhw?" medda Sam.

"Yn hollol!" medda fi. "Ne'n waeth byth, os nag wyt ti'n gwbod be 'dyn nhw, sut fedri di crafu nhw pan ma' nhw'n cosi?!"

Pawb yn piso chwerthin, finna'n dechra mynd i hwyl ac yn sôn am 'yn holides ha' ni yn Ibiza…

"Hei – oeddach chi'n gwbod bod 'na resort yn Ibiza o'r enw Cala Conta?" me fi.

"Siwtio pobol ar eu mis mêl. Dwi'n siŵr bod o'n ffwc o le!" medda Sam.

Erbyn hyn oedd yr hogia yn glana chwerthin, piso lond eu trowsusa. Do'n i'm wedi cael gymint â hyn o hwyl ers oes pys. Dyma'r waiter bach draw a gofyn os oedd pawb wedi gorffan.

"'Dan ni ddim wedi dechra eto!" medda Sam. "Chwech brandi a chwech sigâr Bill Clinton, plis!"

Dwi'n siŵr bod y boi'n meddwl na ni oedd y Pump Cwrs ond oedd dim ots gin i. O'n i adra yn 'y nghynefin. Does na'm diwylliant tebyg i hyn i ga'l ar hyd yr M4 Coridor, nag oes?

A'th petha'n ddigon distaw am sbel tra roedd pawb yn treulio amsar yn treulio'u bwyd.

"Sut ma' dy frawd?" medda Sam. "Dwi'm wedi gweld Joni Wili ers blynyddoedd."

"Dal yn Phuket, 'sti," medda fi.

"Yndi, dwi'n siŵr," medda Sam. "Fel'na ma' nhw i gyd yn Thailand!"

"Ddim fel'na ti'n deud y gair, naci?" medda fi. "Ma' Joni Wili'n gneud yn well na neb ohonan ni – engineer, be bynnag ydi hynny. Wyt ti'n gwbod bod Brenda'n chwaer yn stydio at ei gradd, wyt?"

"Ffycin hel!" medda Sam.

"Prifysgol yr Awyr – llawn gwynt, ia?" me fi. "Ma' digrî wedi mynd yn beth digri, tydi? BAs i bawb o bobol y byd. Ma' hyd yn oed gwarthaig yn ca'l BSc heddiw 'ma, yndi?"

"Iesu! Yli pwy sy'n fan'cw!" medda Mimw.

"Pwy?"

"Rhechan dyrci, cont!"

"Cau dy geg, Mimw, wir Dduw," medda Bob. "Cofia lle wyt ti!"

"Ti'm yn dallt," medda Mimw a pwyntio at y waiter o'dd yn tollti gwin i ryw gwd mawr tew o'dd yn ista ar ben ei hun. "O'dd y boi yna yn 'rysgol efo fi!"

"Dio'm ots gin i tasa fo'n Siamese twin i chdi!" medda Bob. "Twyt ti'm yn gweiddi 'Rhechan Dyrci' mewn lle fel hyn!"

"Pam 'dach chi'n galw fo'n 'Rhechan Dyrci'?" medda George ar dop ei lais.

"Ti'm yn cofio'r teulu?" medda Mimw. "Bridio fatha ffycin cwningod ar Viagra. O'dd Abram Would ddim yn'i, cont! O'dd eu mam nhw'n ca'l job bwydo'r ffycars. Be o'ddan nhw'n neud bob Dolig o'dd prynu'r tyrci mwya fedran nhw ga'l gafal arno fo. A pan dwi'n deud mawr, dwi'n 'i feddwl o. Horwth o beth! Ffycin eryr... Ffycin emu... Ffycin ostrich...!"

"Ia, olreit, Mimw!" medda fi. "Dwi'n meddwl bo ni wedi ca'l y negas!"

"O'dd y cig yn para tan ffycin Pasg, cont! Ffycin sŵps, ffycin casseroles, ffycin tyrci pei a ballu. O'dd y basdads yn drewi o'r ffycin thing. O'dda chi'n clwad nhw'n dŵad filltiroedd i ffwr'. Teulu o naw yn gwllwng eu tina yn asembli a ballu. O'dd hi fatha ffycin gasworks yna, cont! Ffycin hel! Pwy fysa'n meddwl, ia? Su' mai, Rhechan, sut wyt ti?"

O'dd Rhechan Dyrci, creadur, wedi styrbio drwyddo clwad rhywun yn gweiddi arno fo wrth ei enw. O'dd o wedi colli hannar potal o win dros grys y dyn tew ac wedi'i gleuo hi i'r gegin i chwilio am glwt i sychu fo. Meddylia sut bysat ti'n teimlo, dŵad i weithio i rwla posh fatha 'Seiont Manners' a cha'l dy wynebu gin drychiolaeth fatha Mimw Besda – y boi dwutha ar wynab y ddaear fysa chdi'n disgwl i weld mewn lle crand fel hyn. Ond dyna fo, dyna di'n hanas ni i gyd, dio'm ots faint wyt ti'n sgwrio ar dy hun, ma' drewdod dy deulu bownd o ddal i fyny efo chdi yn diwadd, yndi?

Ma' Mimw'n bengalad fatha mul ar ôl ca'l lysh ac o'dd o'n mynnu mynd i chwilio am y waiter anffodus.

"Excuse me!" medda fo wrth yr Ianc yn resepshon. "I'm

tryin' to find Rhechan Dyrci."

"Reckon Door Key?…" medda'r boi yn syn. "Certainly, sir! What's your room number?"

"No, no, no!" medda Mimw. "Rhechan Dyrci is my friend. I don't remember what his real name is, but his father was called…"

"Tyrd 'laen, Mimw!" medda fi. "Anghofia fo."

"Na, na, na!" medda Mimw. "Gwitia funud bach. Mae o ar flaen 'y nhafod i. Ffycin… Ffycin… Ffycin peth'na 'de, cont… Ffycin be ti'n galw. Ffycin…"

Diffyg geirfa ydi rhegi medda rhei pobl, ond tydw i'm yn siŵr am hynny. Ma' gin Mimw gymaint o eiria â phawb arall 'blaw bod o'n ca'l traffath ca'l nhw allan mewn pryd a bod o angan rwbath i lenwi'r bylcha tra mae o'n disgwl.

"Ffwc!" medda Mimw yn y bog tra oeddan ni wrthi'n ca'l gwagiad.

"Be sy?" me fi.

"Ffycin Huw Reynolds 'ma!" medda fo. "Dim ots lle ti'n mynd ma'r piso'n sboncio'n dôl arna chdi. Tasa cwrw'n goch a piso'n las fysa 'nhrowsus gwyn i fatha Union Jack, cont. Tasa 'na rywun yn infentio bog sy ddim yn cwffio'n dôl fysa fo'n gneud ei ffycin ffortiwn!"

"Wyt ti'm am olchi dy ddwylo?" medda fi wrtho fo, taro 'macha dan tap.

"Na, ma' hi'n iawn, 'sti. Bisish i drostyn nhw!" mo. "Basdad o beth ydi'r stici toffi pwdin 'na, ia?"

Pan aethon ni'n ôl at y bwr' oedd yr hogia wedi dechra mynd yn bowld ac yn mynnu gwrando ar sgyrsia pobol ar y byrdda cyfagos.

"Gwranda ar y cont yna'n mwydro!" medda Sam.

"Pwy?" me fi.

"Kevin K2! Ti'm yn nabod o? Boi o dre. Sosial cleimar. O'dd o ar S4C yn dringo Everest ben i lawr wsnos dwutha."

"Enw imperialaidd ydi Everest, wchi," medda Bob Blaid Bach. "Chomolungma ydi'r enw brodorol."

"Ia, grêt!" medda George Cooks. "Ond tria di ddeud hynna 29,000 troedfadd i fyny fan'na heb ocsigen!"

"Doin' the Gliders tomorrah actually," medda'r Sais o'dd efo Kevin K2. "We're based in a little place called Skyfog. Do you know it?"

"Yeah," medda K2. "Just outside Betsy, innit?"

"On the road to Capl. I'm meetin' my producer in 'Pete's Eats' tomorrah if you fancy a pint in the Doll-Bad-Arne!"

"Kevin K2 y Kont!" medda Sam yn uchal. "Dwi'n gwbod bod y mynyddoedd 'ma'n lladd toman o Saeson bob blwyddyn ond tydi hynna'm yn rheswm i fwrdro'u henwa nhw, nadi?"

"Taw wir Dduw!" medda Bob dan ei wynt.

"Pam?" medda Sam. "Cachwrs 'dyn nhw, ia?"

"Ma' gin gachwrs bleidlais hefyd, 'sti," medda Bob. "Ma'r Sais yna yn y Blaid Werdd a ma'r Blaid Werdd yn pleidleisio i'r Blaid…"

"Ffwcars ydi'r 'Greens'!" medda Sam. "O blaid cadw bob dim ond yr iaith!"

"Hei, dowch 'laen hogia!" medda fi. "Dwi'n ca'l digon o bolitics adra!"

"Gwranda!" medda Sam. "Pan ma' poli-tisian yn chwthu'i drwyn ma' pawb yn dal annwyd. Toes 'na'm denig rhag eu jyrms nhw, reit?"

"Trosiad anffodus os ca' i ddeud!" medda Bob a phwyntio ato fo'i hun. "Ma'r gwleidydd yma wastad wedi neud ei ora dros Gymru, reit?"

"Be 'di Wales, ia?" medda George. "Syniad ydi Wales yn benna pobol fawr gachu. Jest un esgus arall i dy sginio di!"

"Fyswn i'n licio gweld rhywun yn trio dy sginio di," medda Mimw. "Byw ar y wlad ar hyd dy oes!"

Ond o'dd George wedi bod yn llyncu lympia o ganabis efo'i goffi ac wedi dal hi'n gachu rwtsh beipan a dyna lle'r oedd o'n canu 'Imagine there's no countries and no religion too' mewn modd mor aflafar na fysa John Lennon druan 'rioed wedi gallu'i ddychmygu. Dyma Mimw'n dechra mynd i grwydro a dechra plagio pobol oedd yn byta ar fyrdda erill. O'dd o wedi sbotio un o actorion 'Pobol y Cwm', wedi pigo crawan ei stêc o o'ddar ei blât o ar ôl iddo fo orffan a wedi dechra sgragio'r chydig gig o'dd ar ôl arni.

"Bechod wastio yndi, cont?" medda Mimw. "Fyswn i'n gofyn am otograff 'blaw bod 'y nwylo fi'n fudur!" mo. "Be ti'n neud, cont: gwario dy £100,000 p.a., ia?"

"Blydi idiot, Mimw!" medda Bob. "Codi cywilydd ar bawb. Bai 'i fam o ydi o. Cadw'r brych a lluchio'r babi!"

"Chwara teg," medda fi, dechra mynd yn sentimental fel bydda i ar ôl llond cratsh. "Mae o'n hen foi iawn, tydi? Gachu o'n drewi fatha pob un arall ond dyna fo. Pwy fysa'n meddwl, ia? Deugian mlynadd! Lot fawr o ddŵr wedi mynd dan y bont, does? Ond ma'r hogia yn dal efo'i gilydd!"

"Sut ma' hogia Sowth dyddia yma?" medda Sam.

"Pwy?" me fi.

"Connolly, Marx Merthyr, Dai Shop a rheina..."

"Dwi'm 'di gweld neb ohonyn nhw ers oes pys, 'sti," me fi. "Cymdeithas Caerdydd, ia? Pobol yn mynd a dŵad trw'r amsar. Pawb yn mynd yn ôl i'w brôydd yn diwadd, tydyn?"

"Pryd wyt ti'n dŵad yn d'ôl i'r Gogladd, 'ta?" medda Sam yn sbeitlyd. "Pa mor amal fyddi di'n mynd i'r New Ely rŵan?"

"Toes na'm New Ely bellach, 'sti," medda fi. "Ti'n cofio'r stiwdants oedd yn bygwth cymyd y lle drosodd? Nhw sy wedi cymyd y lle drosodd rŵan. Enw addas ar y pyb hefyd: The End! Ond, dyna fo. Tydi rhei petha byth yn newid, na'di? Sut ma' petha yn y Black?"

"Black?" medda Mimw, o'dd wedi dŵad yn ôl i'r gorlan ac yn sychu gwaed stêc Lloyd George actor 'Pobol y Cwm' 'ddar ei wefusa efo'r lliain bwrdd. "Dwi'm 'di bod yn y Black ers blynyddoedd!"

"Lle 'dach chi'n yfad rŵan, 'ta?" me fi.

"Pwy?"

"Yr hogia!" me fi.

"Yr hogia?" mo. "Wyt ti'n gall cont? Be ffwc fyswn i isho cwarfod y wancars yma?"

Dyma fi'n sylweddoli na toedd 'na ddim ffasiwn beth â'r 'hogia' bellach. Dim ond yn 'y nychymyg i. Fi o'dd y catalyst. Fi o'dd yn cadw nhw efo'i gilydd.

"Ti'n byw mewn byd o ffantasi, Gron!" medda Bob. "Bywyd cyfrinachol Malster Witty: dyna be ti'n sgwennu!"

"Wyt ti'm wedi meddwl sgwennu yn Susnag?" medda George Cooks yn floesg.

"Wyt ti wedi dysgu darllan byth?" medda Sam wrth Mimw.

"Ffyc off, y cont!" medda Mimw. "Wyt ti wedi meddwl stopio ffwcio gwraig Huws Twrna?"

"Stopia regi, nei di?" medda Bob yn gas. "Ma'r etholiada lleol cyn bo hir! Ma'n sêt i'n ddigon ymylol fel ma' hi."

"Dy fai di ydi hynny," medda Mimw. "Ti wedi clwad amdano fo, wyt? Poeni am ei sêt, poeni dim am ei din! Ma'r cont wedi ca'l ei ddal yn importiwnio yn bogs cei gyda'r nos, yndi?"

"Aberth Pen-yberth!" medda Bob yn gynddeiriog a chythru am Mimw. "Gwae chdi Clywedog a Thryweryn! A' i ar 'yn llw ar fedd Llywelyn. Smear tactics y gelyn! Dyna ydi rhein a mi ladda i'r sawl sy'n eu lledaenu nhw, reit?"

Gora croen, croen cachgi, ia. Dyma Mimw yn ei sgi-dadlu hi allan o'r stafall, Bob Blaid Bach yn dynn wrth ei sodla fo yn pigo unrhyw beth fedra fo 'i daflyd ato fo oddi ar fyrddau'r gwesteion syfrdan o'dd yn dal i ga'l bwyd.

Yn anffodus i Mimw mi o'dd yr Ianc yn resepshon yn dŵad rownd y gongol efo llond tre o ddiodydd. Dwi'n siŵr bod nhw wedi clwad sŵn y crash yn New York, myn uffar i. Dyna lle'r oedd Mimw yn ista ar ei din ar lawr efo galwyni o Gaelic coffis yn diferyd allan o'i glustia fo. Ond toedd Bob ddim ar fwriad ei arbad o hyd yn oed wedyn. Tydi Mimw mo'r peth dela ar y gora ond mi o'dd o'n edrach yn bictiwr efo tri-chwartar lemon cheesecake efo starfruit ar ei phen hi yn gacan drost ei wep o i gyd. Ond toedd hynny'n ddim byd. O fewn chydig funuda mi a'th yr holl le yn honco. O'n i 'rioed wedi gweld ffeit fwyd o'r blaen. O'n i'n meddwl na rwbath o'dd stiwdants yn neud o'dd o. Ond o fewn chwinciad chwannan dyna lle'r oeddan nhw i gyd – dynion busnas, c'nychwyr teledu, ffilm-stars, pwysigion Adran Addysg Gwynedd i gyd a thu hwnt yn pledu'i gilydd ei hochor hi!

Toedd Mimw ddim yn mynd i gymyd hyn, nag oedd? Pan ddoth o at ei hun, mi nelodd o homar o ergyd i gyfeiriad Bob Blaid Bach, a methu. Mi landiodd 'na horwth o passion-fruit mawr goraeddfed yng ngwynab Kevin K2. Dyma Kevin K2 yn neidio ar ei draed a chymyd yn ganiataol na Sam Cei o'dd wedi gopio fo. O'dd Sam Cei ar ganol trafodaeth ddwys efo George Cooks ynglŷn â pha ffilm o'dd y gora, 'Fuckface' 'ta 'Son of Fuckface', pan landiodd pelan o datws a grefi lond ei lygad o. O'dd actor 'Pobol y Cwm' wrthi'n dysgu'i leins yn ddistaw bach ar ben ei hun pan gafodd o 'Crema Catalana' gin rywun yn nhwll ei glust. Hwnnw'n actio allan o gymeriad wedyn, elli di fentro! O'dd hi fatha'r 'World Trade Organization' myn uffar – bwyd drud yn fflio i bob cyfeiriad tra bod hannar y byd yn llwgu. Dyma Rhechan Dyrci yn codi o'r bedd ar ei ffordd efo pwdin i lond bwrdd o bobol ddall, mud a byddar oedd yn dal i fyta trw'r cwbwl. Dyma Bob Blaid Bach yn codi clamp o deisan gwstard wy 'ddar y tre ac yn ei nelu hi at Mimw. Hwnnw'n dycio, jest mewn pryd, a finna'n sefyll yn fan'na yn sbio am hydoedd ar y slepjan yn fflio slo-moshiyn trw'r awyr ac yn landio yng ngwynab y dreifar tacsi – neb llai na fy annwyl wraig, Siân.

# CIVIL WAR

medda pennawd y Welsh Mirror trannoeth.

# The Party's over! Crachach North v Socialist South!

During extraordinary scenes at a top Snowdonia restaurant last night, leading Gwyneth Councillor Robert W. Penrose attacked well-known Plaid think-tank Dr Siân Pugh with a giant egg-custard pudding following allegations of sexual misdemeanours in a public toilet in Caernarfon. 'I've got egg all over my face!' said Dr Pugh.

Be ddeudodd Wordsworth ynglŷn â sgwennu? 'Commotion recollected in tranquility', ia? Esh i allan i'r nos i weld y lleuad yn codi dros ben Glyder Fawr. Tu nôl i'r cyrtans yn y gwesty mi o'n i'n gweld silhouettes o bobol yn dal i bledu'i gilydd gourmet gallan nhw. Chwil ne' beidio o'dd gin i gywilydd cyfadda na fi o'dd catalyst y cwbwl. Ma' nhw'n deud bod 'na ysbryd yn 'Seiont Manners'. Pwy a ŵyr? Ella na fi ydi o, yn crwydro'r wlad dan lenni'r nos yn chwilio am 'yn ieuenctid a'r holl straeon 'na aeth ar goll.

# Dr Cefni Southey BSc
## (CHIRO)

CERDDAD I MEWN i'r syrjyri ym Mhontcala a'r cric yn 'y nghefn i'n gwichian fatha giât mochyn efo mochyn yn ca'l ei ladd ynddi.

Dyna lle'r oeddan nhw yn eistadd yn un rhes ar y soffa-aros, wedi plygu yn eu hannar, eu cefna nhw wedi crymu i gyd – Sam Snich, Dora Rech, Cŵd Dwrlyn, hyd yn oed y Gotsan Biwis ei hun – sgwennwyr mwya'r De 'ma i gyd yn disgwl am sesiwn efo'r Co Cefna.

Gwestiwn gin i os na dyna be 'di 'i enw iawn o ond o'dd y Dr Cefni Southey wedi gweld hi beth bynnag pan sefydlodd o'r geiropractis yn fan hyn. O'dd cenhedlaeth gyfa o ddosbarth-canol sefydliadol y genedl wedi bod yn ista o flaen cyfrifiaduron ers dros chwartar canrif o fiwrocratiaeth cynyddol a dim ond matar o amsar o'dd hi nes bysa'u disgia nhw'n dechra slipio, ia. Cŵd Dwrlyn, y creadur! Fo o'dd y 'Tal' yn 'Taliesin' ers talwm a sbia arno fo rŵan!

Fydda i'n chwara gêm efo Gwenlli ar faes y Steddfod bob blwyddyn. Spotio'r llenorion, ia? Digon hawdd nabod y rhei sy wedi puteinio'u dawn yng nghynteddau Philistaidd sgriptio ar gyfer y teledu: mae'u cefna nhw i gyd wedi plygu fel y llyfra na toes gynnyn nhw ddim amsar i'w sgwennu. Bob un wan jac o'r ffwcars yn gneud eu ffortiwn. Fi ydi'r unig sgriblwr yn y fro sy'n gneud negatif equity allan o'r gêm bob blwyddyn!

"Jiw, jiw! Beth wyt ti'n neud 'ma?" medda Sam Snich. (Fo ydi'r 'Cad' yn yr 'Academi'.) "Shgwlwch pwy sy 'ma bois!" medda fo wrth y lleill. "Lord Beiro'n, y pwshwr pensal ei hunan!"

'Y mai i o'dd o, dangos 'yn hun, gneud cymint o ffair ynglŷn â'r dechnoleg newydd, ffor' o'n i'n gwrthod gneud dim byd â hi. Rhaffu slogana fatha Tolpuddle Merthyr ar dudalenna Barn a ballu. Be gebyst ydi e-byst? Dim ond y 'mob' s'isho mobeil! Does na'm feirws yn dy feiros di, a ballu.

"Beth sy'n bod boi?" medda Sam Snich. "Woodworm yn dy bensil, ife?"

"Ia, dyna fo!" medda fi efo 'ngwên hawddgar arferol. "Rwbath tebyg i dy ben di. Sut ma' d'arddwrn di – y wancar!"

Neb yn chwerthin.

Dim ond gin y resepshonist cesh i unrhyw ymatab o gwbwl.

"Be sy'n bod arnoch chi i gyd?" me fi. "Ydi o 'mond yn brifo pan 'dach chi'n chwerthin?" Ond wedyn dyma fi'n cofio'n sydyn bod y Gotsan Biwis yn Griw Diw. Diw i ga'l ei gwobor yn y nefoedd am ei gwasaneth diflino dros sychdduwioldeb. Ni bydd hiwmor yn y nefoedd, ni bydd jôcs yn nhŷ fy nhad. Pob un o'r lleill yn cow-towio iddi – yn ei gwynab beth bynnag. Trwbwl ydi, ma' hi newydd ga'l comisiwn i sgwennu comedi sefyllian ar S4C...

"Beth sy'n bod, Gronw bach? Y'ch chi'n dost?" medda Dora Rech. Does dim ots gin i be ma' neb yn ddeud amdani, ma' hi wastad yn glên efo fi. Fyswn i wedi licio deud y stori i gyd wrthi ond y gwir ydi o'dd gin i ormod o gwilydd i ddeud wrth neb.

Neithiwr ddwutha – a dwutha 'di'r gair, am sbel go lew eniwe – o'dd Siân a fi ar ganol y weithred a elwir 'Cnwch y Cenhadon'. Paid â chamddallt: tydi hyn ddim byd i neud â'r 'Blwch Cenhadon' ro'dd gwerin wirion y wlad yn arfar ei lenwi efo'u ceinioga prin ers talwm. Anodd meddwl o lle da'th yr enw deud y gwir: o'n i'n meddwl na achub pechaduriaid o'dd cenhadwr i fod i neud ddim eu cnychu nhw. Ond dyna fo. Stori arall ydi honno...

Trwbwl efo dull y cenhadwr o weithredu ydi bod y dyn druan yn gorod dal ei hun i fyny... Am oria mewn rhai achosion. Ne' felly ma' nhw'n deud wrtha i beth bynnag. Dwi wedi bod yn gneud 'y ngora glas i fagu mysls, codi dymbels yn yr atig, gneud pres-yps yn y gym a ballu, ond be 'di'r iws? Cyhyra wya cwennod ydi'r cwbwl sgin i i ddangos amdano fo. Ac yn y diwadd, i dorri stori hir yn fyr, mi golapsiodd y cenhadwr druan yng ngwres y trofanna, do?

"Ffycin hel!" medda Siân, meddwl bod to'r tŷ wedi syrthio ar ei phen hi ne' rwbath. "Beth yffarn ti'n trial neud i fi y llipryn diymadferth?!"

"Sori!" medda fi.

"Beth yw e tro hyn, 'te?" medda hitha. "Ffaelu dala'n ôl? Ffaelu dala lan?… Ffaelu, ffaelu, ffaelu! 'Na i gyd yw dy hanes di!"

"Twyt ti'm yn dallt!" medda fi. "'Y nghefn i sy wedi rhoid."

"Bai pwy yw 'ny? So ti'n ffit i ddim byd. 'Drych 'not ti! Coese matshis! Bola lysh! Y wuss!… Y wimp!… Y wancar! Wy i wedi ca'l llond bola ar hyn, reit? Dyn wy i moyn nage ffycin shipwreck!"

Ga i dy gyflwyno di i Siân Arianrhod Pugh? Un waith amsar maith yn ôl mi a gymerais wraig – ond ddim y ddynas yma nesh i briodi! O'n i wedi sylwi ar y gwahaniath pan o'dd hi'n disgwl Gwenlli. Lledu yn y llefydd iawn a ballu, ia? Hippy-hippy-shake. Bronna fatha bronna Eryri. Bola fatha prif weinidog ac ati, naturiol… Ond wedyn, ar ôl gollwng eu llwyth, ma'r rhan fwya o ferchaid yn dychwelyd at rwbath tebyg i'r seis oeddan nhw cynt. Ond ddaru Siân ddim.

Ddylwn i fod wedi sylweddoli na fel hyn bysa petha. Sbia ar ei mam hi! Dim yn rhy hir – mae o fatha sbio ym myw llygad yr haul – beryg i chdi ga'l dy ddallu. Ond ti'n gwbod be dwi'n feddwl. Ma' Sylvia Pugh yn horwth o ddynas, tydi? Gobeithio na teith hi ddim llawar gwaeth wir Dduw ne' mi fydd isho tractor i'w chodi hi!

DNA. Dyna be ydi o i radda. Cwbwl yn y 'genes' os medrwch chi ga'l pâr sy'n 'ych ffitio chi. Does gin Siân ddim help am hynny. Ond dwi'n meddwl bod o rwbath i neud efo'i huchelgais gwleidyddol hi hefyd. Byth ers i'r Cynulliad Cenedlaethol gael ei eni ma' hi wedi bod â'i llygad ar un o'r rhestra bach clyfar 'na sy'n caniatáu i chdi ga'l i mewn er bod chdi heb ga'l dy ethol. PR ia? Sbia di ar y merchaid sy mewn yna'n barod. Ma' nhw ddwywaith y pwysa, yndyn? Dyna i chdi be 'di 'proportional representation' go iawn!

Ddim nag ydi Siân yn ffit i fod yn aelod. Ma' hi yn y parc bob bora cyn cŵn Caerdydd yn jogio tra dwi'n jogi yn y gwely, chwadal hitha. Ma' hi yn y gym ar ôl gwaith bob dydd – yn y pwll, yn y sauna, ar y beic... Os wyt ti'n dal i feddwl amdani fel yr hogan bach swil, dena 'no, anghofia fo! Ma' hon yn serenu fatha Serena Williams, boi. Does dim isho all-women list ar Siân; ma' hi'n all-woman yn barod!

Siân Arianrhod o'dd hi pan briodon ni os wyt ti'n cofio, ond ma' hi'n meddwl bod hynna dipyn bach yn passé – dipyn bach yn sefntis erbyn hyn, medda hi. Ddaru hi ystyriad troi'n ôl yn 'Puw' fel oedd hi yn coleg, ond yn y diwadd mi benderfynodd ar Siân Arianrhod Pugh fel ma' hi ar ei thystysgrif geni. Byd caled, byd didostur ydi'r byd gwleidyddol medda hi ac ma' 'na dipyn o gythral yn yr 'ugh' 'na, yli.

'Ugh! Ugh! Ugh!' medda cyfyng-gyngor y Llyfu'r Newydd fel un gŵr. Fedra i weld y Cynulliad yn lledu fatha Môr Coch o'i blaen hi rŵan.

"Lwc owt! Dacw hi yn dyfod. Seconds away: round one! Ms Pugh! Ms Pugh! Ms Pugh-gilist!"

Ma' hon yn benderfynol o gwffio pymtheg rownd dros Gymru, boi, a toes na'r un ffycar Prydeinllyd yn mynd i'w stopio hi.

"Be fedra i neud i chi?" medda Cefni Southey'r chiro-practydd yn wên o glust i gist.

"Dwi'n methu dal i fyny efo'r wraig 'cw," medda fi. "Does gin i'm lot o fynadd efo'r dechnoleg newydd 'ma ond deud i mi, o's modd i rywun brynu asgwrn cefn newydd, oes?"

www.ccc-acw.org.uk

Cyngor Celfyddydau Cymru

GRANTIAU I AWDURON

FFURFLEN DOGOL

Ateber y cwestiynau yn y Rhan Gyntaf (hanfodol); yna eler ymlaen i'r Adrannau 1 – 13.

# Gorau Ffeil, Proffeil

YSGOLORIAETHAU CYFFREDINOL...

Ysgoloriaethau awduron newydd...

Ysgoloriaethau Irma Chilton. Olreit i rei yndi? Ma' honna'n ca'l rhwbath bob blwyddyn...

Awdures llyfra plant oedd Irma Chilton, y twit. Ma' nhw'n cynnig ysgoloriaethau er cof amdani.

OK, sori! Gofia i hynny. Roia i hi lawr ar restr fer llyfrau darllen Gwenlli...

Grantiau datblygu...

Grantiau teithio ac ymchwil...

Dyma ni! Jest y peth i chdi – grant i awduron anabl!

Jôc!

Ti'm yn ddoniol, reit? Ma' dy hiwmor di'n rhy ddi-chwaeth i gael ei gyhoeddi o gwbwl. Dyna ydi'r trwbwl efo sgwennu yn y person cynta trw'r amser. Oes 'na beryg na awdur un cymeriad wyt ti, oes?

Ffyc off, y cont! Well na bod yn awdur di-gymeriad fatha chdi, yndi?

Tro cynta nesh i gais am grant nesh i'm traffath llenwi ffurflen, jest ffonio nhw ia, i arbad amser.

"Su' mai, cont?" me fi. "O's 'na jans am grant, oes?"

"Ma' flin 'da fi," medda'r ddynas ar yr ochor arall. "Ma'ch gwaith chi'n rhy risqué!"

"Sut 'dach chi'n gwbod?" medda fi. "'Dach chi'm wedi ddarllan o eto!"

"Wy i'n gallu gweud ar 'ych llais chi," medda hi.

Trio eto mewn blwyddyn ne' ddwy gan dônio petha i lawr dipyn. Dim rhyw, dim rhegi – dim lot o ffyc-ôl deud gwir, ond dyna fo, os 'na dyna be oeddan nhw isho... ond rhyw atab rhyfadd iawn gesh i.

```
Annwyl William Jones,
   Diolch am eich cais. Cyrhaeddodd eich
gwaith y rhestr fer o bum cant a deg ond
yn anffodus nid yw eich nofel 'T.
Rowland Hughes' ar restr llyfr y
flwyddyn Gŵyl y Ceilliau (Hay-on-why)
eleni. Teimlad y panel oedd bod eich
gwaith tam' bach yn blasé ar gyfer
cynulleidfaoedd y Gymru Gyfoes.
Cyflwynwyd y gwaith yn y gystadleuaeth
hon llynedd, mae'r gynghanedd yn wallus
ac ni ellir ei hystyried ar gyfer gwobr
Tir na n'Ôg eleni…
```

Ffagan sant! Be sy haru'r cwangos 'ma? Pa mor dlawd ydi hi arnyn nhw? Feirysus myn uffar – tydi SARS ddim ynddi hi! Ydyn nhw'n gorfod rhannu'r un cyfrifiaduron ne' rwbath, yndyn?

Trio am y trydydd tro, tair gwaith i Gymro medda fi wrth 'yn hun… Sgwennu straeon o'n i'n meddwl fysa'n addas i blant ysgol yn y ddinas fawr ddrwg. Ca'l negas yn ôl gin ryw gotsan o ddysgwraig yn mynnu bod fy nhafodiaith yn rhy gormod i'r to sy'n codi.

"Mae eich delwedd o Caerdydd yn un negyddol. Caerdydd yw prif-ddinas mwyaf cyffroes yn Ewrop. Mae dychanu yn passé. Mae hyn yn swyddogol nawr bod Henry Kissinger wedi ennill Gwobr Heddwch Nobel."

Risqué! Blasé! Passé!

Basdads! Contiaid! Ffwcars! Fysat ti'n meddwl bo fi'n gofyn am y lleuad, fysat? Cwbwl dwi isho ydi blydi grant!

OK! Cau dy geg a gwranda. Ti'n gwbod be sy'n bod arna chdi, tw't? Ma' isho codi dy broffeil di. Dangos dy hyder. Datgan dy fwriad:

"Lluniodd John Updike gyfres o nofela am y cymeriad 'Rabbit' gan ddarlunio bywyd cymdeithasol America o un genhedlaeth i'r llall drwy lygaid dyn cyffredin. Mae gennyf innau brosiect hir-dymor uchelgeisiol cyffelyb a bûm yn lloffa deunydd ers tro byd ar gyfer trydedd cyfrol fy hunangofiant..."

Ara deg am funud bach rŵan. Ti'n dechra mwydro fi. Pwy ydi John Updike?

Dio'm ots am hynny, nag 'di? Jest gna fo. Wyt ti'n meddwl na ffurf trydydd person lluosog ydi 'broliant'? Dim ffashiwn beth, boi! Os ti isho rhwbath sy werth ei neud yn iawn gna fo dy hun. 'Dan ni mewn byd newydd braf yng Nghymru washi, lle ma' pawb o bwys yn brolio'i hun!

Gosod dy hun mewn cyd-destun rhyngwladol. Deud am yr hwb Roth Philip i ti. Fuodd hi'n hannar nos ar blant Salman Rushdie hefyd, cofia! Cofia be ddudodd o ynglŷn â 'tyrchu'n ddwfn a chrafu'n ysgafn'. Deud dy fod ditha'n gneud yr un modd. Brolia pa mor uffernol o ysgafn ydi dy fodolaeth di. Paid â dal yn ôl yr un gronyn. Brolia'n galed a brolia'n gyson. Boi Milan ar y diawl oedd Kundera, cofia!

Smalia bod gin ti fwy fyny llofft na sgin ti. Cyffelyb yw fy atig i un Robertson Davies yn Canada deud. Cer â nhw i Barth-au Rolant. Bydda'n Jacques Derrid-us. Ma' dy famiaith di mor ethnig a'i chôd hi mor gyfrin fel nad oes modd o gwbwl ei chyfieithu i unrhyw iaith arall yr ochr yma i Krypton. Chdi ydi un o lenorion mwya Ewrop tasa'r basdads cul ond yn dallt hynny!

Blyffia dy ffor' i'r uchelfanna. Honna bo chdi'n feirniad o bwys. Fel'na ma'r ffwcars i gyd yn gneud. Gwaedda'n groch a gwaedda'n amal. Neith neb byth bythoedd ama dy gredentials di. Ac os gnâ'n nhw, mi gâ'n nhw'u hanwybyddu fel yr ecsentrics dwl answyddogol ac ansylweddol ag ydyn nhw. Heip sydd wyrthiol, heip sydd wych. Gweithio bob tro, washi!

Ti byth yn gwbod dy lwc. Mae'r Twysog Siarl yn troi ei olygon tuag at Walia eto'r dyddiau hyn. Sut bysat ti'n licio bod yn ddychanwr swyddogol iddo fo?

# Sdim Muse heb Awen

"Nofal?" me fi.

"Ie! Nofel fach ysgafn, dyna fyswn i'n licio," medda hi.

"Sori!" me fi. "Dwi'm wedi sgwennu dim byd ers oes pys. Dwi wedi anghofio sut i sgwennu'n hir, sti!"

"OK 'te," medda hitha. "Beth am novella, 'te?"

"Wyt ti'n gall, cont?" me fi. "Wyt ti'm yn clwad be dwi'n ddeud wrthat ti? Fedra i ddim sgwennu un heb sôn am ddwy!"

"Chi mor ysmala!" medda hi. "So chi wedi newid dim!"

"Dyna lle ti'n rong! Dwi wedi newid yn llwyr, yli!" me fi.

O'n i'n arfar cydweithio efo ryw foi – actio fatha rhyw rith o sgwennwr drosto fo. Cadw'i Gymraeg o'n bur tra o'dd o'n sgwennu Crossroads, Brookside, Emmerdale a ballu. Byw yn Llundan oedd o ond bob hyn-a-hyn o'dd o'n cal pwl o gydwybod ac yn dŵad yn ôl i seremoni'r Cymry alltud.

"Sut ma'r opera sebon yn mynd?" me fi.

"C'est bon? C'est bon? Yr opera c'est cachu rwtsh," mo yn flin fatha tincar.

A phan o'dd o'n teimlo fel 'na, un peth yn saff i chdi. Sdim isho gofyn pwy o'dd y ffycin Casualty, nag oes?

Gwynt teg ar ôl y diawl – to'n i'm wedi weld o ers blynyddoedd, ond be gythral o'dd hon isho rŵan?

Teithio ar hyd yr A470 o'n i a'n meddwl i'n crwydro – ti'n gwbod sut bydd rhywun. Pedair awr ar y lôn a neb ond chdi dy hun i siarad efo fo. Ond chwara teg, ma' llif yr ymwybod yn beth da iawn i dorri siwrna, yndi?

O'n i'n dychmygu bo fi'n teithio mewn jeep o Gaza Strip Caerdydd i Golan Heights y Gogledd, tywal wedi'i lapio am 'y mhen i fatha Yosser Arafat, sneipars Zion yn gwitiad i'n ambwshio fi tu nôl i Fryniau Caersalem yn fan'cw, setlars wrthi'n codi tai unnos yn West Bank Ceredigion, a dim byd ond anialwch y Canolbarth o 'nghwmpas i bob man. Teitl y gyfres: 'Sinai'n gwbod'. Gobeithio bod y comisiynydd yn gwbod ei Feibil...

Syniad da ar gyfar y teledu: stori gowbois ar ei newydd wedd, dyna be o'n i'n feddwl. Fyswn i'n roid o lawr ar bapur A4 a'i anfon o i S4C. Fel'na ma' nhw'n licio ca'l 'ych syniadau chi – yn dwt ac yn gryno fel bod nhw'n medru 'u sgrwnsho nhw i fyny yn beli bach twt a'u taflyd nhw i'r bun yn y gongol. Dwi wedi gyrru dwsina o A4s atyn nhw dros y blynyddoedd – rhei ar ffurf stripogram a bob dim, rwbath i drio tynnu sylw, ia? Dim lwc hyd yn hyn ond byw mewn gobaith, fatha Premium Bonds, gwitiad yn ddigon hir ma'ch nymbyr chi bownd o ddŵad i fyny yn diwadd, yndi?

Fy ffiol oedd lawn o'r ddau beint gesh i yn y Griffin, Llyswen. Stopio am bishiad tu ôl i'r goedan dderwen fawr 'na tu allan i Raeadr Gwae a meddwl – ffycin hel! Dwi'm yn cofio dim byd am yr hannar awr ddwutha. Corneli Cwmbach Llechrhyd ffor' 'na, yr obstacle course mwya ar unrhyw lôn yn Ewrop. Tydi Monte Carlo Rali'n ddim byd yn ymyl rheina, ond to'n i'm hyd yn oed yn cofio mynd rowndyn nhw! Gneud i chdi feddwl yndi: tra ma' dy feddwl di'n crwydro fel'na pwy ddiawl sy'n dreifio dy gar di?

A dyna pryd cesh i 'nal. Do'n i ddim cweit wedi gwagio mhwrs pan ddath 'na horwth o sportscar heibio, brecio fatha Ffanjo cyn i mi ga'l amsar i roid y gwn yn ôl yn ei holstar. Dyma 'na fodan allan ac yn cyflwyno'i hun i mi.

"Bore da! Goronwy Jones? O'n i'n meddwl bo fi wedi'ch sbotio chi! Awen Gwales, Gwasanaeth Symudol y Cyngor Llyfra. Adran Arbennig Adfer Awduron...!"

Dipyn o bishyn hefyd deud gwir. Dyma hi'n cynnig ei llaw, disgwl i mi hysgwyd hi ond fedrwn i ddim, na fedrwn, a honno'n dal yn 'lyb diferyd ar ôl i mi fod yn ysgwyd fy mhishyn fy hun! Ond sgwdish i moni'n ddigon da ma' hi'n

amlwg! Tri tropyn yn treiglo eu tamprwydd i'r trôns...
"Sori! Rhaid i chi fadda i mi," medda fi. "Ma'n meddwl i'n
llawn onomato-pi-a heddiw 'ma!" O'n i ofn nes o'n i'n swp
sâl i dropyn fynd lawr 'y nghoes chwith i a dŵad allan ar
'yn esgid i. Fysa hi'n sbotio mwy nag awdur wedyn, bysa?

Ond o'dd hi'n olreit. Mi o'dd Miss Gwales wedi ffocysu'n
llwyr ar y dasg mewn llaw, chwadal hitha, sef rhwydo
McNabs i neud joban iddi.

Dyma 'na jet yn gwibio heibio – hedfan yn isal, jest rhag
ofn bod Saddam Hussein yn cuddiad yng Nghwm Elan ne'
rwla, a dyma Miss Gwales yn neidio'n glir, syth mewn i
'mreichia fi nes o'dd 'y macha pislyd i'n sychu yn ei jymper
Jaeger £150 hi.

"Ma' 'nghalon fêch i'n llamu!" medda hi.

Biti gin i drosti, deud y gwir, methu deud 'a' yn iawn rŵan.
O'dd y gotsan fatha ryw gameleon ieithyddol yn newid ei
thafodiaeth bob gafal.

"Ydech chi wedi ystyried llunio'ch A4s i S4C ar ffurf
awyrenne papur a'u towlu nhw trw ffenest y Tŷ Glas?" medda
hi.

"Fyswn i'n sgwennu nhw ar bapur bog," medda fi, "tasa
hynny'n tynnu sylw'r basdads!"

"Gwedwch wrtho i," medda hi. "Ydech chi'n edrych i ennill
bywolieth allan o ysgrifennu?"

"Byw mewn gobaith, ia!" medda fi.

"Newyddion da o lawenydd mawr o du'r Cynulliad,"
medda hi. "'Den ni mewn sefyllfa i allu cynnig cyflog i
awduron i ysgrifennu nofelau ysgafn."

"Be 'dach chi'n feddwl 'ysgafn'?" medda fi. "Wyth owns...
hanner pwys...?"

"Chi mor ysmala!" medda hi eto, trio crafu 'nhin i. "Fedra
i'ch temtio chi o gwbwl? Wy i ar dân dros y llyfr, chi'n gweld,"
medda hi. "Fydda i'n dychmygu weithie taw llyfr odw i!
Meddyliwch faint o ddefnydd chi wedi'i wastraffu ar yr A4s
'na tra galle'ch geirie chi fod yn gorwedd yn swat rhwng fy
nghlorie i!"

Ac yn sydyn, dyma hi'n dechra tynnu'i dillad a dawnsio fatha ffŵl ganol lôn a bloeddio canu'r gân ysgafn boblogaidd:

*S4C killed the printed-word star,*
*Mrs Jones Llanrug was a bitch too far,*
*The book is back – let's have a jar,*
*Harry's his name and Potter's his bar!*

"Pam 'dach chi'n canu yn Susnag?" me fi.

"So chi wedi clywed? Ma' chat-room byd eang 'da ni nawr!" medda hi a phwyntio at yr hys-bys 'Gwales.com' o'dd wedi'i sgwennu ar hyd ochor y sportscar. "Ma'n llên ni'n dod yn dwlpe dros y byd i gyd yn grwn erbyn hyn, ch'wel!"

"Calliwch, wir Dduw!" medda fi, trio symud hi i'r ochor i neud lle i'r traffig o'dd wedi blocio'r ddwy ochor i'r lôn. Pawb yn sbio'n wirion ar Ms Parry Hotter yn tynnu'i bra ac yn agor ei choesa fatha rhyw J.K'r Owling ar Page 3 y Sun.

"Sori!" medda hi. "Ma' shwt bashiwn 'da fi dros y llyfyr, ch'wel! Gwyntwch y gyfrol hyn! Ffres o'r wasg! Order of the Phoenix. Nag yw e'n 'ych cynhyrfu chi, 'te?"

"Sgin i'm byd i ddeud wrth Harry Potter w'chi," me fi.

"Peidiwch â Phoenix!" medda hi. "Cewn ni rywun arall i gyfieithu hwn. Ond gwedwch y gwir. Nag o's un tamed bach o chi'n teimlo fel sgwennu cyfrol i fi?" medda hi gan ddechra rwbio'r llyfr yn erbyn ei bronna noeth.

Un darn bach myn uffar! Peth eironig ofnadwy ydi iaith temtasiwn: wrth i mi ddechra cledu o'n i'n dechra meddalu fatha pwti yn ei dwylo hi!

"Y'ch chi moyn i fi ddodi Indian Head Massage i chi?" medda hi.

"Iesu, dwn i'm!" medda fi. "Mae o'n swnio'n beth peryg ar y naw!"

"Dewch 'mla'n!" medda hi. "Gwrywod ne' fenywod. Sdim ots 'da fi. Wy i'n cynnig y gwasaneth i'r awduron i gyd…!"

"Gwrandwch!" medda fi, rhag ofn bod hi'n cam-ddallt. "'Dach chi yn sylweddoli 'na ar ben 'yn hun dwi'n sgwennu dyddia yma, tydach? Dwi'n bicell rydd, dwi'n annibynnol. Dwi'm yn dibynnu ar neb arall bellach..."

"Sneb o ni byth ar ben 'yn hunen yn y busnes creu hyn!" medda hi a dechra mwytho 'mrêns i. "Ma' dwy ochr i'ch ymennydd chi, ch'wel!" medda hi. "Yr ochr dde sy'n neud y gwaith caib a rhaw i gyd gan adel y gweddill i'r ochr chwith i diclo ffansi'ch dychymyg chi!"

"Sori...?" me fi.

"Trosiad!" medda hi.

"Fysa well gin i beidio!" me fi. "Dwi'n ddyn priod, w'chi."

Hutton bach! O'dd hi'n amlwg bod hon yn trio secsho 'nossier i fyny mewn lot llai na 45 munud.

"Peidiwch â phoeni dim byd!" medda hi wrtha i. "Ymlaciwch yn llwyr a dewch am spin efo fi. Troediwch yn ysgafn, ysgafn ar fy sbardun a gadwch y gweddill iddo fo..."

"Pwy?" me fi.

"Pwy bynnag sy'n dreifo'r car i chi pan 'ych chi'n canolbwyntio ar bethe erill!" medda hi gan sodro 'Ffurflen Ymrwymo Awdur' yn 'yn llaw i. A ffwr' â ni i lawr y lôn, i diroedd dirgel y dychymyg...

# Addysg Cydol Loes

TYDYN NHW DDIM yn blant yn hir, nag 'dyn? Cyn pen dim o dro mi o'dd hi'n amsar i Gwenlli adael 'Glân Geriwbiaid' i fynd i'r ysgol gynradd. O'n i'n sbio 'mlaen deud gwir. Dipyn bach mwy o ryddid i symud o gwmpas y lle, er mwyn i'r straeon ga'l cyfla i'n ffeindio fi. A phwy a ŵyr? Ella bysa 'na wyrth yn digwydd. Ella byswn i hyd yn oed yn ca'l cyfle i weld rom bach mwy ar y wraig. Ond ail gesh i. Ychydig iawn o amsar gesh i i gicio'n sodla. Os oes gin ti grap ar y Gymraeg ffor' hyn, ne' hyd yn oed dim ond ei ogla fo, ma' hi'n job peidio ca'l cynnig job, os ti'n gwbod be dwi'n feddwl!

O'n i wrthi'n tynnu'r dillad allan o'r sychwr-siglo un bora pan ffoniodd y boi 'ma o Brifysgol Bywyd ne' rwbath yn gofyn os o'dd gin i ddiddordab mewn gneud cwrs addysg.

"Sori! Dwi'n meddwl bo chi wedi ca'l rong nymbyr," me fi.

"Mr Jones, nage fe?"

"Ia..." me fi.

"Wy i'n credu bo jyst y peth 'da fi i chi man hyn. Beth os bydden i'n dod draw â ffurflenni?"

"Ffurflenni be?" me fi.

"Coleg," mo. "Gradd!" mo. "BA Anrhydedd!"

"Gwrandwch," me fi. "Dwi'm yn meddwl bo chi'n dallt. Dwi newydd roid 'y nghredenshials i lawr ar ffurflen y Cyfrifiad 'ma..."

PA UN O'R CYMWYSTERAU HYN SYDD GENNYCH?

☑Dim cymwysterau

"Ydach chi'n gweld?" me fi.

"Ddim ar y ffôn, nagw!" mo. "Ond sdim ishe becso taten

bytu 'ny. Ma' Cwmrâg pert iawn 'da chi! Allech chi fod yn Bennaeth Adran miwn dwy flynedd, ch'wel!"

"Ben Bach y cont!" me fi, gweld trwyddo fo o'r diwadd. "Wa'th i chdi heb â rwdlan. Dwi'n nabod dy ffycin llais di!"

"Mr Jones," medda'r llais ar y ffôn. "Walle taw swyddog addysg odw i wrth 'y ngwaith bob dydd ond dyw hi 'mond teg i mi'ch hysbysu chi mod i'n bregethwr cynorthwyol ar y Sul! Wela i chi 'whap, syr!"

Biti na chesh i ddim gafal ar y boi yma yn ystod yr ymgyrch 'Ie – dros Gymru!' achos toedd o ddim yn gwbod be oedd 'Na'! Prin o'n i wedi ca'l cyfla i roid y ffôn i lawr nad o'dd o ar stepan y drws yn barod i'n hambygio fi ymhellach.

"Chymrith hyn ddim dwy funed!" medda fo wrth wadd ei hun i fewn i'r tŷ ac agor ei fag. Briefcase o'dd gynno fo ond doedd o'm yn brief iawn...

Dyma fo'n dechra ar bregath tri phen gan egluro sut o'dd y llywodraeth wedi gneud bôls ohoni. Dwy horwth o folsan fawr deud gwir:

a)  Ddaru nhw fforsio bob ysgol yng Nghymru i ddysgu Cymraeg i bawb.

b)  Ma' rhaid i bob athro ga'l gradd heddiw 'ma a toedd gynnyn nhw ddim digon o athrawon i fynd rownd.

Ond wedyn dyma 'na rwbath yn y llywodraeth yn ca'l brênwêf. Cwbwl o'dd isho neud o'dd troi pob Tech yn Brifysgol a rhoi gradd i bob cont dwl fedran nhw bigo i fyny 'ddar y stryd...

"Iesu!" medda fi, wedi dychryn braidd. "Ma' raid bod 'ych safona chi wedi mynd lawr yn uffernol."

"Na, na, na!" medda'r boi. "Ma'r safone'n mynd lan bob blwyddyn. Cymrwch chi'r groten 'co nawr. Ma' hi newydd ga'l deuddeg 'A' serennog yn ei arholiadau TGAU!"

"Be di 'A' serennog?" medda fi.

"Un gradd yn uwch nag 'A'!" mo.

"Sut fedrwch chi ga'l dim byd uwch nag 'A'?" me fi.

"Wel," medda'r boi, trio malu petha'n fân i mi. "Shgwlwch

107

'no fe fel hyn. Ma' 'dach chi'r First Division ym myd y bêl gron, on'd o's e? A wedyn ma' 'da chi'r 'Premier League'…"

"Sori!" medda fi, "Nesh i 'rioed ddallt hynny chwaith!"

Ma' raid bod Maths wedi newid ers pan o'n i yn 'rysgol. Ddim y cynta ydi'r cynta bellach… Pedwerydd oedd Sam ers talwm ond dwi'n siŵr bysa'r diawl wedi ennill erbyn hyn!

Dyma'r boi yn tynnu'i gyfrifiadur allan o'i gês ac yn agor ei lap: "Siân Arianrhod Pugh, BA, MEd, DPhil. Dirprwy Brifathrawes Ysgol Ddwyieithog Colyn Dolphyn. Odw i'n iawn?"

"Os na siarad am y wraig ydach chi, yndach!" medda fi.

"BA, MEd, DPhil," medda fo eto gan sbio'n llawn edmygedd ar y shilffoedd 'cw.

"Ma' raid bo Siân wedi darllen y llyfre i gyd!" mo.

"Dim ond i 'radda', chi!" me fi. "Gwrandwch! Be ma' hyn i gyd i neud efo fi?"

"Chi lawr ar y bâs-data, ch'wel!" mo. "Pwy fath o ysgol byddech chi'n lico dysgu ynddi?"

Dysgu myn uffar! O'dd y cont yn gall? O'dd o wedi bod mewn ysgol yn ddiweddar? Fo â'i fâs-data – hon o'dd y job fasdata 'rioed tasa chi'n gofyn i mi!

O'n i wedi parcio wrth giatia Ysgol Colyn Dolphyn un dwrnod, gwitiad i bigo Siân i fyny achos bod ei Merc hi yn y garej yn ca'l syrfis. Dyma 'na foi efo sdydsan yn ei drwyn a phaent coch yn ei wallt yn dŵad heibio a chicio pêl ffwtbol yn galad yn erbyn y car.

"Hei, pero!" me fi'n rhuthro allan o'r car. "Be ti'n feddwl ti'n neud?"

"Pam? Beth ti'n mynd i neud?" medda'r hogyn. "Ffono Pennaeth Blwyddyn? Fe'n rhy scared to come near us! Prifathro? Gotta be jokin'! 'Group 4' dod â fe mewn bob bore. Cloi fe yn ei stafell. Nobody ever sees him! Who are you anyway? Wrexham supporter by the sound of it! Blwyddyn Naw Bootboys. Ni'n kico i killo, reit?"

Dyma fo'n neidio mewn i'r bys ysgol ac yn dechra'i ddreifio fo o'na. O'dd 'na bishis o seti'n fflio allan o'r ffenestri, a phlant yn hongian allan a'u penna i lawr a bob dim. O'dd 'na hannar dwsin o athrawon ar ddyletswydd a neb yn meiddio twtshiad pen eu bys ynddyn nhw. Gesh i'r gwyllt go iawn, do? Dyma fi'n rhuthro mewn i'r bys gan weiddi:

"Be ffwc sy'n mynd 'mlaen fan hyn?"

"Hold it right there, mister!" medda'r llanc bach 'ma wrtha fi, camera fideo yn un llaw a ffurflen 'Claims Direct' yn y llall. "Ti wedi rhegi arna fi. Fi'n clêmo compensation!"

Anhrefn llwyr. Gwallgofrwydd pur. Ond pwy feddyliach chi o'dd yn ista yn y sêt gefn ond dau arolygwr yn 'Estyn' am eu beiros ac yn ticio bocsus: 'Boddhaol iawn ar y cyfan'!

"£25K ch'wel!" medda'r boi, trio 'nhemtio fi i fod yn athro.

"Dim ffiars o beryg, mêt!" medda fi. "Ella mod i'n sgwennu nofal ond ddim 'Syr' ydi theitl hi! Ma' well gin i gadw 'mhwyll!"

"Ond beth am yr iaith?" mo. "Beth am y genedl? Beth am y to sy'n codi?"

"Sori!" me fi. "Dy broblam di ydi hynny. Fydd rhaid i ti drwsio dy do dy hun!"

Ond wedyn dyma fo'n mynd ar ei linia ac yn dechra crefu arna i. Ymbil fatha dyn o'i go ar i mi'i helpu fo yn ei gyfyngder:

"O plis! O plis! O plis!" mo.

"Sefwch ar 'ych traed, ddyn!" me fi. "Lle 'dach chi'n feddwl ydach chi – yn sêt fawr?"

"Sdim syniad 'da chi!" mo. "Y cwotas s'da ni bob mish! Y targedi ma'n rhaid i ni 'u cyrredd! Ma'r llynnoedd iaith wedi mynd yn sych. Sdim Cymro yn Gardydd nag yw e ar y payroll. Chi yw'r gobeth olaf s'da fi mish hyn. Iwswch 'ych pen, ddyn: dysgwch!"

"Dwi yn iwsio 'mhen!" medda fi. "Dwi'n sgwennu, taswn i'n ca'l llonydd i neud o!"

Bai mam Siân oedd o. Tydi hi byth yn cnocio pan ma' hi'n dŵad i mewn. Gafodd hi sioc ar ei thin pan welodd hi'r dyn 'ma yn cusanu'n sgidia fi ac yn udo fatha ci ar ei bedwar ar lawr.

"Be yn y byd sy'n mynd 'mla'n yma?" medda hi.

"Peidiwch â phoeni!" medda fi. "Fel hyn ma' nhw yn yr Addysg Cydol Loes!"

Pan glywodd o rywun arall yn siarad Cymraeg dyma llgada'r Cydol Loes yn dechra pefrio. Dyma fo'n codi ar ei draed mewn un ymgais despret ola' i ricriwtio rhywun.

"Haleliwia! Haleliwia! Atebwyd fy nghri!" medda fo a chydiad yn dynn yn mam Siân. "Gwedwch 'tho i. Odych chi'n gwitho?" mo.

"Be sy haru chi, ddyn? Dwi ar 'y mhensiwn, tydw?" medda mam Siân.

"Pidwch â grondo arnyn nhw!" mo. "So chi byth yn rhy hen i ddysgu. Chi'n fenyw nobl iawn o hyd! Plis, o plis! Byddech chi'n folon neud ffafr â fi? Wy i'n hollol despret, ch'wel! Sa i wedi ca'l gafel ar fenyw ers blynydde!"

Ma' mam Siân cystal â'i merch efo rolling-pin. Doedd hi ddim yn rhy hen i nabod hen gi pan o'dd hi'n gweld un. Dyn cynta i'w thrio hi ers chwartar canrif, dyna be o'dd yr hen Sylvia Dementia'n feddwl! Mi o'dd y sglyfath yn haeddu popeth gaetha fo! Mi syrthiodd y pregethwr cynorthwyol yn glep ar gi-bôrd ei lap-top, a dyna lle'r oedd o pan ddoth y dynion mewn cotia gwyn i'w nôl o, yn syllu ar y porn-seit 'ma ddoth o ar ei draws yn ddamweiniol ac yn mwmial canu'n lloerig 'Deep river – my home is over Jordan'.

Pwy ydi'r bai am y bai-ling? Pwy sy'n 'ELWa', o'r system? Deud y gwir yn onast rŵan, fysat ti'n gyrru dy blant i ysgol lle dwi'n athro? Ond tydi Tony Blêr a'i gabinet yn malio dim! Be ma' nhw'n neud, medda Siân, ydi gyrru'u plant nhw'u hunain i ysgolion preifat a bildio ysgolion cachu i blant pobol erill. Tydan ni ddim yn gall, nag 'dan? Pam 'dan ni'n gadal i'r basdads ga'l get-awê efo hi? Tasat ti'n fflio i ffwr' ar dy holides fysat ti'n cyflogi peilot sy ddim hyd yn oed ar yr awyren? Dwi'n gweld bod y Cydol Loes yn dal i ricriwtio athrawon fel slecs. Ma' hi mor fain arnyn nhw ma' nhw'n hysbysebu ar gefna bysus a ballu efo slogana fatha 'YDYCH CHI BYTH YN DYSGU?'

# Orinj

*Cerdd organig, ffrwyth fy nychymyg.*

PAN OEDD Nelson Mandela yn jêl neutha Siân ddim prynu 'Outspan' am bris yn y byd, ond rŵan neith hi ddim prynu dim byd arall.

'Jaffas' ydi'r bwgan rŵan achos bod nhw'n dŵad o Israel.

O'dd 'na sôn ryw dro bod Yosser Arafat a rheina yn eu chwistrellu nhw efo gwenwyn: jifetha jiws y jaffa, ia?

Dwi wedi clwad am weithwyr ar yr oil-rigs yn y Gwlff yn chwistrellu orinjis efo fodca er mwyn ei smyglo fo i mewn i'r wlad. Dim lysh yn Saudi Arabia a ballu, yli, er na gair Arabaidd ydi al-cohol meddan nhw.

Orinj ydi'r drwg yng Ngogledd Iwerddon.

Orinj ydi'r ffôn symudol 'na sy'n janglo 'We'll keep a welcome in the backside' yn y cefndir trw'r amser...

O'dd Cymru yn Orinj Free State tan i ryw foi o Ddinbych-y-pysgod ddechra'u mewnforio nhw i Brydain jest mewn pryd i Harri Tudur fedru dathlu buddugoliaeth brwydr Bosworth efo potal o 'Buck's Fizz'.

Ddim orinj ydi'r unig ffrwyth, wrth gwrs, ond ma' Siân wedi bod rownd y byd ar gefn un ac wedi rowlio adra hefyd. Orinj ydi clawr y nofel *I Married a Communist* gan Philip Roth. Orinj ydi'r dyfodol meddan nhw, felly ma'n well i ni anghofio am y gorffennol a dechra yfad y sydd...

"Cau dy geg am blydi orinjis, nei di?" medda'r boi yn y bys-stop. "Ti'n mynd ar 'yn pip i, reit?"

"Sori!" medda fi. "Jest un gewyn bach arall. Gesha pa liw ydi bysus Caerdydd?"

*—allan o'r ffeil a labelwyd 'TASA Goronwy Jones'*

# Chargé d'Affair

O'N I WRTHI'N sortio'r dillad allan yn barod ar gyfar y drorydd, pentwr Siân, pentwr Gwenlli, a 'mhentwr inna. Bwysig ca'l trefn ar betha medda fi wrth 'yn hun, ond dyna i chdi betha anwadal ydi sana singl. Ma' 'na rei sy'n mynnu mynd i fyny llewysha jympers a ballu, fatha tasan nhw'n chwara cuddiad. Ma' 'na rei erill sy'n rowlio'u hunain yn beli bach a swatio yn nhrowsus dy byjamas di fatha tasan nhw'n ffansïo bod yn geillia ne' rwbath... Ond dyna fo, fysa chditha'n gneud yn fawr o dy ryddid hefyd ma' siŵr bysat, tasat ti'n gorod byw yn ogla chwys traed pobol rownd y ril!

Petha bach fel hyn sy'n mynd drw' dy feddwl di wrth i ti neud gwaith tŷ. Os ydi dynion yn gwisgo joc-straps, ydi merchaid yn gwisgo ffan-belts? medda fi wrth 'yn hun wrth sortio'r 'smalls' allan pan dda'th Siân adra efo tusw o floda i mi.

Helo? medda fi wrth 'yn hun. Be dwi wedi neud i haeddu hyn? Tydi merchaid byth yn prynu bloda i chi 'blaw bod eu cydwybod nhw'n eu poeni nhw, nag 'dyn?

"Grondo, Gron, wy i wedi bod yn meddwl," medda hi.

O'r Arglwydd! Be ma' hi isho rŵan eto medda fi wrth 'yn hun, nabod tôn pregath yn iawn pan dwi'n clwad un.

Ond chwara teg i Siân, meddwl amdana i oedd hi tro 'ma. 'Ngweld i'n gweithio mor galad ar y llyfr, rhedag a rasio dros Gwenlli, gneud bob dim yn y tŷ, diodda lol ei mam hi ers blynyddoedd a ballu. Yr ymroddiad, y dycnwch, yr aberth. Ffor' o'dd hi'n geirio ac yn disgrifio 'mywyd i o'n i wedi mynd i deimlo piti uffernol dros 'yn hun, deud y gwir, ac o'n i wedi gwllwn amball i ddeigryn hunandosturiol fatha gwlith ar betala'r 'Betsan Brysur' symbolaidd o'dd Siân wedi'i phrynu i mi.

"Falle bo fi wedi bod yn annheg 'da ti, ti'n gwbod," medda hi. "Falle taw rhwystredigeth sy wedi dy hala di fel hyn."

"Fel be?" medda fi.

"Fel adyn ar gyfeiliorn! Fel soga diymadferth! Fel llipryn llwyd bytu'r lle!" medda hi. "Meddwl iach, corff iach, ontefe?"

"Gwranda," medda fi, dechra ama lle o'dd hyn yn arwain. "Sdim ots gin i fynd i'r gym amball waith ond dwi'm yn gneud ffycin yoga i neb, reit?"

"Na, na, na!" medda Siân. "So ti'n dyall. Ehangu d'orwelion, 'na beth s'da fi miwn golwg. Gyda Gwenlli yn yr ysgol trw'r dydd ma' cyfle 'da ti i neud beth ti moyn nawr! Datblygu dy dalente – celfyddyde, cyfrynge. Beth licet ti neud?"

"Dim byd!"

"Dere 'mla'n! Ma' bown o fod rhwbeth. Beth byddet ti'n rili, rili lico?"

"Ti'n gwbod be fyswn i'n licio go iawn? Tasa pobol yn stopio iwsho geiria gwirion fatha 'rili, rili' yng nghanol eu Cymraeg!"

"Cer o'na!" medde Siân. "Wy i o ddifri. Ma' 'da pob un ryw freuddwyd. Ti ar groesffordd yn dy fywyd. Os na nei di fe nawr, nei di byth mono fe!"

"Duw, Duw! Rho gora i fwydro," me fi. "Mynd i Tudrath hannar tymor. Fydd hynna'n ddigon da gin i!"

"Sori!" medda Siân, dŵad at y pwynt o'r diwadd. "'Na beth wy i'n trial weud 'thot ti. Bydda i'n ffaelu dod i Sir Benfro, t'wel!"

"O, ffycin hel! Fel'na ma'i dallt hi, ia?" medda fi, gweld trw' betala'i bloda hi o'r diwadd. Ti fatha ryw chargé d'affair myn uffar! Paid â deud bo chdi'n mynd i Picos Donostia-Asrasate eto!"

Ma' hyn wedi mynd tu hwnt i jôc. Bob blwyddyn ryw ben – dau, dri pen weithia – mi fydd Siân yn ca'l gwahoddiad gin 'un o wledydd bychain Ewrop' i fynd ar daith ffendio-ffeithia yn rhinwedd ei gweithgarwch di-flino ond di-dâl dros y Blaid Bach. Dwi wedi colli cownt o sawl gwaith ma' hi wedi hedfan i Bilbao i weld sut ma'r Basgiaid yn chwara pelota ac yn swigio gwin allan o bipette a ballu...

"Na, na!" medda Siân. "Gwledydd y Baltig yw hi i fod tro hyn."

"Gwledydd y be?" me fi.

"Latvia, Lithuania ac Estonia," medda hi. "Wy i'n awyddus iawn i fynd, t'wel. Gwledydd bychain annibynnol tua'r un seis â Chymru. Ma' nhw i gyd yn joino Ewrop cyn bo hir."

"Ti wedi newid dy gân!" me fi. "O'n i'n meddwl bo chdi isho iddyn nhw aros yn yr Undeb Sofietaidd..."

"Sori!" medda Siân. "Sda fi'm amser i drafod polisi nawr! Bydd rhaid i fi roi gwbod iddyn nhw, t'wel. Beth ti'n weud?"

"Gwylia ar wahân eto, 'ta!" medda fi gan ochneidio'n ddyfn. "Pwy sy'n mynd efo chdi tro 'ma?"

"Dim ond y ddirprwyeth arferol, t'wel," medda Siân yn ddidaro. "Sdim ots 'da ti, o's e?"

"Nag oes!" me fi a chario 'mlaen i sortio'r golch. "Mi gysyllta i efo'r Swyddfa Patent yng Nghasnewydd, yli..."

"Beth...?" medda Siân yn syn.

"Sana singl!" medda fi. "Ti byth yn gwbod, ella bod nhw wedi dyfeisio rhwbath i gadw para efo'i gilydd!"

# Ffagan Sant

AMGUEDDFEYDD AC ORIELAU CENEDLAETHOL CYMRU
NATIONAL MUSEUMS & GALLERIES OF WALES

Amgueddfa ac Oriel Genedlaethol Caerdydd
Parc Cathays, CAERDYDD CF10 3NP
Ffôn 02920 397951 Ffacs 02920 373219
Llinell Uniongyrchol 02920

National Museum & Gallery Cardiff
Cathays Park, CARDIFF CF10 3NP
Tel 02920 397951 Fax 02920 373219
Direct Line 02920

Amgueddfeydd ac Orielau Cenedlaethol Cymru
Parc Cathays
Caerdydd

**Parthed Goronwy Jones ar gyfer swydd
gofalwr yn Sain Ffagan**

Rwyf yn adnabod Goronwy Jones ers chwarter canrif a gallaf dystio i'w gymeriad dilychwin, ei fuchedd lân a'i agwedd bositif a chyfrifol tuag at bob gorchwyl yr ymgymera â hi.

Awdur proffesiynol ydyw o ran ei grefft ac mae wedi teithio yn helaeth dros y byd i gyd gan ymddiddori yn hanes a diwylliant pobloedd o bob lliw a llun.

Yn ogystal â hyn y mae'n Gymreigiwr cadarn gyda diddordeb ysol yn hanes a diwylliant ei genedl ei hun.

Mae ganddo bersonoliaeth ddymunol a fyddai'n gaffaeliad mawr iddo mewn swydd fel hon ac fe'i cymeradwyaf i chwi yn wresog a brwd.

Ben J. Howells MA (Cantab)

Dwi'n meddwl bod Siân wedi ca'l dipyn bach o sioc pan ddeudish i lle o'n i'n ffansïo mynd i weithio, ond dyna fo, hi ofynnodd. Doedd gynni hi ddim lot o ddewis, dim ond parchu 'nymuniad i, nag oedd?

O'n i wastad wedi ffansio gweithio yn Sain Ffagan. Sefyll o gwmpas yn yr haul, dwylo tu 'nôl i'ch cefn, gneud ffag-ôl trw'r dydd, dim ond atab cwestiyna amball i dwrist sy'n rhy dwp i ddarllan seins, ne' ddysgu Saeson sut i ddeud Hendre'r Ywydd Uchaf heb faglu a ballu. Jest y job i sgwennwr fatha fi. Digon o amsar i sleifio i mewn i'r tai a gweithio ar y nofal. Cynulliad yn talu cyflog i mi tra ro'n i'n 'canolbwyntio ar betha erill', chwedl y Miss Awen Gwales bach 'no. Dybl-teim: pres am ffyc-ôl. Diofal yw dim, ia?

Ond, Ffagan Sant! Gesh i sioc ar 'y nhin gynta byth esh i mewn i'r lle ar 'y mora cynta a gwrando ar sarjant-major y Prif Ofalwr yn sgrechian fatha Windsor Davies ar y trŵps.

"Swydd Ddisgrifiad Ar Gyfer Gofalydd!" medda fo ar dop ei lais.

"Prif Dasgau'r Swydd!!" medda fo eto fatha corn gwlad.

– Sgiliau gofal cwsmeriaid effeithiol.
– Sgiliau cyfathrebu llafar effeithiol gan gynnwys y gallu i gyfleu gwybodaeth yn gywir ac mewn ffordd briodol...
– Ymddangosiad personol o safon uchel (wel...)
– Bod yn gorfforol iach i wneud y gwaith a fynnir gan y swydd (mm...)
– Ymwybyddiaeth o faterion iechyd a diogelwch a chymorth cyntaf
– Agwedd hyblyg a pharod at y gwaith ynghyd â digon o synnwyr cyffredin i ymdrin â sefyllfaoedd wrth iddynt godi.
– Agwedd gyfeillgar a chymwynasgar tuag at ymwelwyr.
– Diddordeb yng nghasgliadau Amgueddfa Werin Cymru Sain Ffagan a pharodrwydd i ddysgu rhagor amdanynt...'

"Be ma'r cont yma isho – gwaed, ia?" medda fi yng nghlust un o'r 'rookies' erill wrth 'yn ochor i.

"Be sy'n bod, Jones?" medda'r Prif Ofalwr.

"Dim byd, syr!" medda fi. "Sbio 'mlaen yn ofnadwy!"

Ond mwya i gyd o reola o'dd y cŵd yn eu rhaffu, lleia i gyd o'dd o'n swnio fatha fi! Prin medrwn i gymyd y cwbwl i fewn. O'dd o'n mynd i mewn trw' un glust ac allan trw'r llall.

O'dd y boi Addysg Cydol Loes 'na'n iawn, ma' isho gradd ar gyfar bob dim heddiw 'ma, oes? O'dd 'na gymint o gyfrifoldeba o'dd gofyn ca'l rhywun i ofalu am y gofalwr!

"Unrhyw gwestiwn arall?" medda'r Prif Ofalwr, a'r cont tew allan o wynt yn lân ar ôl rhestru'r rheola i gyd. O'dd gin i flys gofyn iddo fo os o'dd o'i hun 'yn gorfforol iach i wneud y swydd' ond ges i'r gras i beidio achos o'n i wedi blotio 'nghopi efo'r boi hyd yn oed cyn i mi ddechra...

Y fantais o fyw yn y Fro ydi bo ni'n byw o fewn tafliad tshaen beic i Sain Ffagan, ac mi o'n i'n medru reidio mewn i'r gwaith bob dydd. Talcian dipyn bach yn galad weithia, dwi'm yn deud, ond tasat ti'n gweld cyhyra 'nghoesa fi, was bach. Oeddan nhw fatha talpia o'r haearn Sbaen 'na ddoth Siân adra efo hi o Bilbao a'u galw nhw'n gelfyddyd gain.

Croesi'r bont dros yr M4 gan wfftio at yr Hwrê Pont Henris 'na sy'n byw yn y Fro ac yn gweithio yn y Bae ac yn bomio lawr y lên-ladrad 120mya bob bora. Fflemio dros ochor y bont a gobeithio bod to-heulo un o'r basdads ar agor. (Dwi'n dairieithog rŵan, nesh i'm deud wrthach chdi? Cymraeg, Saesneg a Fflemish!)

"Sgiws me! I'm lookin' for Sn Ffagns," me fi wrth y boi 'ma yn y siop bwtshar.

"Sorry, mate! Haven't got any faggots today!" mo.

"No, no! San Ffagans, aye!" me fi gan feiddio ynganu'r llafariad ma' Cofis dre'n trio'u stranglo bob tro 'dan ni'n trio siarad Susnag.

"You're miles away, pal!" mo. "This is Fairwater."

Fair-water myn uffar, o'n i mewn dyfroedd dyfnion! O'n i'n mynd i fod yn hwyr ar 'y nwrnod cynta. Pwmpio 'nghoesa fel diawl ar y beic i drio cyrraedd mewn pryd a theimlo'n swp-sâl-benysgafn erbyn i mi gyrraedd y gwaith. Ond dyna fo, o'dd hi'n gysur gweld bod un o'r hogia erill yn yr un cwch â fi...

"Bore da!" medda'r boi.

"Sut mai, cont?" medda fi. "Wyt titha'n hwyr hefyd?"

"Fi yw'r Prif Ofalwr!" mo yn sych i gyd. "Wy i'n cymryd taw chi yw'r Late Mr Jones!"

To'n i ddim yn licio'r iwnifform o'r eiliad gwelish i hi. O'dd gin i ryw go na gwyrdd oeddan nhw'n wisgo...

"Beth chi'n meddwl yw man hyn – Sherwood Forest?" medda'r Prif Ofalwr. "Porffor yw'r wisg wedi bod erioed!"

Ma' Siân yn deud na tydw i ddim yn fashion-conscious o gwbwl ond ma' hi'n amlwg i ddyn dall na tydi iwnifform biws a gwallt-coch-sy'n-britho jest ddim yn matsho'i gilydd!

Beryg mod i wedi ca'l y job yn rhy hawdd – geirda Ben Bach, ffaith nag o'dd neb arall yn trio... O'n i'n dyfaru'n enaid yn barod. O'dd hyn lot rhy debyg i waith!

Esh i allan i'r cyntadd i weld be o'n i fod i neud a sylwi na toedd na neb wrth y pyrth i gymyd y ticedi...

"Tocyn tymor!" medda'r ddynas 'ma, chwifio'i chardyn a cherddad yn syth i mewn. O'dd ei 'theulu' hi yn stretshio lawr y llwybr yr holl ffor' at y bys 'Jones Tregaron' yn y maes parcio.

"Ma' gynnoch chi docyn o deulu!" medda fi wrthi. "Gŵr a gwraig a dau o blant ydi o i fod, w'chi."

Ond ma' raid mod i'n wyliwr salach na Seithennyn. Chymrodd hi ddim sylw ohona fi, dim ond martsho'i theulu mewn fatha morgrug-milwr heibio fi!

Ond dyna fo. Ma' hi'n amlwg bod nhw i gyd wrthi. Ddalish i un hen wraig o'dd yn edrach gyn hynad â nain Kate Roberts yn pôl-foltio dros y ffens efo dau o blant bach, un ym mhob pocad gynni hi.

"Watshiwch dorri'ch lengid, wir Dduw!" medda fi wrthi. "Sdim rhaid i bensiynwyr a phlant dan bump dalu o gwbwl, w'chi!"

"Nag o's, wy i'n gwbod!" medda hi. "Wy i jyst yn hyfforddi'r plant yn y grefft draddodiadol o fynd miwn i'r Eisteddfod Genedlaethol am ddim!"

Basdads ydi'r Cymry, 'sti. Nawn nhw jest ddim talu am ddiwylliant! Be 'di pwynt sgwennu llyfr? Neith y ffwcars mo'i brynu fo saff i ti!

Ond dyna fo. Pum munud o lonydd o'r diwadd! O'n i wedi ca'l 'y ngyrru i Garreg Fawr, tŷ ar gyrion y goedwig, lle nad oedd y rhan fwya o bobol yn gwbod dim amdano fo...

"Hwn yw'r bendigaid ddydd gorffwysodd Gron o'i waith!" medda fi wrth 'yn hun a thollti coffi mawr hir allan o'r fflasg i mi fy hun. Ond prin ro'n i wedi cymyd sip o'r gwpan pan ddoth 'na athrawas i mewn a thoman o lân Geriwbiaid i'w chanlyn hi. Ma'r tai yn Sain Ffagan yn llawn o hen betha ac o'dd y diawlad bach fatha haid o locustiaid yn trio sbydu bob dim. Hynny fedrwn i o'dd rheoli'r diawlad! Sgin i'm tamad o help, deddfa Ewropeaidd ne' beidio ma' cynneddf y swadan yn dal yn gry iawn yndda i...

"Pwyll, Jones!" medda'r Prif Ofalwr. "Ni 'in loco parentis' man hyn, ch'wel!"

"Elli di ddeud hynna eto," medda fi. "Ma' nhw'n 'y ngyrru fi'n 'loco' heb sôn am eu 'parentis' druan!"

"Esgusodwch fi!" medda ryw foi mewn anorak. "Allwch chi weud wrtho i ble'n gwmws o'dd Brwydr Sain Ffagan?"

"Ma' hi'n frwydr fan hyn bob dydd, w'chi!" me fi.

"Na, na, na!" mo. "Y Rhyfel Cartre," mo. "Cromwell yn erbyn y brenin. Y'ch chi wedi bod yn gwitho 'ma'n hir?"

"Pedair awr," medda fi. "Ond ma' hi'n teimlo fatha oes!"

Dyma'r boi yn cymyd trugaredd arna fi ac yn dechra deud hanesion wrtha fi, fel roedd Charles y Cynta ei hun wedi dŵad lawr i Sain Ffagan yn 1645 am bod gynno fo gymint o gefnogaeth yn yr ardal.

"Sna'm byd wedi newid yn fan'na, nag oes?" medda fi. "Tories ydyn nhw i gyd ffor' hyn hyd heddiw! Ca'l a cha'l nath o cofiwch, cyrradd am 16.45. Brenin ne' beidio, 'dan ni'n cau am bump!"

"Ie, ie! Da iawn, nawr!" medda'r boi. "Neis clywed bach o hiwmor gwerinol Cymreig. Cymro o'dd Cromwell, ch'wel..."

"Iesu, ia?" me fi.

"Ie, ie!" mo. "Oliver Williams o'dd ar ei basport e, ch'wel, 'blaw bo fe'n meddwl bydde Cromwell yn mynd lawr yn well 'da'r dosbarth canol newydd o'dd yn codi yn Lloeger."

"Dim byd yn newydd yn fan'na chwaith, nac oes?" medda fi. "Be sy haru'r Cymry 'ma i gyd yn newid eu henwa?"

"Odw i wedi'ch gweld chi yn rhwle o'r bla'n?" medda'r boi. "Llunden '86? Nag o'ch chi yn Hyde Park?"

Fel o'dd hi'n troi allan mi o'dd Hedd Wynne Anorak wedi bod yn gorondeithio lot efo CND yn yr wythdega ac wedi banio mwy o foms na dwi wedi yfad o beintia. Byd yn fach, yndi?

"O'dd Cromwell yn chwyldroadwr 'fyd, ch'wel!" medda Hedd. "Dorrodd e ben Charles y Cynta yn y diwedd!"

"Amen i hynny, ia!" medda fi.

"Dorrodd e benne lot fowr o bobol yn anffodus," medda fo. "Ond 'na fe. 'Ma ar ran y 'Sealed Knot Society' odw i. Ni'n ail-greu brwydr Sain Ffagan bob blwyddyn. Dwy fil o filwyr. Cleddyfe, ceffyle, dryllie mowr, canon…"

I dorri rhestr hir yn fyr, welish i 'rioed heddychwr cydwybodol yn glafoerio cymaint wrth sôn am waed!

"Bachan! Ma'r amgueddfa hyn wedi ehangu, on'd yw hi?" mo. "Tysteb arbennig i Yorath Pete…!"

"Pwy ydi Yorath Pete?" me fi.

"Y curadur cynta!" mo.

"O, ia siŵr!" medda fi ddim yn licio dangos 'yn anwybodaeth. "O'dd y boi yna'n guradur cystal, dwi'n meddwl bysa fo wedi medru curo Charles y Cynta ar ben ei hun!"

"Goronwy Jones i'r Pentre Celtaidd…" medda'r llais ar y teclyn. O'n i wedi ca'l peiriant-patro gynnyn nhw er mwyn cadw mewn cysylltiad efo'r pencadlys. O'n i'n meddwl bod o'n beth bach clyfar ar y naw hefyd tan i mi sylweddoli na ffor' o gadw tabs arnoch chi a'ch bosio chi o gwmpas oedd o.

"Esgusodwch fi!" medda fi wrth Hedd Wynne. "Ma'n rhaid i mi ei heglu hi i ganrif arall. Dyna ydi'r trwbwl pan ma' gin ti wallt coch – ma'n beryg bydd rhaid i mi chwara rhan Buddug ryw ben bob dydd!"

Wyt ti'n gwbod faint o dai sydd yn Sain Ffagan, wyt? Ma' nhw'n disgwl i'r gofalwr druan wbod hanas bob un wan jac ohonyn nhw, ond co fel gogor sgin yr hogyn, ia? Sut ma' nhw'n disgwl i mi gofio be 'di oed bilding? Tasa 'na rywun yn deud wrtha fi bod gwraig Bwthyn Nant Gwallter wedi hitio'i gŵr ar ei ben efo rolling-pin ar ôl iddo fo ddŵad adra'n gaib o Ffair Llandeilo yn 1770 ar ôl ca'l sesh efo Williams Pantycelyn, fyswn i'n lot mwy tebygol o gofio. Hanesion ddim hanas. Pobol ddim bildings. Dyna i chdi'r teip o beth sy'n logio yn y pen rwdan 'ma sgin i, yli. Dyna ydi'r biwti o siarad efo hen ben fatha Hedd a chlwad dipyn o straeon gynno fo.

"Dowch efo fi!" medda fi wrth yr ymwelwyr drannoeth. Ddangosa i i chi'n union lle torrodd Oliver Cromwell ben y brenin!"

Erbyn amsar cinio o'n i wedi ymlâdd yn llwyr. Ti'n gwbod fel wyt ti ganol pnawn yn yr ha', dyheu am beint oer o rwbath na chei di mono fo. Dyna lle'r o'n i a 'ngheg i fatha caetsh byji rhwym, yn sbio drw' dwll yn y ffens nath Charles y Cynta drio denig drosti... 'Ffagan Sant!' Fedrwn i'm coelio'n llgada. O'n i o fewn tafliad carrag i'r Plymouth Arms dros ffor'. Ti'n nabod fi, fedra i fadda i rwbath ond temtasiwn! Pwy uffar fysa'n sylwi bo fi wedi dojo am ryw ddeng munud, chwartar awr?

"O, beint braf!" medda fi wrth 'yn hun mewn cornol dywyll yn y bar. Peint gora o SA gesh i 'rioed. Beth rhyfadd, tydi? Sut ma' peint bob amsar yn tastio'n well pan mae o'n un pechadurus!

Ond yn sydyn, cyn i mi ga'l tshans i sychu'r ffroth 'ddar 'yn mwstash, dyma'r peiriant-patro yn canu eto. Prif Ofalwr isho gwbod lle o'n i!

Panic piwsach na'r iwnifform!

Celloedd yr ymennydd yn gweithio ffwl-pelt. Deud clwydda 'mod i'n dal yn y bwthyn a gobeithio'r Arglwydd nad oedd o ddim yno ei hun.

"Wrthi'n adolygu hanas y tŷ, deud y gwir wrtha chi!" medda fi. "Diddorol iawn hefyd. Be mae o'n ddeud, d'wch? Anodd uffernol gweld yn y twllwch, yndi?" medda fi, smalio mod i'n darllan. "'Josephîn, dau dwll din. Un i gadw powdwr – llall i gadw crîm!' Darn allan o hen bennill traddodiadol c.1812 y tybir ei fod yn cyfeirio at Josephine Beau-harnais gwraig Napoleon. 'Boni' i'w elynion. Darganfuwyd ar un o furiau cegin yr adeilad. Starring Ioan Gruffudd as 'Hornblower'," me fi.

"Gadwch 'ych nonsens, newch chi?" medda'r Prif yn flin. "Chi'n neud pethe lan. So chi'n parchu egwyddorion sylfaenol yr amgueddfa. Chi'n ailysgrifennu hanes, ddyn!"

Dyma fi'n diffod y peiriant-patro a rhoid clec i 'mheint mewn minus deng eiliad fflat a'i bomio hi allan o'r bar trw'r lownj... 'Ffor' gynta'n ôl i Ganaan Sain Ffagaan,' medda fi wrth 'yn hun, 'cyn i'r basdad tew 'na'n ffeindio fi!' Ond ail gesh i. Pwy o'dd ar ganol y lownj yn blocio'n ffordd i ond neb llai na'r Prif Ofalwr ei hun.

"Wel, wel, wel! Beth sda ni man hyn?" mo efo gwên snichlyd ar ei wynab, meddwl bod o wedi 'nal i wrthi.

O'n i'n gweld 'yn enw yn y Guinness Book of Records fel y boi gath y sac fwya sydyn yn hanas holl amgueddfeydd y byd...

"Beth y'ch chi'n mynd i neud nesa, Jones?" mo. "Chi'n mynd i fod yn edifar am hyn!"

Ond wedyn dyma'r barman yn dŵad i'r adwy...

"Same again, Jac?" mo a chodi gwydyr y Prif Ofalwr 'ddar y bar.

"Duw, adar o'r unlliw, ia?" medda fi wrtho fo. "Sgynnoch chitha sychad hefyd?"

Ddeudodd y cŵd ddim gair o'i ben. Mi o'dd o wedi'i daro'n fud. Dwi'm yn gwbod pam ond chesh i'm mymryn o draffath gin y Prif Ofalwr am weddill yr amsar o'n i yn y swydd.

*'Ffeil Sain Ffagan'*
*Cyfrol 1 – Bocs 1 o 12*

*M10 – Trowch y tudalen*

# Cent

BOB BLWYDDYN ar Medi 16eg fydd Siân a fi yn nelu trwyn y car am y 'Golden Valley' yn swydd Henffordd, Lloegar, er cof am Owain Glyndŵr.

Dyna'r dwrnod yn 1400 pan nath Owain ddeud 'na fo o'dd Tywysog Cymru a dechra'r rhyfal yn erbyn y Sais.

Gog o'dd Owain, wrth gwrs – un o'r hogia, ia? Ond lawr fama yn y Sowth yng nghartrefi rhei o'i ferchaid y treuliodd o'i flynyddoedd ola. Meddan nhw, ia?

O'dd leni'n flwyddyn sbeshal, union chwe chan mlynedd ar ôl i Owain sefyll ar ben bwr' yn y Prince of Wales Corwen a deud wrth Arglwydd Grey Rhuthun am fynd i grafu. O'dd Ben a Lun wedi dŵad efo ni – Nain yn gwarchod Gwenlli chwara teg iddi. Siân o'dd yn dreifio er mwyn iddi ga'l rheoli lle o'ddan ni'n mynd a finna'n y cefn efo Ben Bach. Fedrwch chi ddim bod yn nes na hynny at yr hanesydd alla i ddeud wrthach chi!

"Cymru o'dd man hyn, t'wel!" medda Ben Bach. "Rhwng y Mynydd Du ac Afon Gwy. 'Blaw bod y Saeson wedi ddwgyd e!"

"Basdads, ia?" medda fi.

"Cymrag o'dd yr iaith ffordd hyn i gyd tan yn weddol ddiweddar. O'dd y ffin rhwng Cymru a Lloegr yn golygu dim byd 'blaw bo Harri'r VIII wedi tynnu llinell ar fap wrth greu'r Ddeddf Uno…"

"Neis i weld o'n tynnu llinell yn rhwla," medda fi. "Ffycin gwragadd 'na o'dd gynno fo. Anne O'Cleese, Catherine Arrogant a rheina. O'dd ddim un ohonyn nhw'n Parr-a, nag oedd? Faint o'dd gynno fo i gyd?"

"Chwech," medda Ben.

"Wyt ti'n siŵr?" medda fi. "Pam o'ddan nhw'n galw fo'n

Harri'r Wythfad, 'ta?"

Oeddan ni ar 'yn ffor' i Monnington Court lle ma' nhw'n deud bod Owain wedi ca'l ei gladdu. Tŷ bricsan goch ydi o heddiw ond ma' 'na fryncyn yn y cefn lle ro'dd 'na ryw fath o gastall ers talwm a fan'na ma' nhw'n meddwl ma'r bedd.

"Ma'r Brifysgol yn gobitho neud profion geo-physegol i ganfod y bedd," medda Ben. "Trw'r 'Prince of Wales Trust', ontife? Achos taw nhw sy berchen y tir nawr, t'wel."

"'Tryst', myn uffar!" medda fi. "Fysat ti'n trystio'r Prince of Wales i drio ffeindio Tywysog Cymru?"

"Peint fysa'n dda!" medda fi a lawr â ni i Grosmont i ga'l cinio – peint a pei a stagio ar y castall lle cafodd milwyr Owain uffar o gweir. Cyfla i Ben a Siân stydio'r mapia. Ma' 'na enwa Cymraeg ar y llefydd 'ma i gyd. Ystrad Deur o'dd enw'r ardal 'ma ers talwm ond welwch chi mono fo ar fap. Mi a'th Ystrad Deur yn Val D'or a Val D'or yn Golden Valley. Lol botas maip. Be arall 'dach chi'n ddisgwl gin yr 'Ordnance Servile', ia?

O'dd Ben yn dechra mynd ar nyrfa Siân dwi'n meddwl. Ni sy'n dŵad i'r ardal bob blwyddyn – ni o'dd wedi gwâdd nhw i ddŵad efo ni – ond Ben o'dd yn honni bod o'n gwbod bob dim. Dwi'n cofio amsar pan fysa Siân wedi cymryd gynno fo – ista'n ôl a gadal iddo fo gymryd drosodd. Ond chymrith hi ddim owns gin neb bellach...

Bicion ni i'r Gelli Gandryll pnawn 'ma, y dre sy wedi'i bildio efo llyfra. Aethon ni mewn i siop Richard Booth, y siop lyfra fwya yn y byd, a mi brynish drysor o lyfr 'Owen Glendower' gin John Cowper Powys.

"I think you'll find it's pronounced '*Cooper* Pawys'," medda'r Saesnas posh 'ma wrth y til.

"Thank you very much," medda Siân. "I think you'll find it's pronounced 'Cooper *Pywys*'."

"That's what I said," medda'r fodan.

"I'm sorry!" medda Siân. "I thought you said 'Cooper Paris'. Must be my tinnitus!"

'Snobeiddio'r snob' – dyna be ma' Siân yn ei alw fo. Nath dipyn o gymhlethdod uwchraddol 'rioed niwed i unrhyw daeog, medda hi.

Gin Siân ro'dd y trymp card yn erbyn Ben heddiw 'ma. Dim ond hi o'dd yn gwbod lle oeddan ni'n mynd i aros... Lawr yr allt o Grosmont ma' 'na blasdy o'r enw Kentchurch Court... 'Cent' i'w ffrindia.

"So fe'n lle drud ofnadw gobitho!" medda Luned.

"Nag yw," medda Siân, "ond ma' fe werth y byd, cofia!"

A'th 'na ias lawr 'y nghefn i wrth gerddad i mewn i Cent – hen blasdy go iawn sy' bellach yn cadw pobol. Ma' rhanna o'r plas yn mynd yn ôl i ddyddia Glyndŵr a fama roedd o'n byw yn y diwadd efo'i ferch Alis, fodan o'dd wedi priodi Syr John Scudamore. Dwi wedi bod yn Sycharth yn gweld olion y cartra. Dwi wedi bod yn Pennal yn gweld y llythyr. Dwi wedi bod yn ei Senedd o yn Machynlleth. Dwi wedi bod yn Bryn Glas a Hyddgen yn gweld lle roth o harnings go iawn i'r Saeson ond dwi 'rioed wedi bod mor agos â hyn ato fo. O'dd y boi wedi bod yn lysho efo'r beirdd yn y tŷ yma myn uffar i!

"Ti'n gyfarwydd â'r Scudamores, o's bosib?" medda Ben Bach wrth y bwrdd swpar. "Peter Scudamore, y joci – ma' fe'n perthyn i Owain, t'wel."

"Ffagan Sant! Yndi?" me fi.

Chwara teg i Ben, ma' gynno fo ryw ddawn arbennig i neud hanas yn fyw i bawb.

"Dwi'n siŵr bysa Glyndŵr yn prowd iawn bod aelod o'r teulu wedi ennill y 'Grand National'!" me fi.

"Wel, wel!" medda Luned. "Ble ffindest ti man hyn, 'te, Siân?"

"Erthygl yn y Western Mail," medda Siân. "Ma'r rhacsyn yn da i rwbeth, t'wel."

O'dd Lun wedi dechra ymlacio erbyn hyn ar ôl ca'l ar ddallt na toedd y plasdy ddim drutach na ryw dwll o 4**** hotel off yr M4, a dwi'n siŵr bod y pedwar jin an' ti 'na wedi bod yn help hefyd.

"'Ma beth yw trît!" medda hi. "Gweld y bobol fowr yn gweini 'non ni am newid!"

"Ma' hi'n galed ar yr uchelwyr dyddie hyn, t'wel!" medda Ben. "Coste cynnal a chadw sy ar yr hen lefydd hyn."

Ma' Ben yn dipyn o bons hefyd, cofia. Dyma'r fodan bach y waitress yn dŵad i fyny aton ni a gofyn, "Are you ready to order?"

"Yes – I think so," medda Ben. "I think I'm going to have what Owain Glyndŵr might have had… The venison casserole sounds wonderful. And a bottle of the St. Emilion – 'the noblest of the wines', as a certain literary gent once said!"

"Sorry!" medda'r fodan. "Can you say that again? I only work 'ere. I'm from Abergavenny, see!"

Hogan tai cownsil o'dd yr hogan bach – roish i dip go lew iddi am ei thraffath. Dio'm yn jôc rhoid i fyny efo twat fatha Ben, na'di? Ond o'dd Lun yn stowt iawn efo fi am gyfadda na plant tai cownsil o'dd hi a finna hefyd.

"Sut wyt ti'n gwbod be o'dd Owain Glyndŵr yn fyta?" medda fi wrth Ben.

"Gron, w!" medda Siân. "Nag wyt ti wedi darllen gwaith Iolo Goch?"

"Pwy?"

"Bardd llys Sycharth! Ma' fe'n disgrifio'n fanwl y croeso tywysogedd o'dd y bardd yn ei ga'l yn y llys."

Dyma hi'n mynd ymlaen i egluro bod beirdd llys yn sgwennu cerddi i'r arglwydd ac yn cael eu talu mewn lysh. Dyna chdi uffar o syniad da, ia! Dwi wedi newid 'yn meddwl, ella na fyswn i ddim yn meindio bod yn fardd wedi'r cwbwl.

"Dyn o flaen ei oes, Owain Glyndŵr, oedd?" medda fi wrth Ben Bach ar ôl i ni fyta llond 'yn bolia.

"Ti a'i gwedodd hi!" medda Ben Bach a dechra mwydro go iawn.

"Co ni off!" medda Lun a rowlio'i llgada. Gwbod yn iawn

sut bydd o ar ôl potal o win Emilion Sant!

"O'dd Owain yn uchelgeisiol iawn, t'wel," mo. "Nid yn unig o'dd e moyn sefydlu senedd i Gymru ond o'dd e moyn hollti Prydain yn dair rhan 'fyd, t'wel…"

"O'dd e moyn ehangu Cymru hyd yr afon Hafren – hyd at Onennau Meigion, ble saif Bridgnorth heddi," medda Siân o'i flaen o.

"Lle ma' Bridgnorth?" me fi.

"Ochr yma i Birmingham!" medda Siân.

"Call iawn," medda fi. "Dwi'm yn meddwl bysa Iolo Goch wedi ffeindio'r ffor' rownd Sbageti Junction ar ôl potal o'r stwff yma!"

"Pam Onennau Meigion, 'te?" medda Lun.

"Achos taw 'na beth o'dd Myrddin wedi ddarogan, t'wel."

"Beth – Merlin the Magician?" medda Lun.

"Ie, ie!" medda Ben.

"Be, o'dd hwnnw'n foi go iawn?" me fi.

"O'dd wrth gwrs," medda Ben. "O'dd e'n bwysig iawn i'r hen Gymry, t'wel. Chwedlau o'dd eu magic nhw!"

"Rwbath tebyg i Joni Abo, 'ta," medda fi. "'Yn ffrind yn Australia. Yn ôl traddodiad yr Aborijini yr unig bobol bia'r tir ydi'r rhai sy'n cofio'r chwedla…"

"Hei!" medda Ben. "So hwn mor dwp â'i olwg, ody e?"

"So fe'n dwp o gwbwl!" medda Siân. "'Blaw bo fe'n lico acto fel 'ny withe! Wy i wedi blino'n shwps nawr, Gron," medda hi. "Credu af i i'r gwely…"

"O'dd Ben a fi wedi meddwl ca'l rhyw neit-cap bach…" medda fi'n siomedig braidd, edrych 'mlaen at y coffis a'r brandis.

"Sa i'n credu bo ishe fe 'not ti," medda Siân gydag awdurdod.

"Dere 'mla'n, Gron, w!" medda Lun, sy'n bradychu'i chefndir coman unwaith ma' hi wedi ca'l diod. "So ti moyn Brewer's Troop, wyt ti? Ma' Siân moyn testo'r four-poster bed, t'wel!"

Mae 'na un rhan o Cent sy'n hŷn na gweddill y tŷ – mae 'na stafall wely 'na ma' nhw'n dal i'w galw hi'n stafell Glyndŵr a fan'no 'dan ni'n ca'l y fraint o gysgu heno.

"Wyt ti'n gwbod pw' yw hwnna?" medda Ben, pwyntio at lun o ryw hen foi gwallt gwyn wrth i ni gerdded i fyny grisia.

"Sion Cent, bardd y llys, 'de!" medda fi. "Fedri di'm darllan ne' rwbath?"

"'Na beth ma' fe'n weud, ontife!" medda Ben. "Ond ma' traddodiad ymhlith y Scudamores taw llun o Owain Glyndŵr yw e."

"Pam bysa fo'n smalio bod yn rwbath arall?" medda fi.

"O'dd e ar herw, on'd o'dd e, ar ddiwedd ei o's. Dianc rhag Harri V a pethach. Falle bo 'da Glyndŵr Walter Ego, t'wel. Falle taw fe o'dd 'Ghost Writer' y llys."

"Pidwch neud dim byd na fydden i'm yn ei neud!" medda Lun wrth i ni wahanu ar ben grisia. "Cofiwch fi at yr ysbryd!"

"Pwy ysbryd?" me fi.

"Ysbryd Glyndŵr, ontife!" medda Lun. "Nos da! Cysgwch yn dawel!"

"Spooky!" medda fi wrth Siân wrth i ni baratoi i fynd i'r gwely pedwar-postyn. "Oeddat ti'n gwbod bod 'na ysbryd yma?"

"Gobitho bo bach o ysbryd ynddot ti!" medda Siân. Pedwar postyn ne' beidio, o'dd gin Siân fwy o ddiddordeb yn y postyn canol heno 'ma.

"Be o'dd y sŵn 'na?" medda fi, codi 'nghlustia wrth newid i 'mhyjamas.

"Beth?"

"Sŵn gwichian!"

"Ma' hen dai wastod yn gwichian."

"Pwy o'dd y ddynas 'cw yn y ffenast?" medda fi, gwallt 'y mhen i'n codi.

"Pwy ddynes?" medda Siân yn flin.

"Honna fan'cw! O'dd gwraig Glyndŵr yn cysgu fan hyn, oedd?"

128

"O'dd Margaret, gwraig Glyndŵr wedi ca'l ei dala gan y Saeson yng nghastell Harlech!" medda Siân. "Aethon nhw â hi lawr i'r tŵr yn Llunden. Beth sy'n bod 'not ti? Wedes i 'thot ti am adel y dybl-wisgi ola 'na, on'do fe?"

"Wyt ti'm yn meddwl bod 'na ysbrydion yma?" medda fi.

"Sdim shwt beth i ga'l!" medda Siân.

"Ia, ond tasa 'na – mewn lle fel hyn bysan nhw, 'de?"

"Paid siarad dwli! Syniad yn nwfwn y galon, 'na beth yw 'Ysbryd Glyndŵr', ontife?" medda Siân a 'nhynnu fi i ddwfwn y duvet. Dwn i'm be i ddeud! Monnington Court, Kentchurch Court – o'dd Siân yn cîn iawn ar y 'courting' heddiw 'ma!

Deffro gefn nos a 'nghŵd i'n llawn dŵr. Codi'n ffwndrus o'r gwely – ddim yn cofio lle o'n i'n iawn heb sôn am lle'r o'dd y bog...

Jest â marw isho mynd!

Chwilio dan y four-poster: yr holl lysh o'dd ar ga'l yn y llys ers talwm, does bosib nad o'dd gin Glyndŵr bot piso yn handi!

Straffaglu yn y twllwch, trio ffeindio'r gola.

Baglu.

Ofn nes o'n i'n swp sâl deffro Siân.

Nelu am y drws – ffeindio ffenast – tyngu a rhegi a thrio dal.

Ymbalfalu am noddfa – unrhyw lestr, unrhyw ffiol ... rwbath!

Teimlo'r polyn pasbord gwirion 'na bydd Siân yn rowlio'i mapia 'Ordnance Servile' ynddo fo...

Cymorth hawdd ei gael mewn cyfyngder! Ma' bob dim yn da i rwbath, tydi?

Agor y cyrtan...

Sticio'r polyn allan trw'r ffenast...

Sticio 'mholyn yn y polyn ac ... O'r rhyddhad!

Fenws fyny fan'cw'n gwenu'n siriol arna i a'r lloer yn ariannu'r llifeiriant wrth iddo fo raedru'n fwyn i'r nos!

"Shwt o'dd y four-poster, 'te?" medda Lun wrth bwrdd brecwast trannoeth.

"Cysges i fel top!" medda Siân.

Diolch i Dduw am hynny! medda fi wrth 'yn hun. Neb ddim callach ynglŷn â 'mhechoda fi.

Ond wedyn dyma dynas y lle yn dŵad i mewn o'r ardd, newydd fod yn hel llysia ar gyfer swpar heno.

"Llysiau organig!" medda Siân yn orgasmic.

"Fresh as the morning dew!" medda mi ledi. "I didn't realise. Seems we had a shower during the night!"

Dwi'n siŵr mod i wedi cochi fatha bitrwt. O'n i'n teimlo fatha cyfadda'r cwbwl. Ond be o'n i fod i ddeud? Ma' 'na ryw foddhad mewn pechu'n ddistaw weithia, toes? Toedd 'na ddim byd yn bêr am y pêr-lysia. O'n i'n teimlo'n uffernol mod i wedi piso am ben swpar pawb ond o leia mi o'n i wedi ca'l get-awê efo hi.

Ne' felly o'n i'n meddwl p'run bynnag.

"Nawrte!" medda Ben a'i frwdfrydedd o'n byrlymu wrth iddo fo lyfu'r saim wy oddi ar ei wefla a chydio yn y map. "Coeten Arthur, Dorstone... Ble'n gwmws ma' fe, gwedwch...?"

Och a gwae ac ych-a-fi! Fysa Harri VIII ddim yn nabod ei fap. O'dd yr 'Ordnance Servile' wedi tampio trwyddo a'r llinella-bob-lliw wedi rhedag i gyd.

"Blincin glaw!" medda fi. "Dyna sy i ga'l am beidio cau ffenast llofft, ia?"

Ond tydi Siân ddim yn wirion. Ma' hi'n nabod ogla piso cwrcath pan ma' hi'n ei glwad o...

"Beth wyt ti wedi bod yn neud?" medda hi dan ei gwynt drw' ddannadd ysgyrnedig o'dd yn bygwth brathu 'nghlust i ffwr'. "Y ffycar brwnt uffernol! So ti'n ffit i sefyll yn nhŷ unrhyw uchelwr!"

O'n i'n teimlo'n ofnadwy o euog. Fi a Jeffrey Archer, medda fi wrth 'yn hun. Disgraced Peers of the Realm, ia? Fysa Owain Glyndŵr yn troi yn ei fedd tasan nhw ond yn medru'i ffeindio fo.

# Cymru'n Cyfri

Cwestiynau y temtiwyd fi, Goronwy, i'w hateb yn wamal yn hytrach na thicio'u blydi bocsus nhw.

☐ Beth yw eich rhyw?

Rhywbeth pur anaml y dyddiau hyn.

☐ Sut fath o gartref sydd gennych? Fflat, maisonette neu randy?

Rwyf yn gwrthod ateb rhagor o gwestiynau am fy mywyd rhywiol ('Randy' myn uffar i!)

☐ A oes gennych gawod/bath a thoiled at ddefnydd aelodau o'ch cartref chi yn unig?

Dibynnu os ydi Mam Siân yn aros efo ni neu beidio.

☐ Beth yw busnes eich cyflogwr yn y lle rydych yn gweithio?

Ei fusnes ef ei hun a neb arall.

☐ Ydych chi wedi gweithio erioed?

Dibynnu i pwy rydych yn gofyn – fi neu'r cyflogwr.

☐ Beth yw eich crefydd?

Cystal bob tamaid a chrefydd neb arall.

☐ PWY YW EICH LANDLORD?

Nid oes gennyf dafarn sy'n ddigon lleol i'w galw'n 'local' y dyddiau hyn.

☐ BETH YW EICH GRŴP ETHNIG?

Bob Marley and the Wailers…

"Stop hi!" medda Siân yn stowt. "So ti'n cymryd y ffurflen o ddifri. Ma' cwestiyne difrifol iawn man hyn ti'n gwbod. Beth yw dy farn di ynglŷn â'r diffyg blwch tico 'Cymraeg'?"

O'dd pawb yng Nghymru wedi mynd yn lloerig ers wthnosa ar ôl iddyn nhw weld y dewis o'dd gin y Cymry ar y ffurflen.

☐ Prydeinig ☐ Gwyddelig
☐ Unrhyw gefndir gwyn arall.

Dim cyfla i neb ddeud Cymro/Cymraes.

O'dd y peth mor amlwg a'r gwarth mor gythreulig o'dd hyd yn oed y Western Male yn trefnu protestiada ac yn argymell gweithredu. Oeddan nhw'n awgrymu bod y dorf yn Stadiwm y Mileniwm yn slo-handclapio cyn gêm rygbi nesa Cymru. Tactics ciami uffernol, deud gwir; o'dd y tîm yn chwara mor sâl oeddan ni wedi bod yn slo-handclapio nhw ers misoedd yn barod. Ond tydi'r *Western Mail* ddim yn bacio dim byd ond winnars. Hwn o'dd y deinameit mwya ers John Jenkins. Toedd y genedl hyna yn Ewrop ddim yn mynd i dderbyn sarhad fel hyn, nag oedd?

O'dd y Llywodraeth yn Llundan yn gneud pob math o esgusodion. Un boi ar 'Radio Cymru' yn deud bysa hi'n rhy gymhleth i roid blwch ticio 'Cymraeg', ryw lob arall yn mynnu na teipydd dyslecsic o'dd wedi gneud mistêc ac wedi anghofio rhoid bocs i mewn. Deud clwydda myn uffar? Oedd y basdads yn eu rhaffu nhw!

Ddyn bach dwi'n gofyn i chdi! Dros be ma' Cynulliad yn sefyll os nag ydi o'n sefyll dros y genedl? 'Diolch i Dduw am y Blaid Bach, ia?' medda fi wrth 'yn hun. 'Sortian nhw'r diawlad allan!'

Gad i mi egluro un ne' ddau o betha i chdi. Dim ots gin i be ma' neb yn ddeud ynglŷn â chynadledda a phwyllgora gwaith a chyfrin-gynghora a ballu, fan hyn yn y Caucus-us, yn lolfa tŷ ni, ma'r penderfyniada mawr i gyd yn ca'l eu gneud. Siân ydi'r 'Think Tank' (a tanc ydw i'n feddwl), Ben Bach ydi'r doctor sy'n spinio'r syniada, Luned Bengoch sy'n eu sgwennu nhw lawr ar gefn yr enfilops... A finna? Fi sy'n mynd allan i nôl y cyri siŵr Dduw!

"Sa i'n credu taw mistêc yw e!" medda Siân.

"O?" medda Ben, llgada fo'n sbinio. "Beth yw e, 'te?"

"Gweithred fwriadol i geisio'n cynhyrfu ni. Ymgais i bardduo ein credentials democrataidd drwy'n temto ni i weithredu'n anghyfansoddiadol a risgo popeth ni wedi ennill. – Islwyn, Rhondda, Llanelli... Onid yw'r buddugoliaethe hanesyddol hyn yn haeddu rhywbeth? Onid yw'r seddau sydd gennym yn y Cynulliad yn cyfri dim?"

Etholiadau cynta'r Cynulliad Cenedlaethol. Mi oedd y Blaid Bach wedi gneud yn arbennig o dda. 'Stupendous', hyd yn oed. 'Amazing!', 'Awesome!'. Am y tro cynta ers canrif mi oedd mwyafrif anfarth y Taffia dan fygythiad yng Nghymoedd y De ac mi oedd y Blaid Lafur yn cachu brics seis tens!

"Tri chwarter canrif o chwys a llafur!"medda Siân a'i ll'gada hi'n pefrio. "Ein babi ni yw'r Cynulliad ac mae pawb yn gwbod hynny. Mae'r genedl yn ein gwobrwyo ni am ein hymdrechion. Ma'n nhw'n gweld taw ni yw'r blaid naturiol i lywodraethu Cymru! Dy'n ni ddim yn mynd i gwmpo miwn i'r trap hyn nawr!"

"Be 'dan ni'n mynd i neud, 'ta?" medda fi. "'Dan ni'm yn mynd i gymryd gin y basdads na 'dan?"

"Nag y'n, wrth gwrs!" medda Ben. "Ma'r Scots wedi dangos y ffordd, t'wel. Ma' nhw wedi trefnu'u Cyfrifiad eu hunen…"

**White**

☐ Scottish ☐ Other British
☐ Irish ☐ Any other white background

**Black**

Black Scottish or black British…

"Ti'n cofio 'Black Bob' yn y Beano ers talwm?" medda fi.
"Ci o'dd 'Black Bob'," medda Ben.
"Ia, dwi'n gwbod," medda fi. "Ci defaid. Ffyddlon uffernol hefyd. Achub ei fistar o ganol stormydd yn yr Highlands, achub defaid colledig rhag boddi yn y lochs a ballu…"
"Fel 'Lassie', 'te!" medda Lun. (Dyna lefel ei diwylliant hi medda Siân.)
"Ti'n siŵr taw nage yn y Dandy oedd e?" medda Ben wrtha fi.
"Be?"
"'Black Bob'."
"Dere â potel o'r 'Cobra' 'na draw i fi, nei di?" medda Lun.
"OK! Pwy bia'r 'Dansak' 'ma?" medda fi.
"Swno fel cyfieithiad o *Seren Wen ar Gefndir Gwyn*, on'd yw e?" medda Ben.
"Be?" medda fi.
"'Any other white background'!" medda Ben.
"Ffycin hel! Byddwch ddistaw, newch chi?" medda Siân ar 'yn traws ni. "Wy i'n trial llunio polisi man hyn. Beth chi'n meddwl yw hwn, parti ne' rwbeth?"
"Sori Siân!" medda pawb yn un côr a disgwl i'r oracl lefaru.
"Credu bo'r ateb 'da fi!" medda Siân. "Ma' modd gweithredu heb dorri'r gyfreth, on'd o's e?"
"Diolch i Dduw am 'ny!" medda Lun, sychu'r chwys 'ddar ei thalcian. "Ma' mil o bunne o ffein i ga'l am bido llenwi'r ffurflen, ch'wel!"

"Gwitia funud bach, 'ta!" medda fi. "Cyn i'r cyri 'ma fynd yn oer."

Dyma fi'n rhannu bwyd ar y platia a dyma 'na dalp o 'ghee' yn syrthio o'r Madras ar gefn enfilop y cofnodion gan fedyddio yn y fan a'r lle yr hyn sy'n cael ei alw yn 'Sticyr Melyn y Blaid': ein harf milain ac athrylithgar yn erbyn y status quo.

"Nawr, sneb o ni'n gwrthwynebu llanw ffurflen y Cyfrifiad, o's e?" medda Siân. "Os dodwn ni'r sticyr melyn hyn dros y cwestiwn ethnig i nodi'n protest, credu bo ni wedi neud 'yn pwynt!"

"Chwyldroadol!" medda Ben yn sbeitlyd.

"Clefyd y posib, na beth yw gwleidyddiaeth, ontife?" medda Siân yn flin. "Nage un digwyddiad yw chwyldro, ife? Graddol esblygu ma' fe, fel ti'n gwbod yn net!"

"Iawn!" medda Ben, sy ofn Siân fatha dyn â chledda. "Dod di'r syniade i fi, fe sbinia i nhw, reit?"

"Gwd!" medda Siân. "Wy i'n falch bod y pwyllgor i gyd yn gytûn."


Ffagan Sant! O'dd Siân wedi newid!

Be ddigwyddodd i'r hogan bach gomon honno yn Greenham ers talwm? medda fi wrth 'yn hun. Pa fodd y collodd y cedors eu cyrls? Mi o'dd perm-top yr hen ymgyrchwraig wedi bod drw' hair-straighteners parchus Party Politics erbyn hyn ac mi o'dd hi'n dychmygu'i bod hi'n reidio'r ceffyl iawn yn y Grand National ym Mae Caerdydd. Adleisiau awdurdod! Peraroglau pŵer! Grawnsypiau grym! Mi o'dd 'mach i wedi ca'l ei llusgo i mewn i gynghanedd efo Machiavelli. Unrhyw beth i ga'l Wil i'w wely. Mi o'dd Siân yn nelu am y top ac roedd hi'n disgwl i bawb arall ei dilyn hi…

# Dyn Newydd Sbon

CERDDED I FYNY at y tŷ 'cw un pnawn ar ôl gwaith – wedi ca'l dwrnod arbennig o galad yn symud dodran yn Sain Ffagan, a sylwi bod 'na raen gwell na'r cyffredin ar yr ardd ffrynt.

Sylwi bod rhywun wedi bod yn torri'r fforestydd Forsythia a bob dim. Gin mam Siân dafod fatha siswrn, medda fi wrth 'yn hun, ma' raid ma' hi sy wedi bod wrthi. Ond yn sydyn dyma 'na ddwy fodan yn rhuthro allan o'r perthi ac yn 'yn ambwshio fi go iawn.

"Prynhawn da! Goronwy Jones?" medda un ohonyn nhw a sodro meic dan 'y nhrwyn i.

"Ia..?" medda fi'n syn.

"Ritaganita, Teledu Moron!" meddan nhw efo un llais.

"Be...?"

"Ni wedi bod yn 'ych dilyn chi ers wthnose.* Ffagan Sant, Glân Geriwbiaid, Cent … bob man! Ma'ch ffrindie chi i gyd yn gwbod, ma'ch teulu chi'n gwbod ond so chi'n gwbod dim 'ych chi?"

"Gwbod be?" medda fi.

Ac ar y gair dyma Siân a Gwenlli a Sylvia Pugh yn cerddad allan o'r tŷ tuag at y camera, yn gwenu fel giatia wrth i Ritaganita gydadrodd:

"Goronwy Jones o Gaernarfon, ma'n amser i ni ddatgelu bod 'ych gwraig chi moyn 'Dyn Newydd Sbon'!"

"Mwnci Nel!" medda fi, achos Gwenlli ne' beidio, doedd 'Ffagan Sant' jest ddim yn ddigon cry tro 'ma.

"Gan bwyll nawr, Gronw! Ma'r genedl yn gwylio. So ni moyn iwso'r bleeper fwy nag sy raid!" medda'r gotsan fwya

---

* Repeated with subtitles on S4C Digital + 888.
  'Sneb yn saff rhag y Bitshis Bach!'

o'r cotshis clai. Dyna lle'r o'n i yn fyw ar y teledu yn gwylio fideo ohona fi fy hun a'r genod yn 'y nilyn i o gwmpas y wlad gan 'yn sbeitio fi tu nôl i 'nghefn lle bynnag o'n i'n mynd.

"Dyw'r siaced 'na'n neud dim byd 'ddo fe! So very, very eighties! Young man about town? Sa i'n credu 'ny rhywsut. Ma'n rhaid i honna fynd!"

"Crys-T 'Stop huntin – for fox sake'. Pŵr dab! Sdim syniad 'da fe, o's e?"

"Trainers? Anyone for tennis?"

"Socks gwyn and sandals wrth gwrs, a drych ar y jeans 'na. 'Sdim tin i ga'l 'da fe! A'r blwmin gwallt 'na. Christ Almighty! (Bleep) Wouldn't be seen dead in a funfair! I ask you. Pony ffaffin tail?!"

"Grinda Gron!" medda'r hylla o ddwy beth hyll. "Y mwng hyn. Pam so ti'n ei dorri fe a rhoi'r proceeds i charity?"

"Sori!" medda'r llall. "Y peth charitable i neud bydde torri fe yn y tywyllwch rhywle cyn i neb ei weld e!"

"Hei, dal dy ddŵr, del!" medda fi. "Ma' 'na berson dan y gwallt 'ma, 'sti. Be ti'n feddwl ydw i, mwncin dymi ne' rwbath?"

"Sori, lyfli!" medda'r hylla a rhoid o-bach i mi. "Think about it like this. You're doin' it for Siân, in' you?"

"Be uffar sy haru chdi?" medda fi wrth Siân pan gafon ni ddeng eiliad i ni'n hunan. "Ers pa bryd wyt ti'n gweithredu efo Teledu Moron?"

"Sori!" medda Siân. "Ma' ishe cyhoeddusrwydd 'no i dyddie hyn fel ti'n gwbod. Ma' unrhyw sylw'n well na dim, t'wel. Ma'r merched yn hala fi 'wherthin. O'n nhw'n meddwl bo hwnna'n hilarious, t'wel…"

"Be?" medda fi, codi 'ngolygon at y sgrîn eto.

"Ffor ti'n stwffo dy grys miwn i dy bants. Ti a John Major. Sign of insecurity, meddan nhw!"

"Be ti'n ddisgwl?" medda fi. "Insecure fysa chditha hefyd tasa pobol yn gneud petha tu nôl i dy gefn di rownd y rîl!"

"Sdim ots 'da ti, o's e?" medda Siân a gneud llgada llo bach arna fi.

"Be? Gneud 'yn hun yn gyff gwawd gerbron y genedl gyfa? Dim byd newydd yn fan'na, nag oes?" me fi.

Dwi wedi laru ca'l 'yn iwsho gin bawb, ond be nei di, ia? Pan ma' Siân wedi rhoid ei bryd ar rwbath does na ddim troi arni. Well gin i ga'l pry ar y mur na bod 'y nghroen i ar y wal!

Ond haws deud na gneud, ia? Sut bysa chdi'n licio tasa na gamera'n dy watshiad di ddydd a nos? O'n i'm wedi teimlo fel hyn ers dyddia'r Band of Hope yn Moreia ers talwm, pan gesh i bwl reit hegar o baranoia ar ôl i ryw bregethwr cynorthwyol gwirionach na'i gilydd ddechra deud bod Duw yn llond bob lle presennol ym mhob man a ballu a'i fod o'n 'yn dilyn ni ac yn 'yn gwatshiad ni fatha hawk, yn gneud nodiada ac yn bwcio sêt-ffrynt yn uffarn i unrhyw un oedd yn ca'l ei demtio i swigio potal o seidar yn Coed Helen ar nos Sadwrn.

Dyma Ritaganita yn eu hola yn siarad yn fân ac yn fuan gan drafod cyllid y sioe efo Franklyn Ffiaidd y c'nychydd.

"Dwi'm isho bod yn selebriti, 'sti, Franklyn!" me fi. "Dos â fi o'ma, 'nei di?"

Ddeudodd y cont ddim gair, dim ond 'yn sbio fi i fyny ac i lawr fatha taswn i'n fustach mewn mart cyn troi yn ôl at y genod.

"How much shall we say? A thousand?" mo.

"Beth?" medda Ritaganita fatha dwy 'Cheeky Girl' efo'i gilydd ac efo cyn lleiad bob tamad o dalant. "A thousand pounds would get us nowhere! Gyda'r wardrob sda fe? Dwy fil o leia!"

A wedyn dyma nhw'n dechra lap-dawnsio o 'nghwmpas i, yng ngŵydd fy ngwraig a bob dim, dechra tynnu 'nillad i oddi amdana i a thaflyd pob cerpyn yn y bun nes o'n i'n sefyll yn fan'na yn f'aflendid noeth mor cŵl â Chymru ar sgriniau oriau brig y genedl.

"Touch my bum! Touch my bum!" meddan nhw a 'mhwnio fi fatha taswn i'n exhibit 'A' ar cat-walk Smithfield, heb ddim byd ond pâr o drôns a sana efo tylla tatws ynddyn nhw i guddio rhywfaint ar 'y nghywilydd.

"The height of sartorial elegance! 5' 7" yn nhraed ei sana!" medda Ritaganita i lygad y camera.

Bitshis bach sbeitlyd! Pa fath o ffasiwn ma' nhw'n ddisgwl gin ddyn sy'n cadw tŷ ac yn magu plant? Dwi'n gwbod bo fi wedi mynd yn ffadin ac yn ffrympi, ond lle dwi byth yn ca'l mynd er mwyn gwisgo i fyny? Toedd gin y bimbos bach bybli ddim owns o gydymdeimlad efo mam a gwraig tŷ, nag oedd? 'Touch my bum! Touch my bum!' meddan nhw'n groch, ac o'dd hi'n amlwg na fi o'dd y 'bum' oeddan nhw'n ei feddwl!

"Olreit, olreit!" medda Siân, gan gymyd trugaredd arna fi o'r diwadd a siarsio'r genod i roid gora iddi. "Dyna ddigon o ddadansoddi. Ma' pob un wedi ca'l siot ar ddisgrifio Gron. Ond pidwch anghofio beth yw'r pwynt. Y pwynt yw ei newid e!"

# Lleisiau Bach Aflonydd

PAN WYT TI'N DARLLAN papur newydd pa bejan wyt ti'n ddarllan gynta? Tudalen ôl, chwaraeon siŵr o fod, nabod chdi, ia?

Ia, siŵr o fod. Pam?

Pam wyt ti'n dechra nofal ar y dudalen gynta 'ta?

Dechra yn y dechra, ia! Dyna be ma' pawb call yn neud.

Ia ond pam wyt ti'm yn darllan y stori gynta yn y papur newydd?

Ddim stori ydi papur newydd, naci?

Be 'di o, 'ta?

Newyddion!

Be 'di newyddion ond straeon? Pam ti'n meddwl bod pobol yn darllan papura? Er mwyn ca'l eu difyrru, 'de! Pam dylsa nofal fod yn wahanol?

Be tisho i mi neud? Darllan y diwadd gynta?

Pam lai?

Difetha'r stori os ti'n gwbod be sy'n digwydd, yndi?!

Dwn i'm, yndi? Ti'n cofio 'Chinatown' Jack Nicholson a Faye Dunaway, yr hogan bach 'na roedd ei thad hi'n dad ac yn daid iddi yr un pryd? Esh i mewn ar hannar y ffilm unwaith. Dallt diawl o ddim. Sbio arno fo i gyd eilwaith. Darna yn syrthio i'w lle fesul tipyn bach yng nghanol twllwch y sinema. Nesh i 'rioed enjoio ffilm fwy!

Dim ots lle ti'n dechra, dio'm ots lle ti'n gorffan. Fedri di'm rheoli ffor' ma' pobol yn darllan. Fetia i di bod 'na rywun yn ista ar y bog rŵan hyn ac yn troi at y bejan yma gynta. Poeni dim cachiad ynglŷn â lle bydd o'n gorffan achos mae o wedi ffeindio rôl y darllenydd, tydi? Wyt ti wedi trio darllan rhwng y llinella 'rioed? Y petha ma' awdur ddim yn eu deud?

Sut fedri di ddarllan petha sy ddim yn ca'l eu deud?

Iwsha dy ddychymyg! Does gin awdur ddim monopoli ar

y blydi thing nag oes? Ti'm yn meddwl bod o'n deud bob dim wrthat ti? Tydi o'm yn deud bob dim hyd yn oed os ydi o'n honni bod o, yn enwedig os ydi o'n honni bod o! Ella bod y geiria mae o'n eu cynnwys yn llenwi llyfr ond ma'r hyn mae o'n ei adal allan yn deud cyfrola!

Dyna ydi'r trwbwl pan ti ar y lôn: ma'r boi sy'n dreifio'r car i chdi pan wyt ti ddim yn canolbwyntio yn dŵad efo chdi i'r caffi am banad ac yn mwydro dy ben di…

Wedi dysgu o chwerw brofiad ma'n nhw, 'sti.

Pwy?

Y darllenwyr. Ma' llyfr dipyn bach fatha bywyd. Toes na'm posib gwbod os ydi o werth y draffarth tan i chdi fod drwyddo fo. Felly be nei di? Difyrru'r dydd, bejan ar y tro, mynd dow-dow, pori fan hyn, pori fan draw. Os medri di fanijo gneud hynny, ti'n gneud cystal â'r awdur. Be bynnag mae o'n ddeud wrthat ti, paid â gwrando arno fo, tydi'r diawl ddim yn gwbod lle mae o'n mynd tan iddo fo orffan, nadi? A'r unig reswm mae o'n dechra yn y dechra ydi bod rhaid i bawb ddechra yn rwla!

Ia ond ma'n rhaid i chdi ga'l rhywfaint o drefn, toes?

Be ti'n feddwl, trefn?

Dwi'm yn gwbod! Ystyr. Gwirionedd. Neges.

Ti'n swnio fatha'r adolygydd 'nw rŵan. 'Dwi wedi bod drw'r nofal 'ma deirgwaith,' mo. 'A fedra i yn 'y myw weld be 'di'r pwynt!'

Ella na toes 'na ddim pwynt…

Ella na dyna be 'di'r pwynt! Pwy a ŵyr? Ma' pobol yn betha rhyfadd, 'sti. Dal i fyw mewn gobaith bod bob dim yn gneud sens. O'dd pobol yr Oesoedd Canol yn grediniol bod y beirdd yn foda cyfrin o'dd yn gwbod rhwbath na toedd pobol erill ddim. A'r beirdd – y basdads cyfrwys – yn chwara i'r galeri, gwrthod rhoid rheola'r gynghanedd lawr ar bapur a ballu, jest er mwyn ca'l godro'r uchelwyr am genhedlaeth arall o B&B a lysh am ddim.

Diawlad chwil ydi'r rhan fwya o nofelwyr hefyd, 'sti. Honni petha mawr yn eu brolianna tywyllodrus. Dim ond gweld trw' waelod potal win yn aneglur ma' nhw ar y gora! Os ti'n disgwl mwy na hynny, ail gei di, socsan, cawall, sychad... Galw fo be tisho. Os na gwacter ystyr ydi sym-total dy fywyd di paid â disgwyl i nofal dy achub di!

Tyrd 'laen, wir Dduw! Fysat ti'n meddwl na toes gynnon ni ddim byd gwell i neud na mwydro fan hyn. Tydi'r post-modern 'ma ddim gwerth stamp dosbarth cynta wedi mynd, na'di?

Dwn i'm am hynny. Mae o'n glefyd reit gyffredin dyddia yma. Pan ma' rhywun gymaint dan y fawd ag wyt ti, ma' 'na bownd o fod rhywfaint o'r ôl-fodan yn dy waith di, does?

—Di-sgwrs uwch panad o
goffi du ac aspirin yn y
'Great Oak', Llanid-loes
– ar y ffor' i fyny,
ar y ffor' i lawr.

# DAD –

O'N I 'RIOED wedi gweld neb wedi marw o'r blaen.

O'n i ofn mynd i mewn i weld o.

Ond unwaith esh i o'n i'n olreit.

Yn wahanol i be o'n i wedi ddisgwl toedd o ddim wedi newid dim.

Dal i edrach fatha fo'i hun.

Ista i fyny yn y gwely fatha tasa fo'n sbio ar y rasus ar telifishyn ne' rwbath.

Yr unig wahaniaeth oedd na toedd yr hen go' ddim yno.

Ond toedd yr hen fod ddim byd fel o'n i wedi ddisgwl.

O'n i'n meddwl bysa 'na ddagra fatha dilyw a ballu, ac o'n i'n casáu meddwl am sut byswn i'n trio cysuro dynas oedd mewn ffashiwn stâd. Ond toedd hi ddim yn edrach fatha tasa hi wedi styrbio yntôl.

"Dio'm wedi ca'l shêf bora 'ma, yli," medda hi wrth Doris drws nesa pan a'th hi fyny i weld y corff.

"'Ngwash i!" medda Doris a mwytho'i wallt o. "Fatha pin mewn papur bob amsar!"

"Dyna ma'r armi yn neud i chi, ia?" medda'r hen fod. "Pan wyt ti wedi bod yn rhyfal ac wedi cael dy syrowndio gin bryfaid a 'Desert Rats' a ballu yn North Affrica ma' gofyn i ti ymgeleddu, does? Ne' cholera ne' dysentery ne' rwbath fydd dy ddiwadd di…"

O'dd o'n beth rhyfadd i feddwl ond mi oedd locsun yr hen go' yn dal i dyfu yr holl amsar o'n i'n dreifio i fyny'r A470 a'i ên o fatha brwsh bras erbyn i mi gyrraedd dre. Dyna lle'r oeddan ni, yr hen fod a fi, wrthi'n ei shêfio fo i gyfeiliant rhywun yn trio fflogio telyn deires ar 'Ocsiwn Nia' ar Radio

Cymru. Gollish i dipyn o sebon-shêf ar y gyfnas. Dynnish i'r gyfnas yn ôl fel bysa hi'n sychu. Mi o'dd trugaredda'r hen go'n hongian allan o drowsus ei byjamas o. O'n i 'rioed wedi sylwi bod gynno fo gŵd mor fawr...

O'n i'n gwbod bod 'na rwbath mowr o'i le pan gerddodd Siân i mewn i'r gwaith 'cw a'i gwynab hi fel y galchan a finna ar hannar sgwrs efo ryw Ianc oedd yn cwyno na toes gin America fawr o hanas. Bai chi ydi o, medda fi. Fysa gynnoch chi hanas yr Indiaid Cochion 'blaw bo chi wedi bwtshera'r rhan fwya ohonyn nhw! Hannar ffor' rhwng Tollborth Penparcau a Swyddfa'r Post Blaenwaun oedd hyn, dwi'n cofio'n iawn, a toedd y Ianc ddim yn licio mod i wedi deud y drefn wrtho fo. Dwn i'm wyt ti wedi sylwi ond neith pobol sgin newyddion drwg ddim deud wrtha chi'n syth bin be sy. Mae o dipyn bach fatha ffonio un o'r 'Canolfanna Galw' 'na – 'you've now got a series of options...' Ma' nhw'n dy fforsio di i wasgu toman o fotyma a ffendio allan drostat dy hun...

"Be sy?" medda fi wrth Siân, dechra panicio. "Sdim byd wedi digwydd i Gwenlli...?"

"Nag o's!" medda Siân a'i dagra hi'n llifo.

To'dd hi ddim yn gwbod sut i ddeud ac o'dd gin i biti drosti...

O'dd hyd yn oed peth mor ansensitif â Ianc ar ei holides wedi sylweddoli bod ni ar ganol eiliad fawr fan hyn. "If you'll excuse me. Have a nice day!" mo, a'n gadal ni i ddelio ora gallan ni efo'n hen, hen hanas...

O'dd Siân yn gyndyn o 'ngadal i ddreifio i fyny i'r Gogladd ar ben 'yn hun ond to'n i'm isho styrbio'r hogan bach 'cw drw'i thynnu hi o'r ysgol a ballu. O'dd well gin i fynd ar ben 'yn hun efo'n meddylia a gadal i'r car 'y ngyrru fi. Ma' 'na ffyrdd haws i'r Gogladd 'na mynd drw Geredigion ond o'n i'n gweld hi'n bechod pasio heibio'r Lolfa heb bicio mewn i ddangos chwartar y nofal a phigo tsiec cynta'r 'Cwango Llyfra' i fyny tra o'n i wrthi. Bywyd yn mynd yn ei flaen 'run fath yn union, tydi? Yn enwedig pan wyt ti wedi ca'l sioc. Ma' profedigaeth dipyn bach fatha ffendio co' dannadd NHS yn y Canolbarth. Tydi petha ddim yn registro'n syth bin, nadi?

"Sut ma' pethe'n mynd?" medda'r golygydd gan fflicio drw'r tudalenna o'n sgwennu traed brain i.

"Dwi'm yn siŵr iawn," medda fi. "Ma' sgwennu nofal dipyn bach fatha bywyd. Twyt ti'm yn siŵr iawn lle eith petha tan i chdi orffan…"

Ma'n nhw'n deud bod y Gogladd yn dechra yn Nhre Taliesin, pentra bach yr ochor rong i Machynlleth. Fanno ma'r 'i' yn dechra troi'n 'u' am y tro cynta, meddan nhw. Ond fydda i byth yn teimlo mod i adra tan ma'r A470 yn rolyr-côstio i fyny ac i lawr heibio cartra Hedd Wyn tua Trawsfynydd ffor' 'na, tan ma' mynyddoedd Eryri'n codi'n ddu ac yn fygythiol dros y gorwel. Ma' Siân yn mynnu bod 'yn acen i'n newid yn fan hyn bob tro a'n llais i'n denig i ddyfnjwn 'y ngwddw fi nes bod dim modd i neb tu allan i'r ardal ddallt gair dwi'n ddeud…

Ma' teithio'n well na chyrradd bob amsar meddan nhw. Ma' hi'n syndod cymint o gachu ma' rhywun yn ei falu pan ma' nhw ddim isho gwynebu petha, yndi?

Ond chwara teg i Brenda'n chwaer. O'dd hitha mor cŵl â ciwcymbyr hefyd.

"Sut wyt ti?" medda hi wrtha fi pan ddath hi i mewn i'r tŷ o'r glaw.

"Grêt!" medda fi. "Braf, yndi?"

"Ffycin lyfli!" medda hitha gan ysgwyd ei hambarel yn drws nes o'dd glaw mân dre'n sboncian dros 'y nghrys i. "Sut ma'r hen fod erbyn hyn?"

"Go lew, ia," medda fi. "Dwi'n poeni amdani. Gweld hi dipyn bach yn galad, wsti?"

"Lle wyt ti'n feddwl wyt ti, cont, yn Sowth?" medda Brenda. "Does 'na neb yn sychu'u dagra ar eu llewys fan hyn. O's 'na rywun wedi ffonio Joni Wili?"

O'dd 'y mrawd wrthi'n bildio ryw 'Bridge over the River Kwai' arall ar y ffin rhwng Thailand a Burma ac o'dd o'n incommunicado yn y jyngl yn rwla.

"Newydd ga'l gafal arno fo," medda'r hen fod. "Mae o'n fflio allan o Rangoon fory, dwi'n meddwl 'na dyna be ddudodd o. Oni bai bod nhw wedi ca'l eu fory'n barod yn Burma, 'de…"

"Ynda!" medda Brenda wrtha fi a rhoid potal o wisgi i fi. "Dos i fewn i'r parlwr allan o'n ffor' i… Toes 'na neb wedi meddwl ffonio'r co' cyrff ma' siŵr, nag oes?"

O'dd pobol yn dylifo mewn i'r tŷ trw'r dydd tan berfeddion. 'Yn job i oedd agor y drws i bawb, cymyd eu rhoddion nhw'n ddiolchgar a'u hebrwng nhw mewn i'r parlwr lle'r oedd yr hen fod yn ista fatha cwin ar ei gorsedd yn disgwl i dderbyn pobol.

"Hen foi iawn, dy dad!" medda Sam Cei'r Abar o'dd wedi dŵad draw i gadw cwmpeini i mi. "Ffwc o bysgotwr! Nabod yr abar fel cefn ei law!"

O'dd Sam wedi dŵad â photal o wisgi arall i fatshio f'un i a dyna lle'r oeddan ni yn cadw gwylnos am oria, yn gwrando trw'r parad tena ar y sgwrs yn y parlwr bach. Yr hen fod yn patro yr un stori drosodd a throsodd wrth bawb fatha record wedi sticio: sut o'dd hi wedi deffro gefn nos, clwad yr hen ddyn yn griddfan, wedi ca'l ofn trw'i thin ac allan, ac wedi ffonio drws nesa am i Doris a Colin ddŵad draw'n syth bin. Hen fod yn mynd drw'i dillad isho ffonio'r 'C + A' am ambiwlans a ballu ond Col Co' Bach yn gorfod peri iddi gallio achos na toedd 'na ddim pwynt… Mynd yn ei gwsg, chafodd o ddim diodda… Fel'na ma' hi. Dŵad i ni i gyd. Ma' hi'n dda na tydan ni ddim yn gwbod be sy o'n blaena ni, tydi? Y rhei sy ar ôl sy'n diodda bellach. Anodd dallt y drefn, ond mi ddaw petha ymhen amsar… Ma' nerth i ga'l bob amsar, w'chi…

Deffro efo pen fatha pedwar bora wedyn, jest mewn pryd i weld Siân yn dŵad i mewn i'r tŷ.

"Beth yw hyn…?" medda Siân yn stowt, 'ngweld i yn 'y mhyjamas.

"Paid â dechra!" medda fi, dal 'y mhen wrth ei gilydd rhag ofn iddo fo gracio.

"Wy i wedi bod lan 'ddar 'whech!" medda hi. "Wy i wedi bod â gwaith draw i'r ysgol. Wy i wedi bod yn trial cysuro Gwenlli. Wy i wedi bod beder awr a hanner ar yr hewl waetha yn Ewrop. Pwy help yw hyn i neb? Ife nawr wyt ti'n codi?"

O'dd Siân yn wych, fel bysach chi'n disgwl. Fatha echal-ôl o gwmpas y lle. Yn cysuro'r hen fod. Yn gneud y bwyd i gyd. Yn golchi dillad. Yn gneud y llestri. Yn siarad efo merchaid Sgubs i gyd fatha tasa hi'n eu nabod nhw 'rioed... Dyna ydi'r trwbwl efo priodi 'Superwoman', ia? Ma' hi'n gneud i chdi edrach fatha rhech mewn pot jam!

"Dyna fe!" medda Siân wrth yr hen fod a rhoid yr Hoover yn y twll-dan-grisia ar ôl bod yn rhuo fatha 'White Tornado' o gwmpas y lle am oria. "O's rhwbeth arall alla i neud, nawr? Beth ymbytu'r trefniade...?"

"Na, ma' hi'n olreit, diolch yn fawr, 'mach i," medda'r hen fod. "Ma' Brenda'n edrach ar ôl petha felly i gyd, ylwch!"

"Brenda?" medda Siân, sbio'n ddu bitsh arna fi. "Ma' 'da'r fenyw bump o blant! Elli di byth â gadel y cyfrifoldeb i gyd i dy 'whâr!"

Mi fydda'r hen go' wrth ei fodd yn ei dŷ gwydyr, creadur. Fanno bydda fo'n denig pan fydda fo isho llonydd rhag y byd a'i betha, allan am smôc bach lle bydda fo'n rhannu'i 'Greenhouse Gases' efo'r tomatos. O'dd ogla'i faco fo yma heddiw, ogla chwerw-felys, ogla bora oes, ia. Doedd dim syndod bod o wedi ca'l hartan, nag oedd, a fynta'n smocio fatha trŵpar 'ddar o'dd o'n bymthang mlwydd oed? Rhybudd: gall smocio'ch lladd chi ond daliwch i'w prynu nhw, fedrwn ni'm gneud heb y trethi 'dach chi'n gweld.

Dyma Siân yn dŵad draw i ga'l pow-wow efo fi ac yn hannar baglu dros y planhigion.

"Watsha'i riwbob o!" medda fi. Mae o'n tyfu hwnna bob blwyddyn. Pam, dwi'm yn gwbod. Fedra fo ddim hyd yn oed ei roid o i ffwr'! Ma' pawb yn casáu'r ffycin thing.

"Sori...!" medda Siân, ond ddim am y riwbob o'dd hi'n sôn. O'n i'n gwbod yn iawn 'na pregath o'dd gynni hi.

"OK!" medda fi. "Paid â traffarth. Dwi'n gwbod yn iawn be wyt ti'n mynd i ddeud!"

O'dd Siân wedi bod yn 'y mharatoi fi ar gyfar hyn ers blynyddoedd, yn meithrin y plentyn sy'n dad i'r dyn a ballu ar gyfar y cyfrifoldeb sy'n dod i'w ran wrth iddo fo fynd yn hŷn. O'n i'n gwbod bod y dydd yn prysur bwyso a ballu, ond does 'na neb yn disgwl melltan tan ma' hi'n dy hitio di, nag oes?

"Ma' flin 'da fi neud hyn i ti," medda Siân. "Ond ma'n rhaid i ti ysgwyddo peth o'r baich, t'wel. Ti yw'r penteulu nawr!"

Penteulu – fi? Ddychrynish i allan o 'modolaeth. Siglwyd y dre i'w sail. Dim ots faint ydi dy oed di. Twyt ti'm yn gwbod dy eni tan i ti golli dy dad, nag wyt?

"Wyt ti'n cymyd y piss?" medda Brenda wrtha fi pan gynigish i helpu.

"Nag 'dw, pam? Be sy?" me fi.

"Tro cynta i chdi folyntirio i neud ffyc-ôl yn dy fyw!" medda hi.

"Ma' tro cynta i bopeth!" medda Siân. "Ma' Gron yn awyddus iawn i neud e – on'd wyt ti?"

"Be ti'n fwydro?" medda Brenda wrth Siân. "Ers faint 'dach chi wedi priodi? Ti bownd o fod yn gwbod fod gin ti emotional a practical cripl yn fan hyn!"

"Ffyc off, cont! Paid â siarad fel'na efo fi! Dwi'n ffycin fforti. Dwi'n dad i ddau o blant!" medda fi. "Stopia drin rhywun fatha hogyn bach, nei di?"

"Dodwch y papure iddo fe!" medda Siân wrth Brenda.

"Twyt ti'm yn dallt, nag wyt?" medda Brenda wrthi. "Ma' dynion yn ffycin iwsles! Y merchaid sy'n neud bob dim ffor' hyn!"

"A fel'na bydd hi os na newidith hi!" medda Siân yn benderfynol. "Gadwch bopeth i Goronwy, plis! Wy i'n mynnu, reit?"

Ffwr' â Siân i rwla arall gan adal cangan gynta 'Woman's Lib' dre 'cw yn nwylo abal Brenda.

"Ffycin hel! Ti wedi cwarfod dy fatsh yn fanna, yndwt?" medda Brenda gan sodro'r papura yn 'y nwylo fi a dechra miglo o'na...

"Brend...!" medda fi. "Arhosa funud bach, nei di?"

"Be sy rŵan 'to?" medda Brenda.

"Y papura 'ma!" medda fi. "Helpa fi, nei di? Sgin i'm ffycin syniad be i neud!"

Ma' 'na dechneg digon hawdd o bowlio pram mewn i'r bar. Mewn wysg dy gefn a gwthio'r drws efo dy ben-ôl. Be sy'n anodd ydi ffendio lle i barcio. Ma' pawb yn dŵad â'u bygis i mewn i'r pybs yn dre, yn enwedig ar ddwrnod dôl. Ma' 'na ddega o fama ifanc o gwmpas y lle efo'u babis yn dal pen rheswm a gwydra jin tra bod eu partneriaid nhw, os o's gynnyn nhw rei, yn colbio'i gilydd yn bar cefn efo ciwia pŵl...

"Ha-ia del!" medda'r fodan 'ma wrth Gwenlli. "Be ti'n neud? Mynd am beint efo Taid, ia?"

"'Yn hogan bach i ydi hon!" me fi.

"Iesu, ia?" medda'r fodan. "Ti'n hwyr ar diawl yn dechra. O'n i'n nain cyn bo fi'n thyrti!"

"Su' mai, cont? Ti'n iawn?" medda ryw foi wrth y bar.

"Yndw, pam?" medda fi. "Ydw i ddim yn edrach yn iawn ne' rwbath?"

Be haru pawb? Ma' iaith dre 'ma wedi mynd. 'Ti'n iawn? Ti'n iawn?' medda pawb trw'r amsar. Taswn i'n deud 'Nadw, dwi wedi colli 'nhad' fysan nhw'n gofyn dwi isho help i ffendio fo!

Ond ma' 'na rei petha sy byth yn newid. Dacw fo, John Tŷ Nain, yn nyrsio peint wrth y bar yn ôl ei arfar.

"Su' mai, cont? Sut ma' hi'n mynd?" medda fo fatha tasa fo newydd 'y ngweld i ddoe.

"Ciami, ia," me fi. "'Dan ni'n claddu'r hen go' dydd Llun."

"Be, dio wedi marw?" medda John.

"Nadi," medda fi. "'Dan ni'n gladdu o'n fyw! Marw'n sydyn echdoe."

"Ddrwg gin i glywad," medda John. "Ma'r hogia'n ei phegio hi fatha pys yn dre 'ma rŵan, yndi? Ti wedi gweld Fferat bach yn ddiweddar?"

"Ma' Fferat wedi marw ers blynyddoedd siŵr Dduw!" medda fi.

"Sut ti'n disgwl i mi wbod?" medda John yn flin. "Dwi'm 'di bod adra ers deng mlynadd!"

O'dd Gwenlli wedi gneud ffrindia efo ryw foi bach o'dd mewn bygi arall.

"Mae o'n fawr uffernol i fod yn bygi, yndi?" medda fi wrth ei dad o. "Faint 'di oed o?"

"Wyth!" medda'r boi. "Mae o'n saffach fanna. Cont bach yn hyperactive. Mab y fodan ydi o, yli. Y pump acw bia fi!"

"Dŵ iw want a da-da?" medda'r boi bach wrth Gwenlli, cynnig ei 'Rolo' dwutha iddi chwara teg iddo fo.

"Cymrag ydi hi, 'sti!" medda fi.

"Ia, dwi'n gwbod," medda'r boi bach. "Ond ma' hi'n swnio fatha 'Pobol y Cwm'."

"Be – wyt ti'm yn dallt 'Pobol y Cwm'?" medda fi.

"Yndw!" mo. "Ond ma' 'na well sownd ar y teli na be sy fan hyn!"

Sŵn, was bach! O'dd y miwsig yn drybowndian o wal i wal a phobol yn gweiddi siarad. Dwi'n siŵr bod y lle yn orlawn taswn i'n medru gweld trw'r mwg.

"Ma' hi fatha ffagan bedlam 'ma, yndi?" medda fi wrth y boi.

"Be ti'n ddisgwl?" medda'r boi. "'Peak-time' rŵan, yndi? Unorddeg o'r gloch bora Gwenar!"

Dyma Brenda'n chwaer i mewn, wedi bod yn 'Oxfam' yn prynu twin-set ail-law i'r hen fod ar gyfar y cnebrwn.

"Ail-law?" me fi. "Be sant ti d'wad?"

"Cau di dy geg!" medda Brenda. "Fi sy'n rhedag yr economi fan hyn. Sgynnon ni i gyd ddim pres i wastio! Wyt ti wedi bod?"

"I lle?"

"Nôl y dystysgrif 'de'r crinc!"

"Na – ddim eto."

"Gna siâp arni, 'ta! Be wyt ti'n trio roid i'r hogan bach 'ma? Byrst ear-dryms 'ta lyng-cansar? Tyrd 'laen, Gwen bach. Dwi'n mynd â chdi adra at Nain!"

1. Papur doctor…
2. Tystysgrif marwolaeth…
3. Co' cyrff…
4. Obit yn y papur…
5. Taflan y c'nebrwn…

Dwi'n meddwl 'na dyna'r drefn ddeudodd Brenda ond o'dd petha'n mynd yn fwy ac yn fwy cymylog yn 'y mhen i efo pob peint o'n i'n yfad…

Pan sylweddolodd John Tŷ Nain a fi na toeddan ni ddim wedi gweld yn gilydd ers deng mlynadd mi ddoth hi'n amlwg bod gynnon ni lot i ddal i fyny efo fo, a mi a'th hi'n sesh bora go iawn. Llond cratsh cyn cinio, ia?

Aethon ni draw i'r Black am dro, Hole in the Wall, Anglesey a ballu, bob man. To'n i'm wedi arfar lyshio fel hyn ac mi ddechreuish i deimlo reit sâl. Ma' raid bod 'na rwbath ar y sosej an' mash 'na geuthon ni i ginio, y grefi du 'na wedi'i feicro-donio ncs o'dd o gyn gletad â haearn Sbaen rownd yr ochra, achos ar y bog yn toilets cei nath John a finna landio.

Nid oes yma le i lechu
Ond yn unig le i rechu
Nid yw'r eisteddfa yma'n faith
Cacha, a dos i'th waith!

Dda gweld bod yr hen ddiwylliant annwyl yn dal yn fyw, yndi? O'n i'n dechra poeni bod y negas-destuna mobeils gwirion 'ma wedi lladd y grefft o graffiti.

Ond ma' hi'n amlwg bod y traddodiad yn dirywio 'chydig, medda fi wrth 'yn hun, barod i sychu... Go damia uffar! Sdim rhyfadd bod pobol yn sgwennu ar walia, nag oes? Toedd 'na ddim golwg o bapur yn nunlla!

"John!" medda fi, cnocio ar ddrws y ciwbicl drws nesa. "Pasia bapur sychu tin i mi, nei di?"

"Ia, OK!" medda John ond doedd dim ots faint o weithia o'dd o'n trio, fedra'i facha byns chwil o ddim manijo i daflu'r rôl dros y top.

"Gwitia funud bach!" medda John. "Wela i di yn drws ffrynt, ia?"

Dyma'r ddau ohonon ni'n codi 'ddar y pan ar ganol gneud 'yn busnas ac yn cyfarfod tu allan i'r ciwbicls.

"Dyma chdi!" medda John. "Ond dwi isho fo'n dôl. Dwi'm wedi sychu'n hun eto!"

"Ma' hwn yn blydi socian!" me fi.

"Be ti'n ddisgwl?" medda John. "Mae o 'di syrthio i ganol y piso ar lawr, yndi?"

A wedyn yn sydyn dyma 'na hogyn ysgol yn dŵad i mewn, yn agor ei zip yn barod am bishad...

"Ffwc!" medda'r boi a sefyll yn ei unfan fatha freeze-frame, yn syllu ar ddau ddyn yn sefyll tu allan i'r ciwbicls efo'u trowsusa rownd eu penaglinia. Welson ni ddim ond ei gysgod o'n heglu o'na, wedi dychryn allan o'i groen, meddwl bod o wedi gweld dau go-din wrthi yn ystod ei amsar cinio.

"Edrach yn giami, ma' siŵr, yndi?" medda fi, chwerthin wrth John. "Meddylia am Bob Blaid Bach! Fel'na ma' clecs yn dechra, ia?"

"Dio'm byd i chwerthin!" medda John. "Ma' hi'n iawn i chdi, bygro'n ôl i Gaerdydd. Ond dwi'n gobeithio dŵad yn ôl i fyw yma!"

Cerddad yn ôl i'r Maes a dyna lle o'dd Siân yn paredio o gwmpas y lle fatha gafr ar drana.

"Ble yffarn wyt ti wedi bod?" medda hi. "Wy i wedi bod yn whilo bob man amdanot ti!"

"Hon ydi'r ddraig, ia?" medda John Tŷ Nain.

"Wyt ti wedi bod i Fangor?" medda Siân gan ei anwybyddu fo'n llwyr.

"Naddo – ddim eto," medda fi. "Ddigon o amsar, oes?"

"Beth wyt ti'n siarad ymbytu?" medda hi. "Ma'r cofrestrydd yn ceuad am dri! Os nag 'yt ti'n cyrredd miwn pryd, fydd dim blydi angladd!"

Bomio o dre i Fangor, torri pob cyfraith sydd i ga'l a rhuthro i'r swyddfa efo'r papur doctor. O'dd y cofrestrydd ar ei ffor' allan pan gyrhaeddon ni ond dyma Siân yn rhoid ei throed yn y drws ac yn crcfu arno fo fynd yn ôl at ei ddesg a gneud y gymwynas ola efo ni.

"Ma'n ddrwg iawn gin i," medda'r boi. "Ma' gin inna deulu hefyd, w'chi!"

"Sori!" medda Siân, efo'r papura yn ei llaw. "Bydden i ddim yn gofyn, ond ma' 'ngŵr i'n dyslecsic, yn anabal tost ac yn godde o amnesia, ch'wel…"

"Mmm!" medda'r cofrestrydd gan chwrnu fatha hen gi. O'dd o'n ama'n gry' na chwil o'n i dwi'n meddwl ond toedd o ddim yn mynd i risgio ca'l slang gin Gyngor yr Anabal, nag oedd?

"Ydach chi'm isho fo'n ddwyieithog, nag oes?" medda fo'n flin fel cacwn wrth ei ddesg.

"Be?" medda fi.

"Y dystysgrif marwolaeth," mo.

"Nag oes," medda fi. "Dim ond yn Gymraeg!"

"Ma'n ddrwg gin i," mo. "Fedrwch chi 'mond ei cha'l hi yn Susnag ne'n ddwyieithog. Cyfraith gwlad 'dach chi'n gweld."

"Cyfraith pa wlad?" medda fi. "Cymraeg ydw i a Chymraeg o'dd yr hen go'. Pam na tydi o'm yn ddwyieithog i bawb, 'ta? Iaith y nefoedd ddim yn ddigon da iddyn nhw pan ma' nhw'n cicio'r bwcad, na'di?"

"Gron…" medda Siân. "Sa i'n credu taw 'ma'r man a'r lle, ife? Sori!" medda hi wrth y cofrestrydd. "Ma' fe'n ypset ofnadw, ch'wel."

"Paid ag ymddiheuro drosta fi!" medda fi. "Tydi'r dwyieithrwydd 'ma jest ddim yn gweithio, na'di?"

"Un o Sgubor Goch o'dd 'ych tad?" medda'r cofrestrydd, sbio ar y manylion ar y papur doctor.

"Ia, pam?" medda fi. "'Dach chi'n nabod y lle, yndach?"

"Nabod 'ych tad," medda'r boi. "O'n i yn yr armi efo fo!"

Dyma'r boi yn dechra deud straeon wrtha fi amdano fo a'r hen go' yn North Affrica. Sut aethon nhw'n sphinx-sbastic yn Alexandra ar ôl leinio Rommel a ballu.

O'n i'n meddwl na hen gont o'dd y dyn ond ma' hi'n beth rhyfadd sut ma' petha'n newid, dydi, unwaith 'dach chi'n ffendio'r 'co' sy yn y 'cofrestrydd'? Ddechreuon ni batro am bob dim dan haul. Dwi'n meddwl ella bod ynta wedi ca'l lysh hefyd deud gwir wrthat ti, gweld bod hi'n ddydd Gwenar pwt arno fo a bob dim…

"Cymrwch chi dîm Cymru yn 1958, y flwyddyn cesh i 'ngeni," medda fi. "Cymry o'dd John Charles a Jack Kelsey a rheina i gyd. A be sy'n digwydd heddiw? Unorddeg o Saeson yn chwara i dre a galw'u hunan yn Caernarfon Town United!"

"Cytuno'n llwyr!" medda'r boi. "A ma'r Welsh Nash yn eu cefnogi nhw! Ma'r dre 'cw wedi mynd i'r diawl. Pob copa walltog yn cefnogi Man U!"

"Dwi'n gwbod!" medda fi. "Ond peidiwch â phoeni. Mi fydd Lerpwl yn ôl ar y brig cyn bo hir!"

"Ma'n flin iawn 'da fi'ch styrbo chi," medda Siân, o'dd wedi bod yn amyneddgar iawn yn gwrando arnon ni'n mwydro am hydoedd. "Ond ma' 'da ni drên i'w ddala, on'd o's e?"

"Peidiwch â gadal i mi'ch cadw chi!" medda'r co', gan ysgwyd 'yn llaw i. "Os byddwch chi hannar cystal dyn â'ch tad, ewch chi ddim yn bell o'ch lle!" mo.

Draw â ni i steshon Bangor. O'dd Joni Wili wedi ffonio i ddeud bod o wedi cyrradd yn ôl o Siam ac oeddan ni'n mynd i roid lifft iddo fo adra i dre.

"Sori!" medda fi wrth Siân wrth yfad panad o goffi du yn caffi steshon. "Dwi'n gwbod bo fi'n dwat ond…"

"Paid becso 'bytu fe!" medda Siân. "Learning-curve, t'wel. Byddi di'n gwbod shwt i neud popeth tro nesa."

Tro nesa myn uffar! Cysur a hedd, ia? Dim byd ond angladda i sbio 'mlaen ato fo!

Dyma'r trên yn cyrradd a dyma ni'n gweld Joni Wili yn cerddad lawr y platfform efo dau horwth o gês mawr fatha sêffs ar olwynion tu ôl iddo fo…

Dwi'n gweld hogyn bach mewn trowsus byr a tanc-top Fair Isle yn dŵad o'r trên yn steshon dre wedi bod efo'i frawd a'i fam ar trip ysgol Sul i Rhyl. O'dd Joni wedi hitio'i ben ar moto crashis yn Marine Lake ac yn rhedag ffwl-sbîd at ei dad o'dd wedi dŵad lawr i'n cwfwr ni. Joni'n gneud lipsia a'r hen go'n rhoid sgîl pen-ac-ysgwydd a dipyn o fwytha iddo fo ar y ffor' adra…

"Sut wyt ti'r cont?" me fi, cynnig 'yn llaw.

"Sut mae, cŵd?" me Joni, sbio i fyw'n llgada fi. "Wyt ti'n cofio ni'n fan hyn ar ôl trip Ysgol Sul i Rhyl?" medda fo, gweld yn union yr un llynia a finna…

Beth rhyfadd, tydi? Wedi'r holl flynyddoedd meithion, dim ots be ydi oed rhywun, tydi'r ffor' ma' nhw'n gneud lipsia'n newid dim gronyn.

Dyma'r ddau ohonon ni'n cydio'n gilydd ac yn beichio crio.

* * *

Wyt ti wedi trio rhoid obit Cymraeg yn papur, do?

Ffonio ryw hogan bach ar ddesg 'Cymorth-hawdd-ei-gael-mewn-cyfyngder' y papur. Ond mae'i Chymraeg hi mor giami fel na fi sy'n cydymdeimlo efo hi.

Fydda i'n sbio ar golofna'r *Western Mail* bob dydd jest i jecio bod pobol dwi'n nabod yn dal yn fyw. Os oes 'na lot o obits Cymraeg mi fydda i'n poeni bod y Cymry'n marw fatha pys. Os na Susnag ydyn nhw, mi fydda i'n argyhoeddedig bod y rhan fwya ohonon ni wedi cicio'r bwcad yn barod.

Dim ots ffor' 'dach chi'n sbio arni – marw o'r tir ydan ni, ia?

'Bloda'r teulu'n unig... Rhoddion at ymchwil y galon.' Dwi'n sgwennu dyddiad cnebrwn yr hen go' i lawr a dwi'n teimlo fatha sbio yn *Daily Post* ddoe i weld sut ma' pobol erill yn geirio.

Yn wael iawn hyd y gwela i...

'Yn sydyn ond yn dawel...'

Be ma' hynna fod i feddwl? Syrthio o dan fys efo plastar dros ei geg o ne' rwbath, ia?

I feddwl na hys-bys ydi o i fod ma' pawb yn gyndyn uffernol o roid gwybodaeth i chdi.

Dim byd am oed yr ymadawedig.

Dim byd am ei job o. Oni bai bo' chdi'n Gyfarwyddwr Addysg ne'n MBE ne' rwbath. Ti'n ca'l horwth o obit mawr wedyn efo bordar du o'i gwmpas o fel bod o'n sefyll allan yn ymyl obits y werin datws. Megis ar y ddaear, felly yn y nefoedd hefyd, ia?

Be'n union o'dd yn bod ar yr holl bobol druan 'ma? Pam ddaru nhw farw?

Cwbwl gei di ydi rhyw gliwia bach pathetig fel 'Rhoddion tuag at Alcoholics Anonymous' ne' rwbath wrth ei gynffon o i chdi ga'l ei weithio fo allan drostat dy hun fatha tasa fo'n groesair cryptig y *Guardian* ne' rwbath.

Dwi'n meddwl dylsan nhw gynnal cwrs penwythnos 'Geni, Priodi a Marw' yn Tŷ Newydd, Llanystumdwy, er mwyn dysgu'r genedl i sgwennu notisus naturiol sy'n cyfathrebu efo pobol yn lle rhyw falu cachu cysetlyd fel hyn.

"Gwranda, mab," medda'r hen fod. "Sgwennwr ne' beidio dwi'm isho dim o dy syniada ffansi di, reit? Obit normal dwi isho, ddim obit lembo!"

Obit Lembo? Mae o'n swnio fatha enw'r aelod seneddol 'nw, tydi?

\* \* \*

"Gesha pwy sy'n falch na tydi o ddim yma heddiw?" medda fi wrth Joni Wili sy'n tshaen-smocio'n y gegin ddwrnod yr angladd. O'dd yr hen go'n casáu gweld fisitors yn dŵad i'r tŷ. Yn enwedig teulu y'nghyfarth. Debyg iawn i fi fel'na.

"Be ti'n feddwl 'angladd'?" medda Joni Wili.

"Angladd ma' pobol yn ddeud yn Sowth!" me fi.

"Pam ti'n gadal i nhw influence-io chdi?" medda fo. "Dwi'n byw yn Bangkok ers ugian mlynadd a cnebrwn dwi'n dal i ddeud!"

Cofio ryw foi ryw dro yn smalio bod o wedi marw er mwyn iddo fo ga'l gweld pwy fysa'n dŵad i'w angladd o. Doedd dim isho i'r hen go' boeni. Pob un fysat ti'n ddisgwl ei weld, o'dd o yma – a mwy. Col Co' Dre a Dermot Weldio, ei fêts o, a dau foi ifanc o tîm darts yr 'Eagles' – dyna pwy oedd yn ei hebrwng o efo Joni Wili a finna. Chwech rhech arall i Siân gael eu cyfri yn ymlwybro'n slo bach at ymyl y bedd. Pregethwr bach newydd 'na sgynnon ni'n gneud ei ora i ddeud cystal boi o'dd yr hen ddyn a ballu er na welodd o 'rioed mono fo. 'Dan ni'n lluchio pridd ar ben yr arch yn y 'sicrwydd gwynfydedig', medda fo, bod yr hen go' wedi mynd i'r lle iawn. Ma'r dynion sy dros fforti i gyd yn canu 'O Fryniau Caersalem' ac mae'r hogia ifanc yn plygu'u penna, dallt dim... Cwbwl ma' nhw'n wbod ydi 'na brynia Arfon sy o'u cwmpas nhw yn bob man. Pobol yn canu, pobol yn mwydro, pobol yn honni petha mawr ar sail dim byd o gwbwl. Traddodiad, defod, arferion y llwyth. Dwi'm yn gwbod be 'di gwerth dim byd ohono fo, ac eto does gin i ddim byd gwell i gynnig yn ei le fo. Be newch chi efo gwacter ystyr ond ei lenwi fo efo cyn lleiad o rybish a fedrwch chi? Cwbwl o'n i'n wbod oedd bod yr hen go'n ddihangol o gyrraedd y rigmarôl i gyd.

Mi o'dd Gwenlli wedi aros adra efo Caroline, merch hyna Brenda. Toedd hi ddim yn ddigon hen i ddallt ond mi o'dd hi isho gwbod lle roedd Taid wedi mynd. "Tydi o ddim wedi mynd i nunlla, cariad," medda Joni Wili. "Fydd Taid efo ni am byth, 'sti!" mo a dagra'n cronni'n ei llgada fo. Pwy a ŵyr? Ella bod o wedi troi'n Buddhist ne' rwbath allan yn Thailand. Pawb a'i athroniaeth, ia?

Ymhlith y bloda yn y fynwant mi o'dd 'na dorch na to'n

i'm wedi disgwl ei gweld. 'Er Cof am Taid, oddiwrth Peggy Wyn a Shane *x*'. Ma' gwaed yn dewach na dŵr, yndi?

Mi o'dd yr hen fod wedi sgwennu llith ar ei thorch oedd yn gorffan efo'r geiriau, 'Ddoi di Dei i blith y bloda...'

"Peth rhyfadd i sgwennu, ia?" medda fi wrth Siân.

"Ddim o gwbwl," medda Siân. "Ma' hi'n amlwg bo 'da nhw fwy o ramant yn eu bywyde nag o's 'da ti a fi!"

"Diolch yn fawr i chdi," medda fi yn sorllyd.

"Dim ond jocan!" medda Siân. "Wy'n credu bo ti'n greadur bach rhamantedd *iawn* yn y bôn!"

Esh i lawr i weld yr hen go' am un tro ola cyn iddyn nhw'u gladdu fo. Fyswn i ddim yn ei nabod o tro 'ma. Un Jones yn llai, medda fi wrth 'yn hun...

Teuluoedd dedwydd yn byta brechdana yn yr 'Eagles'. Pawb yn Gymry ar wahân i amball un fatha plant Anti Mair Sir Fôn ga'th eu magu yn Saeson ar Deeside.

"Do you have to speak Welsh all the time?" medda 'nghefndar. "We're Welsh too you know!"

"As well as what – English?" medda Sam Cei.

"It's not about language, it's about feeling!" medda fynta. "I actually cry every time Wales score at the Millennium Stadium!"

"I only cry when they don't score!" medda Sam. "A nation without a language is a nation without a Hart-son!"

O'dd Brenda wedi ca'l lysh ac o'dd hi'n sefyll yn y canol rhwng Joni Wili a fi ac yn gafal yn 'yn breichia ni'n dau.

"Pryd oeddan ni'n tri efo'n gilydd o'r blaen?" medda hi, fatha witsh allan o *Macbeth*. "Fydd rhaid i chi ddŵad adra'n amlach, hogia, tasa 'mond er mwyn yr hen fod!"

"Pell ydi o, ia?" medda fi. "Dyna ydy'r trwbwl!"

"Lle, Bangkok?" medda hi.

"Naci, Caerdydd!" me fi.

"Be ti'n fwydro, cont?" medda Brenda. "Fysa rhywun yn meddwl bo chdi'n byw yn ffycin Chile ne' rwbath – dyna chdi be ydi Gogladd a De! Erbyn i chdi deithio o Tierra del Fuego i'r Atacama Desert ma' hi'n amsar i chdi ddŵad yn dôl!"

Ma' Brenda wedi mynd i ddangos ei hun braidd ynglŷn â'i gwybodaeth gyffredinol byth ers iddi ddechra gneud gradd ail-gyfla yn y Brifysgol Agorad.

"Pryd wyt ti'n priodi, Joni?" medda fi wrth 'y mrawd. Trio 'ngora i droi'r stori, ia…

"Never in Ewrop!" medda Joni.

"Ddim yn Ewrop ti'n byw, yn Asia!" me fi.

Pawb yn chwerthin.

Pawb ond Brenda.

"Dwi'n ei feddwl o, Gron!" medda hi wrtha fi. "Ti fatha fforinyr yn dre 'ma wedi mynd. Dyn Dŵad, myn uffar, ti wedi mynd yn ddyn mawr – meddwl bo chdi wedi cyrradd! Gad i mi ddeud wrtha chdi, twyt ti ddim wedi cyrradd achos ti byth yn ffycin cychwyn! Ddim i'r dre 'ma eniwe!"

"Lysh sy'n siarad rŵan, ia?" me fi.

"Naci Tad! Ma' Sam yn cytuno'n llwyr efo fi, twyt, Sam? O'n i'n meddwl bo chdi'n dŵad i fyny am dy ffortieth?"

"Pidwch dishgwl 'no i!" medda Siân. "Nes i 'ngore glas i roi perswâd 'no fe, ond ddele fe ddim!"

"Diolch yn fawr i ti, Siân!" medda fi. "Solidariti, ia?"

"Sori!" medda Siân. "Wy i wedi ca'l llond bola. Os yw dy dylwth di'n meddwl taw fi yw e ma' ishe 'ddo nhw wbod y gwir, on'd o's e?"

Dyma Col Co' Dre'n dŵad draw i ddiolch i mi, y penteulu, am ga'l y fraint o gludo'r hen go 'adra' pnawn 'ma. Mi o'dd o wedi gario fo adra'n chwil ddigon o weithia medda fo ond hon fysa'r gymwynas ola, ia?

"Be ŵyr neb ohonon ni pryd ma'r tro ola, ia?" me fi. "Gobeithio bod yr hen go' wedi madda i ni, dyna i gyd ddeuda i."

"Be ti'n fwydro?" medda Brenda.

"Dim byd!" medda fi. "Jest rwbath ddeudodd o wrtha fi ryw dro. Saith o wyrion a dim un ohonyn nhw'n Jones!"

"Wyt ti'n olreit?" medda Siân, dŵad i ista wrth 'yn ochor i.

"Ddim yn bad, 'sti," medda fi. "Pobol yn dda, tydyn? Pobol

na fysat ti byth yn meddwl... Pobol dwi'm 'di weld ers pan o'n i'n 'rysgol... Dyna 'di'r peth pan ti'n byw i ffwr'..."

"Beth?"

"Dwn i'm," me fi. "Be fysa'n digwydd tasan ni'n ca'l profedigaeth yn Gaerdydd? Pwy fysa'n dŵad i'n gweld ni'n fanno, y?"

"Lot fawr o bobol!"

"Pwy?"

"Ffrindie, cymdogion, athrawon yr ysgol, ffrindie Mami o'r capel, aelode'r Blaid..."

"Ia, OK!" medda fi. "Dwi'n gwbod bysa 'na lot o bobol yn dŵad i dy weld di – ond faint fysa'n dŵad i gydymdeimlo efo mygins?"

"Bai pwy yw 'ny?" medda Siân. "So ti'n folon cymysgu!"

"Ia, dwi'n gwbod," medda fi. "Ond chest ti 'mo dy fagu mewn cymdeithas organig, naddo? Does dim rhaid i chdi drio cymysgu mewn cymdeithas naturiol. Ma' hogia ni'n ofnadwy am ei gilydd, 'sti!"

"Gron – plis! Ti wedi dala mor dda. So ti'n mynd i ddechre bod yn sentimental nawr, wyt ti?"

"Dan deimlad – dyna ma' nhw'n ei alw fo ffor' hyn, 'sti!" me fi.

"Un peth yw emosiwn," medda Siân. "Ond ymdrybaeddu gwag yw sentimentalieth, ife? So ti'n cofio 'La Boheme'?"

"'La Boheme'? Be uffar ma' opera i neud efo'r peth?" me fi.

"Ma' 'La Boheme' yn fwy cymhleth na ma' rhywun yn ei feddwl, t'wel," medda Siân. "Ma' hi'n rhwydd iawn ca'l dy dwyllo gan bruddglwyf y miwsig ond ma' deinameg diddorol iawn ar waith rhwng y gerddoriaeth a'r libretto. TB a'r ffordd ma' tlodi'n ei ledaenu fe, 'na beth yw'r testun. Realiti cymdeithasol chwerw yw e yn y bôn, t'wel."

Ffagan Sant! medda fi wrth 'yn hun. Wele, ni huna ac ni chwsg ceidwad Israel! Tydi comiwnyddion byth yn cael day-off, na'dyn?

Dwi'n lwcus iawn bod gin i Siân i roid 'y nhraed i'n ôl ar y ddaear. Fyswn i'm yn galw opera'n beth deinamic 'yn hun, ia, ond dwi'n gwbod yn iawn be 'di realiti'r dre 'ma fatha bob man arall...

O'n i wrthi'n llwytho'r car yn barod i fynd adra pan ddoth 'na ddynas i fyny ata i.

"Helo! Ydi'ch mam i mewn?" medda hi.

"Yndi, yn rwla," medda fi a mynd â hi i'r parlwr. "A' i 'nhôl hi rŵan. Steddwch!"

"Pwy sy 'na?" medda'r hen fod o ben grisia.

"Dwi'm yn gwbod!" medda fi dan 'y ngwynt. "Dynas gwallt gwyn efo dillad 'Marks an' Spencers'." Ma' merchaid yr oed yna fatha identikits. Ma' nhw i gyd yn edrach 'run fath i mi!

Dyma'r hen fod yn cyflwyno Mrs Holborn-Jenkins, dynas efo blewyn da iawn arni, gŵr hi'n flaenor yn capal a ballu. O'dd yr hen go' yn rhentu garij gynni hi ddim yn bell o'r tŷ am bod fandaliaid yn bla ar y stryd yma fel yn bob man arall. O'dd gin i go' plentyn amdani'n hel rhent bob wsnos gin bawb yn stryd Fferat Bach...

Chwara teg iddi am ddŵad draw, medda fi wrth 'yn hun. Fysa dipyn o solidariti capal ddim yn gneud dim drwg i'r hen fod.

"Gyda llaw," medda Mrs Holborn-Jenkins ar ôl iddi gydymdeimlo'n ddwys efo'r hen ddynas. "Ma'n gas gin i godi hyn cofiwch, ond toedd Mr Jones ddim wedi setlo'i gownt am y pythefnos dwutha...!"

Sori o ddiawl! medda fi wrth 'yn hun. Ffycin cont uffar, dŵad i fan hyn smalio cydymdeimlo, dimandio pres gin weddw dlawd.

"Hwdwch!" medda fi, 'yn natur i'n codi, sodro papur £20 yn ei llaw hi. "Cadwch y newid," me fi. "Toedd ar 'y nhad ddim byd i neb! Gobeithio neith rhywun fadda'ch dyledion i chitha hefyd pan ddaw 'ych twrn chi!"

"Sdim isho bod fel'na, nag oes?" medda'r hen gotsan farus a gosod twmpath o newid mân roedd hi wedi'i gyfri'n barod ar ben y piano.

"Ma' pawb isho byw," medda'r Satan mewn satin. "Be sy'n iawn sy'n iawn, Mr Jones!"

# 'Five Easy Pieces'

WYT TI'N COFIO Jack Nicholson yn 'Five Easy Pieces'? O'dd o'n gweithio ar yr oil-rig 'na yn California ac yn byw ymhlith y werin datws. O'dd hi'n amlwg ei fod o'n foi clyfar ac nad o'dd o'n hollol gartrefol ymysg yr hogia ond o'dd well gynno fo hynny na gneud dim byd efo'r dalant o'dd gynno fo ar y piano. Roedd o wedi denig oddi wrth hynny ac oddi wrth ei deulu dosbarth-canol i fyny yn y Gogledd-orllewin ar y ffin efo Canada fanna rwla.

Ond un dwrnod dyma fo'n ffendio bod ei gariad o'n disgwl a dyma fo'n penderfynu yn yr amgylchiada nad oedd unman yn debyg i gartra... Teithio i fyny i'r Gogledd a'r fenyw feichiog efo fo. Cael croeso gin y teulu ond sylweddoli'n fuan iawn na fedra fo ddim diodda aros yn fanno'n hir iawn chwaith.

Drifftar o'dd Jack wedi bod ar hyd ei oes, ond ma'r Pasg yn dod i bawb, chwedl y boi 'nw: roedd hi'n amlwg ei fod o'n mynd i neud y peth iawn tro 'ma... Ma'r ffilm yn nelu'n braf at ddiweddglo hapus efo Jack yn dreifio'i gariad yn ôl i California i setlo lawr. Ond tua munud a hannar cyn y diwadd, ma' Jack yn stopio mewn garej ac yn mynd am bishad. Peth nesa ti'n weld ydi Jack yn ysgwyd llaw efo'r dreifar lori 'ma yn y bog ac yn mynd efo fo i gab y lori.

"Well i ti wisgo hon," medda'r dreifar a rhoid jacet iddo fo. "Ma' hi'n oer uffernol lle 'dan ni'n mynd!"

Ma' Jack yn nelu am Alaska gan adal y fodan a'i chyw yn y car sy'n pwyntio i gyfeiriad California, a neb dim ond pawb yn y sinema yn gwbod lle ddiawl oedd o wedi mynd...

# Tabl I

Dengys yr enghraifft isod sut i ddarparu'r wybodaeth am berthynas John Smith, ei w
tri o blant (Alison, Steven a James).

Yn yr enghraifft hon perthynas Steven (Person 4) i Berson 1 yw mab, ei berthynas i
a'i berthynas i Berson 3 yw brawd.

| Enw Person 1 | Enw Person 2 | Enw Person 3 |
|---|---|---|

"Beth ti'n neud, Dadi?"

"Cyfri faint o bobol sy'n byw yn tŷ ni."

"Pam?"

"Ti'n gwbod," medda fi, methu meddwl am ffor' arall o'i roid o. "Fatha Mair a Joseff yn mynd i Bethlehem cyn i Iesu Grist gael ei eni. Ma' rhaid i bawb gyfri faint o bobol sy'n byw yn y wlad bob hyn-a-hyn…"

"Faint o bobol sy'n byw yn tŷ ni?" medda Gwenlli.

"Cyfra di nhw!" me fi. "Mami, Dadi, Gwenlli, Nain-ni… (Dim ond os bydd hi'n aros yma noson y cyfrifiad a gobeithio'r Arglwydd na fydd hi ddim.) Faint ma' hynna'n neud?"

"Pump!" medda'r fechan.

"Naci siŵr! Pedwar o bobol sy'n byw yn tŷ ni, 'de!"

"Beth ymbytu Shane?" medda hi.

"Tydi Shane ddim yn byw efo ni, na'di?"

"Ma' fe'n byw 'da ni withe! Ti'n ddrwg, Dadi! Os bydde fi'n sgwennu ar y papur bydde fi'n dodi brawd fi lawr hefyd!"

163

Hunt, Lunt and Cunningham (Cyfreithwyr Sathredig)
18 Stryd Hog a Sei.
Caernarfon.


Annwyl Mr Jones

Ysgrifennwn i'ch hysbysu fod Ms Peggy Wyn O'Connor o 971, Maes-y-gad, Segontium, Caernarfon wedi'ch enwi fel tad ei phlentyn, yr hwn a fedyddiwyd yn Shane Brian O'Connor ar 19/1/90. Carem wybod a ydych yn cydnabod eich cyfrifoldeb yn y mater hwn fel y gallwn ddod i gytundeb parthed y trefniadau ariannol.

Yn gywir,

Ieuan Gwyllt Roberts, ££D.


O'dd y papur wedi troi'n felyn yn yr haul: y cynta o'r toman llythyra gesh i ar y matar. Ond o'dd o'n dal i 'ngwylltio fi, ia. Be ddiawl o'dd y pwynt llogi twrna, leinio pocedi Adar y Felltith, a finna wedi syrthio ar 'y mai yn barod?

Fedar neb ddeud na nesh i ddim trio. Mi o'dd Siân yn wyllt am fynd i fyny i weld y babi ar ôl iddo fo ga'l ei eni, isho ca'l cwarfod Peggy a bob dim. Ond cwbwl o'dd Peggy isho o'dd ffeirio 'mhres i am be o'dd hi'n ei alw yn 'access', sef ca'l gweld Shane tua dwywaith y flwyddyn.

Fyddwn i'n mynd i weld o ar 'y nhro pan fyddwn i fyny yn y Golan Heights 'cw. Cofio'i weld o yn ista yn y gwtar yn chwara efo'i 'Gameboy' un tro.

"Su' mai, boi?" medda fi.

"Su' mai, cont?" medda fo. Boi bach pedair oed, dafodiaith o'n berffaith yn barod.

"Yr un ffunud â chdi, tydi?" medda fi wrth i fam o.

"Diolch i Dduw am hynny, ia?" medda Peggy, ond o'dd hi wedi meirioli rom bach erbyn hyn achos bod hi wedi ffendio ryw lymberjac o British Columbia o'dd wedi dŵad ar secondment i Coed-y-Brenin i ddysgu sut i roid min ar ei fwyall.

Dyma Shane yn dŵad draw aton ni ac yn cuddiad yn swil tu ôl i drowsus shell-suit ei fam...

"Sdim isho bod yn shei! Ti'n nabod y dyn yma, yndwt?" medda Peggy. "Fo sy'n gyrru presant Dolig i chdi bob blwyddyn! Brawd Brenda, ia. Hogyn Nain a Taid!"

"Dad..." medda fi.

"Ffyc off, y cont!" medda Peggy. "Ma' gin yr hogyn dad, reit?"

Chwara teg i'r hen go' a'r hen fod, oeddan nhw wedi neud job dda iawn drosta i. Oeddan nhw'n nabod teulu'r O'Connors yn iawn, potio efo nhw yn y 'British Legion' a ballu. Neuthon nhw ddim lol o gwbwl dim ond cymyd Shane dan eu hadain. Neud y gora o sefyllfa wyrion, ia? Mi o'dd gin Brenda'n chwaer bump o blant o'dd yn berwi fatha morgrug yn nyth Nain a Taid fel o'dd hi, fysa un bach arall ddim yn gneud dim gwahaniath meddan nhw.

Trwbwl ydi o'dd Peggy Wyn yn newid ei chariadon bob lleuad a mi ddechreuodd symud i'w canlyn nhw – Bangor, Bethesda, Llangefni, yr un peth ydi tai cownsul yn bob man. Tipyn o stâd, ia? Toedd hi byth yn gadal i fi bwod lle o'dd hi am fisoedd a dwi'm yn meddwl bod Shane yn gwbod yn iawn lle o'dd o chwaith. Trio dial arna fi o'dd Peggy am bo fi wedi gwrthod ei phriodi hi ond doedd gynni ddim hawl i gymyd o allan ar 'yn hogyn bach i, nag oedd? Neuthon ni gynnig iddo fo ddŵad lawr aton ni ar ei holides ond ddeutha fo ddim medda'i fam o.

"Mae o ofn pobol ddiarth," medda Peggy'n sbeitlyd.

"Diarth fyddan ni hefyd os na ddown ni i nabod 'yn gilydd!" medda fi.

Pan gath Gwenlli'i geni esh i â hi i fyny i weld Shane – meddwl ella bysa hynny'n torri'r garw. Dyna lle'r oedd hi yn ddigon o sioe yn ei McLaren buggy newydd sbon.

"Be wyt ti'n feddwl o dy chwaer bach, 'ta?" medda fi, trio ffalsio efo Shane.

"Del," mo, a ffwr' â fo yn ôl at ei ffrindia i gicio'i ffwtbol yn erbyn y ceir o'dd ddigon gwirion i barcio ar y stryd.

"Plant, ia!" medda fi wrth Peggy, siomedig braidd na fysa fo wedi gneud mwy o ffys.

"Be ti'n ddisgwl?" medda Peggy. "Wyt ti'm wedi clwad? Gynno fo ddwy chwaer bach yn barod."

"Be...?" medda fi.

"Gin i dwins efo Rocky ers chwe mis! Gobeithio bo chdi'n mynd i edrach ar ôl yr hogan bach 'na'n well nag wyt ti wedi edrach ar ôl Shane – dyna'r cwbwl ddeuda i!"

"Dwi 'di gneud 'y ngora!" medda fi. "Wyt ti wedi *deud* wrtho fo bod croeso iddo fo ddŵad lawr i Gaerdydd i aros, do?"

"Naddo!" medda Peggy. "Dwi'm yn licio gadal i bobol fynd i Sowth. Ma' 'na beryg na fysa fo ddim yn dŵad yn ôl!"

"Fi sy'n ca'l honna, ia? Bach yn hwyr i edliw rŵan, yndi?" me fi.

"Ffyc off, y cont!" medda Peggy.

Ond wedyn gwanwyn dwutha dyma hi'n newid ei meddwl. O'dd hi isho mynd i Benidorm efo'i mêts. O'dd ei mam hi'n fodlon cymyd yr efeilliaid os bysa hi'n ca'l dympio Shane arna fi.

Doedd dim isho gofyn ddwywaith, nag oedd? O'dd Siân wrth ei bodd clwad bod o'n dŵad i lawr. Esgus i glirio'r atig yn un peth, doedd? Fysa rhaid i mi lechio toman o 'mhapura.

Dyma Shane yn dŵad lawr ar y pwff-pwff: newid yn Crewe. Platfform 4B – ti'n cofio? Antur enbyd ydyw hon i'r boi bach, wrth gwrs, ond dyna fo, mi gyrhaeddodd Gaerdydd yn saff beth bynnag.

O'dd Gwenllian wrth ei bodd. O'dd hi'n mynd o gwmpas ac yn dangos ei brawd mawr i'w ffrindia i gyd.

"Fi'n cael brawd!" medda hi.

"Ma' *gin* i frawd," medda fi gan drio'i chwiro hi.

"O's, wy i'n gwbod," medda Gwenlli. "Yncl Joni Wili. Ond fi'n ca'l brawd nawr hefyd!"

Ma' hi wedi mynd, tydi? O'dd gin Gwenlli Gymraeg digon o ryfeddod cyn iddi fynd i'r ysgol. Pwy sy'n dysgu'r brawddega gwirion 'ma iddyn nhw? Ma'n hi'n 'lyfo' Shane. Ma' hi'n 'hêto' fe pan mae o'n mynd. 'Oes gyda ti'r llythyr? Fi'n miso fe big-time. I gyd o'r wythnos hyn. Ffili aros nes bo fe'n dod 'to!"

O'dd gin i bechod drosti deud gwir – unig blentyn, plentyn unig meddan nhw, ia? Teimlad od i finna hefyd. Dŵad i nabod 'yn hogyn pan mae o wedi tyfu fyny. Mae o bron iawn fatha mabwyshiabi hogyn unarddeg oed, ti'n gwbod? Joio cofia, mynd â fo o gwmpas Gaerdydd 'ma – Parc Ninian, Bluebirds yn neud yn dda dyddia yma, yndi? Danny Gabbidon, Robert Earnshaw... Stadiwm Genedlaethol. Waeth i mi heb ag enwi neb o'r tîm rygbi ond fe godwn ni eto fel byddan nhw'n deud, ia? Gweld Robert Croft yn chwara cricet yng Ngherddi Sophia (pwy bynnag o'dd honno). Ista ar ddoc y bae i gymyd 'y ngwynt – joban galad cadw'r mab yn ddiddig 'sti, tydi?

"Jiw, jiw!" medda Siân. "Ti fel 'set ti wedi ca'l ail wynt!"

"Wahanol pan ma' gin ti hogyn, yndi?" me fi."Dwi'm yn meddwl bysa Shane yn licio mynd i'r balet, na fysat boi?"

Tydi Shane ddim yn deud lot, dim ond 'yndw' a 'nadw' a chodi sgwydda a deud 'm'bo' a ballu. Deud y gwir wrthat ti dwi'm yn gwbod faint sy'n ei ben o, ond mae o'n meddwl y byd o Gwenlli sy'n gafal yn ei law o rownd y rîl. Cheith o mo'r profiada dinesig yma gin neb arall, na cheith, a ma' rhywfaint ohono fo bownd o rwbio off, yndi?

Ma' Siân yn edrach ar ei ôl o fatha tasa fo'n hogyn iddi hi'i hun, a'i syniad hi o'dd mynd â fo i Sain Ffagan i weld lle dwi'n gweithio. 'Dan ni i gyd yn mynd draw at y garafan goch 'na ac yn ista tu fewn, smalio bod ni'n sipsiwn. Finna'n teimlo fatha'r tad 'nw yn *Danny, Champion of the World*. Sôn am dad sparky! Tydi Sparky Hughes ddim ynddi! Mynd draw at y llyn islaw'r castall i weld y penhwyad – ffwc o bysgod mawr gyn hirad â dy fraich di, sbia! Sbio ar y chwiad yn dowcio'u penna'n y dŵr, a'u tina yn yr awyr fatha aelodau'r Cynulliad. Clwad rhyw Saeson yn gweiddi "Aren't they 'weird'?" A Gwenlli bach, prin iawn ei Susnag, yn gofyn "Shwt ma' nhw'n gwbod taw 'hwyad' y'n nhw?"

Galw heibio Siop Gwalia wedyn am lemonêd go iawn a galw yn y becws am deisan gri i Shane a phice bach i Gwenlli.

Pawb yn gneud jôcs dwyieithog a neb yn sylwi. Galw yn y siop greffta ar y ffor' allan i weld y llyfra a'r CDs a'r 'fancy goods' fel byddan nhw'n deud ers talwm. Clwad rhyw hogyn o Sais arall yn cwyno: "What's the matter with this shop – I know it's a Welsh place but why does everything have to be in Welsh?" Neb yn medru ffendio Shane am hydoedd – wrth ei fodd ma' hi'n amlwg!

Ond ychydig o ddyrnodia wedyn o'n i wrthi'n hwfro dan ei wely fo efo tŵls ychwanegol y 'Dyson' pan gesh i sioc ar 'y nhin. Ma' hi'n beryg bywyd gadal plant ysgol yn rhydd mewn siopa 'fancy goods' – ma' nhw'n landio fatha pla o locustiaid ac yn sbydu bob dim. Dwi'n gwbod yn iawn, achos dwi'n ca'l 'y nhalu i gadw llygad a'u nadu nhw! Ond dyna lle roeddan nhw – dan y gwely oedd yn edrach fatha ogof Aladdin – holl 'fancy goods' y greadigaeth yn serenu arna fi! Laswn fod wedi ca'l y sac yn y fan a'r lle tasa fo wedi ca'l ei ddal yn eu nabio nhw.

O'dd gas gin i ddeud y drefn wrtho fo ond ma'n rhaid i bob tad fod yn gonstabl cont weithia, does?

"Shane," medda fi. "Paid ti byth â gneud dim byd fel'na eto. Os wyt ti isho mynd â presant adra i dy fam, jest deud wrtha fi, reit?"

"Ffyc off y cont!" medda fo a rhedag o'na.

O'dd Siân yn meddwl ella na ni o'dd ar fai, ddim yn rhoid digon o bres pocad iddo fo.

"Na," medda fi. "Mae o yn y DNA, 'sti. Elli di fynd â'r hogyn allan o'r dre ond fedri di'm mynd â'r dre allan o'r hogyn. Ma' 'na beryg na ffor' o fyw 'dio, ia?"

Mi barodd y trefniant gwylia am sbel go lew a cheuthon ni ddim chwanag o draffarth tan i Peggy Wyn ffonio ryw ddwrnod i ddeud bod hi wedi symud i Sunny Rhyl o bob man a na toedd Shane ddim yn medru dŵad aton ni eto.

"Pam? Be sy?" medda fi, fyny yno fel siot pan glywish i.

"Tydi Caerdydd ddim ffit!" medda hi.

"Sut ti'n gwbod? Ti 'rioed wedi bod 'na!" medda fi.

"Naddo ond sbia be mae o wedi neud i chdi," medda hi.

"Twat posh, dangos dy hun yn dy ffycin Volvo!"

"Be sant ti, d'wad?" me fi. "Ma'r car yna yn hŷn na Shane! Fysa'n bechod torri cysylltiad eto rŵan. Ma' rhaid i chdi adal o ddŵad!"

"I be? Er mwyn i chdi ga'l ei sboilio fo'n rhacs am wsnos. Gyrru fo'n dôl i fan hyn fatha spoiled-brat, impossible i handlo! Iawn i chdi yndi, talu dy fags a ffwcio o'ma. Fi sy'n ca'l y ffycin strygl, ia?"

"Ti wedi newid dy gân," me fi. "O'ddat ti'n ddigon bodlon iddo fo ddŵad pan oeddat ti isho syn-tan!"

"Dwi wedi newid 'yn meddwl!"

"Gin yr hogyn hawl i weld ei deulu…!"

"Rŵan ti'n sylwi?"

"Ddim 'y mai i ydi o! Chdi o'dd yn nadu fi!"

"Nest ti'm cwffio'n galad iawn, naddo?"

"Naddo!" medda fi. "Mwya cwilydd imi. Dwi'm yn gwbod be o'dd arna i. Tydi'r peth ddim yn taro rhywun yn iawn nes bo chdi'n magu plant dy hun…"

"O Iesu! Ffycin violins rŵan, ia? Newidia'r record, nei di? Chdi ydi'r 'bôr' yn Sgubor Goch, ti'n gwbod hynny wyt?"

"O ia?" medda fi. "A chdi ydi'r 'gont' yn Segontium!"

A wedyn yn sydyn, pan oeddan ni wrthi'n cynganeddu yn fanna, dyma 'na ryw horwth o foi'n dŵad allan o'r tŷ yn ei singlet a chwsg lond ei llgada fo.

"What the fuck's goin on 'ere?" mo. "I'm off to Gdansk in a couple of 'ours! Who are you?"

"One of Peggy's ex's!" me fi.

"She's had an 'n' number of ex's from what I 'ear!" mo. "Which one are you?"

"Shane's father, right?" me fi.

"Oh, I see! The one who got away is it? I've 'eard all about you pal. Middle-class do-gooder. You've fucked that kid's brain up with your Welsh-extremist bollocks! He's goin' to be brought up proper from now on. So you can just fuck off, right?"

"Ffycin bwli uffar!" medda fi wrth Siân. "Cheith o ddim get-awê efo hyn!"

"Siarad sens!" medda Siân. "Ma'n rhaid bod yn realistig, o's e? Os nag yw cariad y fam yn folon…"

"Sdim isho poeni gormod am hynny," me fi. "Ma' Peggy'n newid nhw'n amlach na ma' hi'n newid ei nicyrs! Ella na fydd hi ddim efo'r cont yn hir!"

"Na, ond ma' hi wastad yn ffindo rhyw gont, on'd yw hi?" medda Siân mor cryptig â Blêr ar dossier, edliw i mi reit siŵr!

Ma' Gwenlli'n pwdu fan'cw tu ôl i'r cyrtans ac yn 'llefen pwll y môr' ar gownt ei brawd. Ma'r dagra'n powlio lawr ei gruddia hi ac yn smyjo'r inc ar y 'Shane' bach pathetig 'na ma' hi wedi'i sgwennu ar ffurflen y cyfrifiad pan oedd hi'n meddwl bod 'y mhen i wedi troi.

"Druan ohoni, ia?" medda fi wrth nacw.

"Druan o Shane Brian O'Connor, ife?" medda Siân.

# Sauna'm Dano

MA' GOFYN gneud rwbath i blesio'r wraig weithia, oes? O'n i yn y gym yn trio ca'l gwarad ar rom bach o'r bol lysh 'ma sgin i ac wrthi'n myfyrio ar stâd y pomolos a'r trampoline a'r ddaear sy'n symud dan 'y nhraed i. O'r holl betha stiwpid dwi wedi neud, fedra i ddim meddwl am ddim byd cweit mor lloerig â rhedag yn fy unfan ar ffagan ffan-belt. Meddylia am yr egni sy'n ca'l ei wastio! Tasa rhywun yn plygio'r peirianna 'ma mewn i'r grid fysa gin ti ddigon o letrig i redag y Trydydd Byd, a'r Pedwerydd a'r Pumad hefyd... O am ras i dreulio 'nyddia! Be nei di pan ti'n bôrd stiff ond meddwl am stori drydanol, ia?

Pwmpio fel diawl ar y beic di-olwyn. Chwysu fatha mochyn. Nelu am y jacuzzi i gwlio lawr ac ymlacio dipyn. Ista gyferbyn â ryw gont mawr tew a cha'l 'yn fforsio i ista ar jet o ddŵr sy'n chwistrellu rhwng 'y nghoesa fi. Trwbwl efo jac-uzzi ydi bod o'n '-cuzzi' dy 'jac-' di – sy'n OK 'blaw bo raid i chdi godi allan ohono fo os ti isho mynd am swim...

Sefyll yn fanna ar ymyl y pwll yn barod i ddeifio i mewn a chlywad rhyw ddynas yn sgrechian o'r ochor arall ac yn rhedag am y stafall newid. Dwi wedi clwad am fin y dŵr o'r blaen ia, ond o'dd hyn yn ridiculous! Dyna lle'r o'n i efo dim byd ond pâr o drôns-dŵr i guddio cwilydd y beipan o'dd yn gwingo fatha neidar ar Viagra o 'mlaen i!

Dengid i mewn i'r stafall stêm nerth 'y mhegla a 'nhryncs i fatha trwnc eliffant yn mynd ryw chwe modfedd o 'mlaen i. Agor y drws, switsio'r gola 'mlaen ond dim byd yn digwydd... Ymbalfalu yn y tywyllwch a bympio mewn i rywun.

"Sori!" me fi, twtsiad braich rhywun. "To'n i'm yn gwbod bod 'na neb yma."

"Dim ond y fi!" medda'r fodan 'ma. "Dewch miwn. Ishtwch lawr! Ma'r goleuade wedi torri."

'Lawr, boi, lawr!' medda fi wrth drwnc yr eliffant ond toedd waeth i mi heb ddim. O'dd gynno fo glustia digon mawr ond toedd y basdad ddim yn gwrando, nag oedd?

"North Wales?" medda'r fodan.

"Amsar maith yn ôl, ia!" medda fi.

"Acen bert iawn," medda hi. "Pidwch byth â'i cholli hi."

Doedd hi ddim yn swnio'n bad ei hun. Abertawe dwi'n meddwl. Acen dipyn bach yn debyg i Catherine Zeta-Jones...

"Byd yn fach, yndi?" medda fi. "Ma'r Cymry yn bob man heddiw 'ma, yndyn?"

"Beth yw bod yn genedl?" medda hi. "Cael stafell fawr rhwng cyfyng furiau, ontife?"

"Bardd ydach chi?" me fi.

"Prydydd yn unig!" medda hi.

"Peidiwch â phoeni," medda fi. "Ella cewch chi ail tro nesa."

Be sy haru'r beirdd 'ma? Nhw a'u corona a'u cadeiria. Rebals mwya'r deyrnas yn crefu am sêl bendith y sefydliad o hyd ac o hyd efo'u gwobra.

"Wy i wedi ca'l digon nawr, wy i'n credu!" medda'r fodan, chwys ei cheseilia hi'n sboncio fatha cawod drosta fi.

Dyma hi'n twtsiad yng nghesail 'y nghlun i wrth basio a dyma fi'n neidio'n glir.

"Sori!" medda hi. "Wy i tam bach yn touchy-feely."

O'dd dim ots gin i am y 'touchy', ia, gyn bellad â bod hi ddim yn gneud gormod o'r 'feely'. Toedd y 'fawr' byth wedi plygu'i phen ac o'n i ofn nes o'n i'n swp sâl iddi feddwl na o'i hachos hi o'dd hi gin i.

"Y'ch chi ar hast mowr heddi?" medda hi wrtha fi.

"Na, ddim felly, pam?" medda fi.

"Meddwl falle byddech chi'n lico dishgled o goffi..."

Ffagan Sant! O'n i wedi clwad am lefydd fel hyn o'r blaen. Lolfeydd Lolobrigida. Gymnasiums galifantio. Parlyrau porn. Mi o'dd hi'n amlwg bod Zeta-Jones wedi bod i'r Wlpan ac yn 'y ngwadd i am sesiwn answyddogol ar y tafodieithoedd yn ei boudoir. Stori, myn uffar – sgŵp! Sut fedrwn i beidio'i sgwennu hi? O'n i'n dychmygu deng mlynadd o ffyddlondeb priodasol yn diflannu lawr draen y pwll nofio...

Ma' 'na ystyr hud i'r gair 'coffi' yng nghymdeithas y Gorllewin, oes? 'You for coffee? Fuck offi yourself!', chwedl y boi 'nw. Dos sauna Satan! Na'm temtier plis y diawl!

Ond yn sydyn, cyn i mi fedru atab, dyma'r gola yn dŵad yn ei ôl. Haleliwia dyn bob lliwia! Fedrwn i neud dim byd dim ond cau'n llgada'n dynn a dychmygu'r ddynas yn syllu ar 'y nghynghanedd lusg ddyrchafedig i yn ei holl ogoniant.

"O!" medda'r fodan yn syn. "O'n i wedi dychmygu taw rhywun henach byddech chi! Ond ma' hi'n amlwg bo'ch dyfodol chi i gyd o'ch bla'n chi!"

"Bol lysh, ylwch!" medda fi, cyfeirio at 'y mlonag, trio creu dau-fersiwn, dal rhy swil i sbio arni.

"Gwela i chi yn y bar, 'te?" medda'r fodan a chychwyn allan o'r piwb-icl efo dim byd amdani dim ond rhyw fymryn o hancas bocad dros ei chotsan.

Agor 'yn llgada'n iawn, sychu'r chwys o'ddar 'yn amranta i ga'l stag syd ar y fodan o'r cefn...

Phyc mi Pharo! Fedrwn i'm coelio'n llgada. Dyna lle'r oedd hi, hen wraig glaerwyn tua chant a hannar oed, wedi rhinclo fatha crysa cyn eu smwddio, yn ymlwybro tua'r exit...

Dyma fi'n sefyll yn syn yn nrws y sauna ac yn synfyfyrio. Clywad llais a gweled llun! Be fedrwch chi ddibynnu arno fo, medda fi wrth 'yn hun. Ma sim-bai-osis wedi mynd yn rhemp. Dim ond rhith ydi bob dim, ia?

Cyn iddi adael y complex, dyma'r hen wraig yn troi rownd ac yn 'y nghyfarch i.

"Sori!" medda hi. "Nes i ddim gofyn beth yw'ch enw chi!"

Dyma fi'n deud wrthi ac yn gofyn yr un peth iddi hitha.

"Kathleen O'Houlihan!" medda hi. "Cewn ni gwrdda 'to!"

Dyma 'na gloch yn canu yn 'y mhen i. Dwi'n siŵr bod ni wedi cwarfod yn rhwla o'r blaen...

# Walia Wigli

WYT TI'N COFIO mynd i weld Frank yn gweithio ar yr eglwys 'na pan o'dd o'n gweithio fatha saer maen yn Sain Ffagan? Dowch lawr i 'ngweld i, medda fo wrth yr hogia. Awn ni am beint i glwb rygbi'r Hendy i chi ga'l cwarfod Robert Croft – hen foi iawn.

Bomio lawr yr M4 ar 'yn day-off, ti'n cofio? Gwalltia'n y gwynt tan ethon ni ar goll. Methu'r troiad, troi'n ôl, parcio ar ochor y bont, tynnu'r binoculars allan a chwilio ar hyd glannau afon Llwchwr i weld os medran ni ffendio Eglwys Llandeilo, Tal-y-bont.

Sbio drw'r sbeinglas am hydoedd a gweld dim byd, dim ond dŵr a hesg a thir corsiog... Ond wedyn yn sydyn, Ffagan Sant! Dyna lle'r o'dd yr eglwys a Frankie'n gweithio ar ben to, ia! Ffonio fo ar y mobeil, ti'n cofio? "Ha-ia hogia! Lle 'dach chi?" medda Frank. "Draw fan hyn ben bont!" medda fi. Frankie'n troi rownd, codi law arnon ni a syrthio bendramonacle trw'r to!

"Fukuyama!" medda Frank yn Casualty. "Be 'dach chi'n trio neud, 'yn lladd i?"

"Sori Frank!" medda fi. "Binoculars Japanese. Deadly o ddwy filltir, 'sti!"

Frankie wedi torri'i lengid ne' rwbath, ti'n cofio? A'r nyrs bach 'na'n trio shêfio'i gedors o'n barod am yr op.

"Sefwch yn llonydd, Mr Lynch! Sa i moyn neud lo's i chi!" medda hi cyn cydio'n ei 'fawr' o rhwng ei bys a'i bawd a dechra hacio trw' fforestydd ei Amazon o. Dwi wedi gweld lot o betha yn 'y mywyd ond welish i 'rioed gŵd mwy blewog na chŵd Frankie. Dwi'm yn meddwl bod y nyrs bach,

174

chwaith. O'dd hi'n ofalus iawn o'i anaconda fo chwara teg iddi.

Ond be dwi'n gofio fwya ydi'r eglwys anhygoel 'na. Ar y gors yn fanna ers dros wyth can mlynadd. O'dd hi wedi bod yn fanna ymhell cyn i Lywelyn fod yn Fawr hyd yn oed!

Bechod ei symud hi ond o'dd rhaid, toedd? Y global gnesu ddiawl 'ma. Yr afon yn gorlifo'i glanna'n gynyddol, y tir corsiog yn suddo dani. Fandaliaid yn torri mewn ac yn malu, pobol fatha Frankie yn syrthio trw'r to a ballu... Symud hi i Sain Ffagan o'dd yr unig atab.

Cadw i'r oesoedd a ddêl y glendid a fu, ia? Frankie'n lojo yn yr ardal am chwe mis tra roeddan nhw'n tynnu'r eglwys i lawr. Wyt ti'n cofio faint o bobol o'dd wrthi arni? Arbenigwyr ar bob dim dan haul yn cynllunio ac yn cadw pob dim yn ofalus. Dim byd yn ormod o draffarth. Wyt ti'n cofio'r cerrig mawr 'na wedi'u rhifo bob un wan jac ohonyn nhw fel bod nhw'n mynd yn ôl i fyny yn yr union le iawn wrth iddyn nhw ail-godi'r adeilad.

"Gin i ddwy garrag yn mynd i mewn!" medda Frankie ar ei ffor' i mewn i'r theatr. "Os o's gin i lai yn dŵad allan, dwi'n siwio'r ysbyty, reit?"

Saer maen hyd ei fedd, ia?

Ond wedyn mi o'dd o isho pishad. Dyna sy i ga'l am lysho'n y pnawn.

Nyrs bach yn dŵad â'r pot-piso pasbord llwyd 'na draw i'r theatr. Frankie'n gorfadd ar ei ochor ac yn ca'l job manwfro heb sôn am ymffrydio. Nyrs bach yn cydio'n ei bidlan o ac yn braenaru'r blaengroen i'w helpu fo ar ei ffor'...

"Dal dy ddŵr, del bach!" medda Frankie. "Dwi'n Roman Catholic – un fflic arall a mi fydda i yn uffarn, 'sti!"

Wyt ti'n cofio'r llynia 'na ar wal yr eglwys? Pob un yn methu coelio'i llgada. Talp o blastar wedi syrthio o'r wal: ninna'n gweld arlunwaith nad oedd neb wedi'i weld ers pum can mlynadd pan o'dd Cymru mor Gatholig ag unrhyw Roman. Llynia lliwgar o Jona a'r morfil a môr-forynion heb fra a bob math o betha od… Fanna bysan nhw wedi ca'l bod 'blaw bod Harri'r Wythfad wedi pwdu efo'r Pab ac wedi dechra Protestio. 'Dim eilun-addoliaeth yn yr eglwysi!' mo. Chwe gwraig i bawb o bobol y byd ond dim llynia budron ar y walia! Dyma fo'n gorchymyn i'r offeiriad beintio'r lle. Côt o emulsion dros y muria oll. Gwyngalchu'ch pechoda i gyd, ia?

Roedd hyn cyn i'r cont tew feddwl am y Ddeddf Uno – pan o'dd Cymru yn dal mor rhydd â bronna'r môr-forynion ar y wal. O'n i'n teimlo fatha Lord Caernarfon pan ffeindiodd o ryfeddoda Tutankhamun yn yr Aifft. Petha nad o'dd neb wedi'u gweld ers hannar mileniwm yn dŵad yn fyw o flaen 'yn llgada fi, ia?

O'dd Frankie off gwaith am dri mis. O'dd o wedi cymyd at y nyrs bach yn yr ysbyty ac o'dd o wedi gofyn iddi fysa hi'n licio'i weld o eto.

"I beth?" medda'r nyrs bach. "Wy i wedi gweld popeth sydd i weld yn barod! Ma' pob un sy'n cal shafo'i gedors yn ca'l crysh ar y nyrs, t'wel. Hasta-lyfera!"

A'th Frankie yn ôl i'r Gogledd i wella a weithiodd o byth i'r Amgueddfa wedyn. Ychydig wyddwn i byswn i'n gweithio yn yr Amgueddfa 'yn hun cyn byswn i'n ei weld o eto. Mi ddoth o yn ei ôl i Sain Ffagan i weld sut o'dd yr eglwys yn dŵad yn ei blaen.

"Fukuyama!" medda Frank. "Saith mlynadd yn ddiweddarach a tydyn nhw byth wedi gorffan!"

"Ma' hanas yn cymyd amsar, 'sti," me fi, fatha gofalwr da. Cadw part y lle, ia? Fysa Yorath Pete yn falch ohona fi. "Deud wrtha i, Frank," me fi. "Be 'di'r 'Fukuyama' 'ma sgin ti?"

"Be – wyt ti'm wedi clwad amdano fo?" medda Frank. "Boi o America ydi o – sy'n mynnu bod hanas wedi darfod. Ddylsa'r cont dwl ddŵad i fan hyn i ga'l sbec. Digon hawdd tynnu rwbath i lawr, yndi? Peth arall ydi roid o'n ôl ar ei draed, 'de?"

# Llidiart Gwyn

"Ti'n cofio Nain Nefyn, twyt?" medda fi wrth Gwenlli wrth deithio yn y car rwla rhwng Clynnog a Threfor.

"Ie!" medda hitha. "O'dd hi'n hen iawn, iawn. O'dd hi'n neud pethe twp ac o'dd hi'n deud 'yr andros nhw las' trw'r amser!"

"Chwara teg i Nain! Ma' hen bobol yn actio fatha plant yn y diwadd, 'sti," medda fi.

"Sa i'n neud pwp yn y nicyr!" medda Gwenlli'n ddirmygus. "Beth yw 'yr andros nhw las', Dadi?"

"Dwi'm yn siŵr iawn," medda fi. "Jest rhwbath ma' pobol yn ddeud pan ma' nhw wedi gwylltio, ia."

"Ddim dyna beth wyt ti'n weud!" medda hi'n gellweirus.

"Naci?" medda fi, dechra codi 'nghlustia. "Be dwi'n ddeud, ta?"

"Ti'n deud 'Ffagan Sant'," medda hi. "A wy i'n gwbod pam!"

Nefyn gogoniant! medda fi wrth 'yn hun. Y petha ma' plant yn eu pigo fyny ar iard yr ysgol dyddia yma! Mae o'n ddigon a chodi gwallt dy ben di tasa gin ti beth. Bai ei mam hi ydi o, rhegi gymaint a finna'n neud 'y ngora i iwsho youthanisms, ia?

"Wel," medda fi. "Wyt ti am ddeud wrtha i? Pam bo Dadi'n deud Ffagan Sant?"

Dyma Gwenlli'n rowlio'i llgada yn ddirmygus eto ac yn cyhoeddi:

"Achos bo ti'n gwitho yn Sain Ffagan, ife, twpsyn!"

Ma' hi'n hannar tymor yr hydref. Ma' Siân ar ganol arolwg yn yr ysgol ac mi dwi wedi dŵad â Gwenlli am dro i'r Gogledd er mwyn i Mam ga'l llonydd. Ystyr 'arolwg' ydi gweithio fatha blac i neud yn siŵr bod bob dim yn yr ysgol yn edrach jestso erbyn i'r arolygwyr gyrradd. Pawb yn gweithio fel fflamia er mwyn peintio dros y cracia a smalio bod bob dim yn grêt yn y system addysg na tydi hyd yn oed aeloda seneddol Llafur yn fodlon gyrru'u plant iddi bellach. Mae'r athrawon yn gweithio Sul, gŵyl a gwaith am fisoedd er mwyn ychydig ddyrnodia o chwara charades tra bod y bobol bwysig yn ticio'u bocsus, a wedyn yn syth ar ôl iddyn nhw fynd mae pob un wan jac o'r athrawon yn colapsio a ma'n nhw ar y sic am weddill y tymor.

"'To be seen to be doing', ch'wel!" medda prifathro Siân wrtha i mewn noson gaws a lot o win yn ei dŷ crand o un noson.

"'To be seen to be dying', 'sach chi'n gofyn i fi!" medda fi.

"Cwricwlwm cenedlaethol, ch'wel," medda'r prif eto.

"Ia ond pa mor genedlaethol ydi o?" me fi. "Tydi ysgolion preifat ddim yn gorod neud o, nadi? Tydi plant y toffs yn gneud ffyc-ôl ond chwara sports trw'r pnawn…"

"Sori!" medda'r prifathro, sbio'n syn arna fi. "Odw i wedi camgymeryd? O'n i'n meddwl taw gŵr Siân Arianrhod, ein dirprwy ni, o'ch chi!"

"Dadi – ydyn ni'n mynd i fod yn hir, nawr?" medda Gwenlli pan oeddan ni'n mynd dros yr Eifl.

"Ddim yn hir iawn. Pam?" me fi.

"Achos ma' Tedi wedi blino!" medda hi.

Dwi'n mynd â'r fechan i weld tŷ Nain a Taid Nefyn lle byddwn i'n treulio hafa hirfelyn tesog ers talwm. Teithio ar y bys 'Clynnog and Trefor' efo dyffl bag bach ar 'y nghefn. O'dd hi'n cymyd tua tri dwrnod a hannar i deithio'r igian milltir ar hyd yr arfordir o Gynarfon i Nefyn yn y bys ond dyna fo, o'dd o werth o. O'dd Penrhyn Llŷn yn fôr o atgofion. 'Aberdaron dirion deg, Morfa Nefyn cau dy geg.' Hen gwpled bach ddysgodd Nain i mi stalwm fel enghraifft o ba mor hiliol o'dd pobol pen draw'r byd yn medru bod tuag at drigolion godra'r Eifl.

Parcio'r car gerllaw a nelu am y bwthyn ar y bryn, gweld

y llidiart gwyn yn gil-agorad fel bydda fo bob amsar a mentro cam neu ddau i'r ardd gefn er mwyn i Gwenlli gael gweld y glendid a fu, ia?

"Fama bydda Dadi'n chwara cuddiad ers talwm," medda fi wrth Gwenlli.

"Pam o't ti'n cuddiad?" medda hi.

"Chwara gêm, ia?" medda fi.

"Pam?" medda Gwenlli. "O'dd 'Gameboy' ti wedi torri?"

Wedyn yn sydyn dyma 'na ryw foi mawr tew yn dŵad allan o'r drws cefn efo pot peint yn ei law.

"Yes?" mo.

"Sori!" me fi. "I was just showin' my little girl. I used to spend a lot of time in this garden, playin' 'Chinese Chequers' with my Nain!"

Dyma fi'n dechra sôn am Taid Nefyn, dyn agos iawn at ei le chwadal Trebor Chwilog dwrnod y cnebrwn, blaenor yn capal, cynhaliwr diwylliant chwedl y deyrnged yn *Y Tyst*, ffor' o'dd o wedi ca'l Gron bach i ddarllan llyfra fatha *Hunan-gofiant Tomi*, *Teulu Bach Nantoer*, *Plant y Fron* a ballu...

"Look, mate," medda'r boi. "I'm tryin' to have a quiet drink in my rural idyll. To be perfectly honest with you, I don't give a shit about your grandparents!"

"Pardon?" me fi.

"Private property, pal! Shut the gate after you."

Ddeudish i ddim byd, dim ond syllu ar y cont ym myw ei lygad, troi at Gwenlli a deud: "Ma'r gwynt yn fain, tydi cariad? Dos di i'r car at tedi. Fydd Dadi efo chdi rŵan."

"What?" medda'r Sais, dechra troi'n paranoid, fel byddan nhw unwaith ma' nhw'n clwad gair o iaith arall.

"I was talking to my daughter," medda fi. "Dos rŵan, cariad. Tossa'm pwynt i chdi oeri, nag oes?"

"Did you call me a tossa?" mo a dechra sgwario.

"No, not yet," medda fi, gwitiad i Gwenlli fynd allan o glyw. "But I can't help noticing that some wanker has changed the name of the house. This place is called 'Llidiart Gwyn'!"

"Not any more, mate!" medda'r boi. "My daughter's called Ria. People were startin' to call her Ria Lidiart. 'The Nook' is good enough for 'ooz, right?"

"Spoken like a true monoglot!" me fi.

"What?" mo.

"There you are, see!" me fi. "You're so fuckin' monoglot you don't even know what it means!"

"Don't you swear at me!" mo. "I'll call the police. This is my land and you're trespassin'!"

"You're the one who's trespassin'!" me fi. "The moment you came over the bridge. This is my grandparents' house. Always was, always will be!"

"That's the trouble with you Welsh," mo. "You're so narrow-minded. You're totally incapable of welcomin' strangers!"

"Call yourself a welcoming stranger?" me fi. "All I wanted was a peek at my ancestral home! Big fat English cunt. Why don't you just fuck off back over the bridge where you came from?"

"What's this bloody bridge you're on about?" medda'r boi. "I came through the Mersey tunnel!"

"Look!" medda fi, Bont Hafran ar 'y mrêns i. "I've had a bellyful of this shit. You're anglicising my book. I'll get bollocks off Ms Awen Gwales and the Welsh Books Council!"

"Fook your book!" medda fo wrtha fi.

"Fook your Nook!" medda fi. "And all who sail in her! I'd board up my windows if I were you. There's a terrible storm called 'Typhoon Taffy' that rages around here every weekend, smashing every window in sight!"

"You threatnin' me?" mo.

"No," medda fi. "But I know a man who can. They sell very good smoke alarms in Pwllheli at 'Owain Glyndŵr and Sons'! People around here are affectionately known as 'penwaig Nefyn' but you – you're just a pickled fuckin' herring!"

Nath y boi ddim byd dim ond chwibanu'n uchal a dyna

pryd dath Lance y Rottie ar y sîn, bomio allan o drws tŷ a gneud bi-lein am asgwrn crimog 'y nghoes chwith i. O'dd gynno fo gŵd mor fawr â Frankie Lynch ac o'dd ei ddannadd o'n fwy byth, ia!

"Go on, Lance!" medda'r Sais chwil. "Kill the fookin' sheepshagger!"

Ond o'dd o wedi pigo ar y boi rong tro 'ma, doedd?

Dwi 'di arfar efo cŵn ar gadarn goncrit stada tai cownsul ar hyd 'yn oes. Ti'n meddwl bod gin i ofn Rottweiler cynddeiriog o'dd yn ffrothio fatha tasa rabies arno fo? O'dd siŵr ffwc, fysa gin ti ddim? Ond 'be prepared', chwedl y 'Boy Scouts 23rd Twthill Division'! O'n i wedi bod yn symud dodran yn Sain Ffagan trw' bora ac o'n i'n dal i wisgo'n steel-toecaps. Nesh i ddim lol, dim ond crymanu 'nghoes a rhoid homar o gic i'r bwystfil yng nghrombil ei goolie-goolie-wash-wash nes o'dd o'n rowlio ar ei gefn ar lawr efo'i geillia rhwng ei bawenna yn udo fatha ffycin Dracula ar drana!

Ond tasat ti'n gweld ei berchennog o, 'ta! Dyna lle'r oedd o ar ei linia ar lawr fatha ryw nyrs Edith Cavell yn tendio ar Lance Corporal yn Rhyfal y Crimea ac yn gweiddi 'hot water and bandages!' ar ei wraig hyll o'dd yn rowlio'n chwil beipan allan o'r tŷ i weld be o'dd y comoshwn.

Peth rhyfadd ydi diwylliant y Sais, ia?

Uffar o foi tyff ar yr wynab.

Bomio Belgrade am saith deg wyth o ddyrnodia'n ddi-stop.

Smasho Baghdad yn dipia mân a'i watshad o i gyd ar y teli fatha tasa fo'n gêm ffwtbol.

Hil-ladd ei hochor hi dros y byd i gyd ar hyd yr oesoedd.

Ffwc ots am bobol.

Ffwc ots am eu diwylliant nhw.

Ond twtsha di ben dy fys yn ei gi fo. Iesu Grist! Mi droith yn jeli o deimladrwydd, yn sploj sentimental, yn jeran sy'n crynu fatha blymonj ar ben treiffl.

"Oh, my beauty! What has he done to you?" medda fo'n

ddagreuol. "That's the trouble with you Celts," mo. "You just don't value life the way we do!"

"Beth sy'n bod, Dadi?" medda Gwenlli, o'dd yn gwrando ar ei thâp 'Love is All Around Us' yn y car.

"Dim byd!" medda fi, sychu'r gwaed 'ddar 'yn esgid. "Jest deud stori wrth y dyn. Clirio dipyn bach o Anni-bendod yn yr ardd, ia?"

\* \* \*

O'dd y Sais yn hawdd. Wynebu Siân pan esh i'n ôl i Gaerdydd – dyna o'dd y broblam. O'dd yr heddlu wedi ffonio yn dilyn tip-off bod yr FWA wedi ailddechra 'Operation Kamikaze Corgis' yng Ngwynedd.

"Wyt ti'n gall, gwed?" medda Siân. "So ti'n ca'l mynd lan i'r Gogledd ben dy hunan 'to. Ti fel dyn gwyllt o'r co'd pan ti'n mynd lan 'na. Pwy fygwth y dyn 'da'r FWA?"

"Callia, nei di?" me fi. "Pw' niwad nath yr FWA i neb 'rioed? Ma' nhw'n ddigon diniwad i fod yn Party oF WAles, myn uffar i!"

Ond ma' Siân yn iawn. Ma' 'na rwbath yn digwydd i mi bob tro bydda i'n teithio am adra ac yn dechra gweld mynyddoedd Eryri yn codi'n urddasol ar y gorwel... Mi fydda i'n meddwl am gerdd T. H. Waldo Williams, *Psalm*, ac yn adrodd y geiria i mi fy hun... 'Dyrchafaf fy llygaid i'r mynyddoedd, o'r lle daw fy nghymorth...Wrth fy nghefn ym mhob annibyniaeth barn...Nes dyfod ohonynt yn rhan o'n hanfod i', a ballu, ia?

Dwi'm yn cofio gweddill y gân ond bob tro dwi'n agos i Eryri dwi'n teimlo fatha Cymro ga'th ei fforsho i dynnu walia Castall Dolbadarn i lawr yn 1282 a chario'r cerrig lawr i Cei Llechi er mwyn i'r basdads ga'l bildio Castall Caernarfon, er mwyn iddyn nhw ga'l 'yn gorthrymu ni am byth!

"Byth nid anghofiaf hyn, ia?" medda fi wrth Siân. "Mae o fatha tasa cynddaredd wedi ca'l ei storio yn dy DNA di ar hyd yr oesoedd ac yn mynnu bod chdi'n gweiddi 'Don't get mad, get Madryn!' "

"Nonsens rhamantedd!" medda Siân. "Pwy les ti'n meddwl ma' hyn yn neud i wleidydd fel fi? 'Y ngŵr i'n wmladd yn gyhoeddus! Wy i'n gwbod bo Saunders wedi bod yn ffŵl dros Gymru ond ma' hyn yn blydi ridiculous! Pwy esiampl yw e i Gwenlli? Sawl peint o't ti wedi ga'l cyn taclo'r tacle? Os wyt ti'n mynnu bod yn alcoholic bydden i'n ddiolchgar iawn set ti'n folon bod yn alcoholic anonymous, reit?"

"Ma' hi'n olreit i chdi…!" medda fi. "… Ma' tŷ dy famgu gin ti, tydi! Ond be sgin i i gofio am 'y nheulu? Talu rhent o'dd Nain a Taid Nefyn! Dyna ydi'r trwbwl efo'r etifeddiaeth 'ma – ma' rhei pobol yn ca'l ei gadw fo a tydi pobol erill ddim!"

# West is Best

"Stopa weud 'na!" medda Siân. "Nage tŷ ha' yw e!"

"Be 'di o, 'ta?" medda fi. "Dim ond yn yr ha' 'dan ni'n dŵad yma!"

"So 'na'n wir! Ni'n dod 'ma Pasg, Sulgwyn, hanner tymor yr hydref..."

"Ia, OK!" medda fi, gadal iddi barablu 'mlaen. Tydi o'm yn talu dadla gormod efo hi ar ddwrnod cynta'i 'gofid'. Ma' hi a'i hormones ar eu gwylia, yli, a dwi'n gadal llonydd iddyn nhw gael eu PMTea...

Newport, Pembs. Lle bach braf ar lan y môr. Trefdraeth. 'Tudrath' i'w ffrindia. Pentra Cymraeg – ar un adag beth bynnag, cyn i'r Saeson ddechra heidio yma i brynu'r tai a hel y Cymry i'r tai cyngor. Hogyn o Sir Benfro o'dd Simon Pugh, tad Siân; fuo'i fam o fyw am rai blynyddoedd ar ei ôl o, ond pan giciodd hi'r bwcad mi gafodd Siân y tŷ. Mae o'n wag am dri chwartar y flwyddyn fatha'r rhan fwya o'r tai erill. Be bynnag ma' Siân yn ddeud dwi'n meddwl ella na tŷ ha' fysa Meibion Glyndŵr yn ei alw fo.

"Gad dy nonsens, reit?" medda Siân. "Ti wedi sbwylo'r ffycin gwylie hyn cyn i ni gyrredd! Tŷ M'gu yw hwn a sneb yn mynd i alw enwe 'no fe, reit?"

A dyna ddiwadd y ddadl. Pwy ydw i i ddadla efo cyllath fara, ia?

Ma' Ben a Lun wedi dŵad efo ni tro 'ma. Rhent am ddim, siwtio Lun yn iawn, a Ben – wel, mae o ar ben ei ddigon, yndi? Tydan ni ddim wedi bod yma fwy nag awr nag ydi o wedi llunio rhestr Wês, Wês, Wêth a sortio'n gwylia ni i gyd allan fatha drawing-pin dan ei fawd.

## 1. Bwytai Gore
Anne Robinson's Farmhouse Kitchen, 109 Main Street, Abergwaun
*('Drud' – Lun)*
*(Welsh Black Beef? Be ma' nhw'n neud – 'i losgi fo'n golsyn ne' rwbath?)*

## 2. Traethe Gore *(Pwy 'di hwnnw – brawd Al Gore?)*
Traeth Mawr / Caer Gai – Tŷ Ddewi
Mwnt
Poppit, Aberteifi *('Cardigan – ma' hi wastad yn chwthu' – Siân)*
Broad Haven *(Fysa Bill Clinton yn y nefoedd yma!)*

## 3. Tafarne Gore
Tafarn Sinc, Rose Bush ✓✓
Tafarn Bessie, Cwm Gwaun
Sloop, Porthgain – local Cerys Matthews *(Pwy 'di honno pan mae hi adra?)*
Ship, Solfach – tafarn Meic Stevens gynt

## 4. Llenorion ac Enwogion y Genedl
Cofgolofn Waldo
Cofgolofn Dewi Emrys – Pwllderi
Cofgolofn Barti Ddu – Casnewy' Bach
Bedd Twm Carnabwth – Mynachlog-ddu *(Pam bod pirates yn ca'l cofgolofn a chwyldroadwyr ddim?)*

## 5. Mannau Hanesyddol
Eglwys Gadeiriol Tyddewi *(Gormod o steps i'r pram)*
Pentra Ifan – cromlech *('Boring' – Gwenlli)*
Castell Henllys – pentre Celtaidd *(Piso bwrw)*
Melin Trefin – 'Nid yw'r felin heno'n malu' *(Ben Bach sydd!)*

## 6. Bywyd Gwyllt
Bae Ceibwr, Trewyddel – morloi

Folly Farm, Arberth – zebras *('Pam mae'r ceffyl wedi dwyn crys Craig Bellamy?' – Gwenlli)*

Mynyddoedd y Preseli – cudyll, boncath, cowbois Crymych...


### 7. ANTUR

Llwybyr yr arfordir *('Virtual vertigo!' – Lun)*

Seven Seas Boat Trips – ???

Martin's Haven *('cyfle i'r dynon ddysgu bach o ddeifo, falle?' – Ben. 'Ffwc o beryg!' – Gron)*

"Ma' fe'n neud gwa'nieth ca'l Ben 'bytu'r lle, on'd yw e?" medda Siân. "Ma' fe'n gwbod yn gwmws ble i fynd!"

"Tydi o hefyd?" me fi. Fydda i'n teimlo fatha deud wrtho fo lle i fynd weithia. Cont bach yn meddwl bod o'n gwbod bob dim!


"Reit 'te!" medda Lun yn syndod o sionc o'r gegin un bora. "Sdim ots 'da chi bois fynd lawr i'r 'Spar' i ôl cwpwl o bethe, o's e?"

"Dim o gwbwl," me fi fel siot, gweld cyfla i ga'l rhyw chwart bach syd yn y 'Golden Lion' cyn cychwyn am lan môr.

"Jiw, jiw! Ma' hi fel bod gatre man hyn, on'd yw hi?" medda Ben yn y pyb. "Shwmai byt! Shwt wyt ti?" medda fo wrth ryw gont o Cyncoed. "Ma' hanner Cardydd â thai haf man hyn, t'wel! Llongyfarchiade boi!" medda fo wrtha fi. "Tithe'n berchen ar ail gatre nawr!"

"Well na Cymry Cymraeg sy pia nhw na Saeson ma' siŵr, yndi?" medda fi drw' 'nannadd.

"Ody fe?" medda Ben. "Gwed ti 'na wrth y bobol ifanc sy'n ffaelu prynu tai achos bo ti a dy deip yn hwpo'r prishe lan!"

"Yli – cont!" medda fi. "Wyt ti'n trio difetha'n holides i ne' rwbath? Olreit i ddarlithydd fatha chdi. Chwe mis o wylia bob blwyddyn. Dim ond tair wsnos dwi'n ga'l gin yr Amgueddfa. Os nag wyt ti'n licio yma elli di bacio dy fag a ffwcio o'ma, reit?"

"Hei, dere 'mla'n!" medda Ben. "Dim ond jocan 'na i gyd! Sdim ishe i ti deimlo'n euog. Ma' fe'n dod i ni i gyd, t'wel..."

"Be?" medda fi.

"Croestyniade!" mo. "Sdim rhaid cario baich y genedl bob man ti'n mynd, t'wel! Syspendo dy animation, 'na beth yw gwylie, ife? 'Mae'n braf cael byw mewn tŷ haf. Mae'n grêt cael byw yn sidêt!' chwedl yr hen Edward H(ypocrite) Dafis 'slawer dydd. Hifa dy beint a joia, 'chan!"

O'n i wrthi'n torri brechdana yn y gegin un bora, meddwl byswn i'n saffach na Siân efo'r gyllath fara, pan ddath Gwenlli i'r tŷ efo'r hogan bach 'ma o'r ffarm lawr lôn.

"Torr gwpwl o sangwejes ecstra, nei di?" medda Siân wrtha fi. "Ma' Mererid yn dod 'da ni."

"O Iesu Grist!" me fi.

"Paid â dechre!" medda Siân. "O'dd M'gu yn ffrindie penna 'da M'gu Mererid. Sdim ishe becso, dim ond pum milltir yw e i'r tra'th!"

"Ia, dwi'n gwbod," medda fi. "Ond ma' honna'n sâl-car ar ôl pum llath!"

O'dd Mererid wedi bod efo ni o'r blaen ac o'n i'n gwbod o chwerw brofiad sut bysa petha. O'n i'n sbio 'mlaen at y picnic ar Draeth Mawr a tydi ogla chŵd lond car ddim lot o appetiser, na'di?

Ond chwara teg i ddiawl, ma' raid bod ei mam hi wedi clwad am asiffeta o'r diwadd ne' rwbath, achos mi fuodd Mererid rêl boi trw'r dydd, chwara yn y tywod efo Gwenlli, mynd i drochi efo Luned sy'n methu torheulo fwy na finna. 'Co'r Cochion Caerdydd!' fel bydd Siân yn deud. Mi o'dd y wraig mewn mŵd da am tshenj ac mi o'dd Ben Bach yn ca'l modd i fyw wrth 'yn leinio fi ar y 'boules' trw'r pnawn. Ffwc ots gin i, nag oedd? Boi fel'na dwi – dwi'n hapus gyn bellad â bod pob un arall yn hapus. 'Relax – don't do it!' medda'r boi ar y record ac am tua tair awr dyna be nesh i – ne' nesh i ddim – dibynnu sut ti'n sbio arni... Bob dim yn grêt tan i Ben Bach, con' dwl, awgrymu 'Seven Islands Boat Trip'...

O'dd y môr rhwng y tir mawr ag Ynys Dewi yn edrach fatha Llyn Llefrith ac o'dd Ben Bach yn sgut am fynd i weld yr ynysoedd mewn cwch.

"Fiw i ni!" me fi, pwyntio at Mererid. "Ddim efo hon."

"Paid ti meiddio dishmoli'r groten!" medda Siân. "Ma' hi'n amlwg nag yw hi ddim yn mynd yn dost rhagor. Sdim pwynt edliw eu gorffennol i neb, o's e?"

Fi o'dd yn ca'l honna m'wn am 'y nghamwedda, a dyna basio bod ni i gyd yn mynd i forio.

"O't ti'n gwbod bod 'na ran o Gymru sy un filltir ar bymtheg bant o'wrth weddill y wlad?" medda Ben wrtha fi.

"Be – y Cynulliad?" medda fi.

"Nage'r bat!" medda Ben. "Ynys Gwales. Teithiau'r Mil Ynysoedd. No two trips are ever the same!"

Do'dd 'na ddim lot o ddim byd i neud ar y cwch deud gwir 'blaw am stagio ar adar a gafal fel gelan yn nwylo'r ddwy hogan bach rhag ofn iddyn nhw syrthio i'r môr. Adar sy'n byta adar erill ydi adar sglyfaethus, medda Ben wrtha i, ond adar sglyfaethus i mi ydi petha fatha gwylanod sy'n cachu am dy ben di yr holl ffor' er gwaetha'r ffaith bo chdi'n rhoid crystia dy ginio iddyn nhw i fyta.

"Beth yw 'shag' yn Gwmrâg?" medda Lun, dechra piffian chwerthin yn 'y nghlust i. Un sieri amsar cinio a ma' Lun yn fwy sglyfaethus na gwylanod hyd yn oed.

"Dwi'm yn gwbod, Lun," medda fi, "ond dwi'n gwbod be 'di 'codiad yr ehedydd' yn Susnag – 'Fuck this for a lark!', ia?"

Dyma Lun yn dechra giglo fatha ffŵl dwl.

"Hisht, w!" medda Siân wrthi. "Walle bo rhai o'r criw yn dyall Cwmrâg!"

"Dim ffiars o beryg," medda fi. Pobol od sy ffor' hyn. Hyd yn oed os ydyn nhw'n dallt ma nhw'n smalio na tydyn nhw ddim. Fatha'r hogan wrth y bar yng Ngwesty'r Walpole amsar cinio, yn twangio ac yn how-now-brown-cowio efo ni er gwaetha'r ffaith bod hi'n clwad ni'n siarad Cymraeg efo'r plant. Cymyd arni nad oedd hi'n dallt dim gair nes i 'Harri Groesgoch' ddŵad i mewn a difetha bob dim...

"Shwt wyt ti, Mari fach?" medda fo. "Der â peint i fi cyn ti syrfo rhein, nei di?"

Mari fach yn cochi at ei chlustiau wedi ca'l ei dal yn gwthio'r Cwmrâg i'r lle liciwn i fod yr eiliad yma – dan yr hatshes yn y bog, ia. Taswn i wedi sticio i dri pheint fyswn i'n iawn, y dybl-wisgi chasers gesh i, dyna oedd y trwbwl...

Esh i mewn dan y dec am bishiad, tynnu 'ngwynt ata a thynnu sgwrs efo'r Ianc 'ma o'dd yn gweithio ar y cwch ynglŷn â be o'dd o'n alw'n 'Grassholm'.

"It's called Gwales in Welsh," me fi.

"Really?" medda'r boi.

"That's Wales with a 'G' in front of it," medda fi.

"Gee!" medda'r boi. "I'll remember that."

"Don't forget to close your flies," me fi. "It's a biting wind out on deck. You'll be sayin' more than 'gee' if you get frostbite in your dick!"

"Gwales!" medda Ben fatha ryw Robinson Cruise-io wedi sbotio darn o dir glas ar y gorwel.

"Grêt!" me fi. "Pryd 'dan ni'n glanio?"

"Paid bod yn dwp, w!" medda Lun. "Gwarchodfa adar yw Gwales, ife? So pobol yn ca'l mynd 'na, t'wel."

Cwbwl neuthon ni o'dd mynd rownd yr ynys ag yn ôl, ond o'dd o'n ddigon o amsar i Ben Bach ddeud hanas Ben Mawr, sef y cawr Bendigeidfran gafodd ei ladd wrth reslo efo Mick McManus yn Iwerddon. Ddaru'r Magnificent Seven – Pryderi Ail Taran, Taliesin, El Bandito a rheina – gario'i ben o i fan hyn. I be dwi'm yn gwbod – fyswn i ddim yn ymddiried yn y National Trust i 'nghario fi i nunlla!

Ma' 'na 30,000 o adar yn nythu ar Gwales bob ha' meddan nhw a phob un wan jac yn cael ei ddiogelu gan y gyfraith. Ond does 'na neb yn codi bys bach i achub yr iaith ffor' 'ma, nag oes? Faint o Gymro ydi Glyn Rhosyn druan erbyn hyn? Faint o Meic Stevenses sy 'na yn Solfach? Sam Cei o'dd yn iawn – ffwcars ydi'r Greens! medda fi wrth 'yn hun.

Ac wedyn yn sydyn dyma'r gwynt yn troi a'r tonna'n dechra chwipio a 'mheint i'n sboncio i bob man ond 'y ngheg i. Y capten a'r criw'n meddwl dim byd o'r peth a finna fatha Joni Panic efo twll ynddo fo yn crynu'n 'yn sgidia yn fanna. O'n i'n gweld y cwch yn cael ei ddryllio'n dipia ar y creigia. Ar fôr tymhestlog teithiodd rhwyf a dim golwg o'r cyrff am wsnosa! O'n i'n teimlo mor sâl, hynny fedrwn i oedd peidio chwdu 'ngyts ar hyd y cwch bob man a'r unig beth stopiodd fi oedd y cwilydd. Fyswn i'n edrach rêl twat, byswn, ar ôl cwyno cymint os na fi a nid Mererid bach oedd yn sâl môr yn diwadd?

BETH YW EICH CREFYDD? ... ERRATA

☐ Dim
☐ Cristnogaeth
☐ Bwdaeth
☐ Hindw
☐ Iddewiaeth
☐ Moslem
☑ Siciaeth

"Shwt ti'n teimlo nawr?" medda Siân wrtha fi yn y bar yn y St Non's.

"Ddim yn bad, 'sti!" medda fi. "Ma' tri pheint o lagyr wastad yn setlo'n stumog i."

"'Na fe!" medda Siân. "Grondo. O's ots 'da ti os daw Mererid mas i swper 'da ni?"

"Nag oes siŵr Dduw!" medda fi. O'dd hi'n amlwg bod y fechan wedi dŵad dros ei salwch rêl boi erbyn hyn. "Ma' lysh yn agor dy stumog di bob amsar, tydi? Deud y gwir wrthat ti, o'n i jest â ffwcin llwgu!"

"Shwt byddet ti'n lico dod i fyw 'ma'n barhaol?" medda Siân yn y car ar y ffor' i'r bwyty.

"Lle?" medda fi.

"Tudrath," medda hi.

"Iesu Grist! Ara deg rŵan," medda fi.

"Ti sy'n neud ffys bo' ni'n cadw tŷ ha'," medda hi.

"Ia, dwi'n gwbod," me fi. "Ond siarad sens, nei di? To's 'na'm bwci yr ochor yma i Abergwaun, nag oes?"

"Table for sicks!" medda fi wrth y ddynas yn y restaurant ddrud 'ma yn Nhyddewi. Ond o'dd hi'n amlwg nag oedd y ddynas ddim wedi gweld y jôc.

"I'm sorry!" medda hi a'i thrwyn yn yr awyr. "We don't cater for children."

"Don't you fret!" medda Siân. "Our children are very well behaved. And they eat exactly the same food as we do!"

Deg punt ar hugian am gimwch myn uffar i! 'Cimwch eu harian nhw!' fel ma' nhw'n deud yn Sir Benfro, ia? Ond be o'dd yr ots, mi oeddan ni ar yn gwylia a dyma Ben a Siân yn penderfynu bysan ni'n ca'l cimwch coch 'en naturelle' i'r oedolion a rhwbath bach symlach i'r plant. Mi o'dd 'na sgriwdreifar a pheth torri-cnau a bob dim yn dŵad efo'r cimwch. 'Weapons of mass destruction' myn uffar i ond o'dd Ben Bach yn glafoerio wrth feddwl am ddatgymalu'r gragan.

Pawb yn sbio 'mlaen am y sgram. Pawb ond Mererid...

"Be sy'n bod, bach?" medda Siân.

"Simo i'n lico fish!" medda hi.

"O, reit!" medda Siân.

Dipyn o broblem mewn tŷ byta sy'n cynnig dim byd ond pysgod... Ddyn bach, dwi'n gofyn i chdi! Hogan o Sir Benfro, gwlad sy wedi'i syrowndio gin fôr, ond dyna fo, chwara teg i Siân, ma' hi'n athrawas o'i chorun i'w sowdwl ac mi o'dd hi'n cŵl iawn efo'r hogan.

"Paid â becso!" medda Siân. "Halwn ni'r pysgod yn ôl a gofynnwn ni am rwbeth arall i ti."

191

"Ti'n gwbod be fysat ti'n ga'l yn dre tasat ti'n gyrru rwbath yn ôl, twyt?" medda fi wrth Ben.

"Taw â sôn!" medda Ben. "Fflemsan yn dy wystrys siŵr o fod, ife?"

"Wyt ti 'rioed wedi ca'l wystrys, do? Fysa ti'm yn medru deud gwahaniath. Na – meddwl am y mayonnaise o'n i…"

"Mae-o'n-neis!" medda Gwenlli, sy wedi mynd i ddangos ei hun braidd ers iddi sylweddoli bod chwara efo geiria'n hwyl.

"Goronwy!" medda Siân. "Ma' 'da moch bach glustie, ti'n gwbod. Gofala bo' ti'n cadw dy jôcs yn lân, reit?"

"Sori!" me fi.

"Sorry!" medda Siân wrth y waitress. "We've got a little vegetarian here. Do you think we could have some pasta to mix with the veg?"

Ond wedyn dyma Mererid yn dechra crio.

"Beth sy'n bod, bach?" medda Siân.

"Simo i'n lico vegetables!" medda hi.

"Beth y'n ni'n mynd i neud â ti, gwed?" medda Siân yn jocôs. "Potshwn ni bach o'r tato 'Dauphinoise' hyn i ti, ife…?"

"Sa i'n lico'i smel e!" medda Mererid. "Ife garlic yw e? Ma' garlic yn hala fi'n dost!"

Dyma pawb yn sbio ar ei gilydd ar ganol fforciad oediog. Ffyc mi mor binc â'r lobster! Dyna lle'r oeddan ni'n ista wrth y bwrdd efo gwerth cannoedd o fwyd gora'r deyrnas o'n blaena ac mi o'dd hon yn ôl ar y sic! O'dd y bwyd wedi colli'i flas mwya sydyn ac o'dd y Chablis wedi troi'n shabi. Mi o'dd Ben Bach yn teimlo fatha iwsho'r arfa dinistr mawr arni hi dwi'n meddwl. Ond sut fedrwch chi ddadla efo plentyn sydd ar fin gwagio Coco Pops ei brecwast dros 'ych swpar chi? Fuo rhaid i ni glirio bob dim mewn deg munud fflat a gweddïo bysa Duw'n gneud y gweddill!

Pwy sy'n deud na fedrwch chi ddim teithio trw' amsar? Oeddan ni i gyd mewn byd arall mewn llai na hannar awr yn gwatsiad Mererid yn byta 'Happy Meal' yn McDonalds

Hwlffordd. Am hogan bach sy ddim yn licio 'llaeth' mi o'dd y milkshakes mefus yn mynd i lawr fel slecs, a rwsut ne'i gilydd toedd hi ddim yn sylweddoli na caws o'dd y stwff plastic piblyd 'na o'dd wedi toddi ar hyd ei double-cheeseburger hi.

"Sdim rhyfadd nag ydi hi byth yn sâl, nag oes?" medda fi wrth Ben. "Tydi hi'm yn byta dim byd gwerth ei chwdu!"

"Ie, wel, ma' nhw'n gweud bo' lot o 'aliens' yn lando yn Shir Bemro, t'wel," medda Ben. "Ma' nhw bown o ga'l dylanwad!"

"Pidwch pigo ar ffrind fi, reit?" medda Gwenlli. "Ma' hi wedi aros mor hir, ma' hi'n starfo! Fi'n lyfo bwyd hyn, Dadi! Pam sdim Mic Donals i ga'l yn Gardydd?"

'Pa beth yr aethoch allan i'w achub?', chwedl yr hen J. R. Jones ers talwm. Os 'na peth fel hyn o'dd diwylliant cefn gwlad, toedd o ddim gwerth tatan, nag oedd? Ne' dyna be oedd 'yn csgus i eniwe. Mi alwon ni am alwyn neu ddau yn Nhafarn Bessie ar 'yn ffor yn ôl i Dudrath. Cwrw casgan wedi'i syrfio allan o jwg, gin greadures brinnach nag aur, sef tafarnwraig glên Gymraeg. Am ba' hyd dwi'm yn gwbod: ma' Cwm Gwaun wthnosa ar ôl pawb arall bob amsar, tydi? O'dd yr haul wrthi'n machlud yn bêl o dân uwchben y môr a Charn Ingli druan yn gwrido i gyd wrth iddo fo brysur droi'n Carn Inglish...

193

# Dirgel Ddyn

O'N I'N ISTA ar y fainc yn y parc yn watsiad Gwenlli'n chwara ar y siglen pan dda'th y boi 'ma i fyny ata fi fatha ysbryd, yn sydyn allan o nunlla...

"Paid â cha'l dy dwyllo!" medda'r llais.

"Sori..." me fi, sbio o 'nghwmpas. "Ydach chi'n siarad efo fi, yndach?"

"Ffurflen y Cyfrifiad... Diffyg blwch tic Cymraeg. Trap ydio," mo. "Paid â syrthio i mewn iddo fo."

"Paid â phoeni!" medda fi. "Dwi'n dallt y dalltings yn iawn. Politics – dim problem. Ma' 'ngwraig i'n thinc-tanc a ma'n mêt gora fi'n spin-doctor."

"Gwranda arna i!" medda'r boi yn daer. "Do's gin i ddim llawar o amsar. Paid ar boen dy fywyd â llenwi'r ffurflen 'na!"

"Pam?" medda fi.

"Pam wyt ti'n meddwl na toes 'na ddim blwch tic Cymraeg ar y ffurflen?" mo.

"Pa mor hir ydi darn o linyn, ia?" medda fi. "Ma' pobol wedi awgrymu pob math o resyma!"

"Gân nhw ddeud be fynnan nhw," medda'r boi. "Dim ond un atab sydd i'r cwestiwn. Tydi o ddim yna am na tydyn nhw ddim isho iddo fo fod, nag 'di?

Meddylia!

Be sgin ti fan hyn?

Cyfrifiad Swyddogol ddau fis cyn etholiad cyffredinol! Os gwelwn ni'r un patrwm pleidleisio yng Nghymoedd y De ag a welson ni yn etholiad y Cynulliad ma' 'na bosibilrwydd gwirioneddol y byddan nhw'n colli'u mwyafrif yng Nghymru am y tro cynta ers cyn co!

Nid ar chwara bach ma' neb yn gollwng ei afael ar bŵer absoliwt fel'na, naci? Ma' nhw'n cachu yn eu trowsusa ofn i'r Blaid Fach droi'n Blaid Fawr! Tasat ti'n nhw, fysat ti'n meiddio rhoid dewis i bobol Cymru ar adag mor dynged-fennol?

BETH YW EICH GRŴP ETHNIG?
☐ CYMRO / CYMRAES
☐ PRYDEINIG ARALL

– gan gyfadda'n swyddogol am y tro cynta erioed na tydi 'Prydeinig' ddim yn ddisgrifiad dilys o genedligrwydd Cymro? Dim ffiars o bcryg, mêt!"

"Ia, ond be 'di'r pwynt?" medda fi. "Fedran nhw ddim gneud hyn eto na fedran? Ar ôl yr holl ffys! Fydd rhaid iddyn nhw roid blwch tic Cymraeg tro nesa, bydd?"

"Be 'di'r ots am hynny?" mo. "Ymateb i greisus ydi hyn, 'de? Wyt ti'n cofio'r Arwisgo? Dyna be o'dd hwnnw. Harold Wilson yn cachu bananas ynglŷn â thwf cenedlaetholdeb yng Nghymru ac yn penderfynu cryfhau ymdeimlad o Brydein-dod drwy neud uffar o sbloet o goroni Charles. Yr hen wraig ei fam o bron â mynd drw'i dillad gin ofn ond Wilson yn mynnu p'run bynnag!

"Wyt ti'n eu cofio nhw'n cyhuddo Arthur Scargill o ddwyn pres yr NUM, derbyn help gin Libya a bob dim? Celwydd noeth! Pawb yn gwbod hynny rŵan wrth gwrs ond pwy sy'n poeni? Cyfleustra'r funud, dyna i gyd sy'n cyfri. Ca'l nhw allan o dwll yn y tymor byr. Y peth dwutha ma' nhw isho ydi i bobol ddechra meddwl o gwbwl, wrth gwrs, ond gofyn y cwestiwn cenedlaethol ar drothwy'r etholiad? Y peth hawsa ydi peidio, 'de?"

"Yli – pwy wyt ti?" medda fi. "Pam wyt ti'n deud hyn i gyd wrtha fi? Be wyt ti'n ddisgwl i mi neud am y peth? Hyd yn oed tasa fo'n wir – dim ond dy air di sgin i am hynny…"

Ond mi o'dd y llais wedi mynd mor sydyn â doth o. Ddoth 'na gwmwl dros yr haul a welish i ddim hyd yn oed ei gysgod o. A wedyn dyma Gwenlli'n rhedag i fyny ata fi, ei gwynt yn ei dwrn ac yn dwrdio.

"Dadi! Beth sy'n bod 'not ti? Ti mor dwp. Ti'n siarad gyda dy hunan di 'to!"

# Maes Gwenllian

(llond drôr o souvenirs i'w ~~lluchio~~ cadw)

Oakwood Park *('Fi'n lyfo awkward park' – Gwenlli)*
   Eisteddfod Gylch *(gna'n siŵr bo chdi'n mynd â fflasg a digonedd o bapura newydd)*
   Dawnswyr Nant Carw *(junior section: 'Bambinos Bambi')*
   Folly Farm Sir Benfro *(plant y dre yn dwlu)*
   Pwll Nofio'r Fro *(gwersi nofio plant dan bump. Gwenlli'n gneud y 'butterfly' a finna'n gneud dim strôc)*
   Penwythnos yr Ysgol Sul yn Nhrefeca *(dim lysh)*
   Penwythnos yr Ysgol Sul yn Llangrannog *(mwy o lysh nag o'n i'n feddwl)*
   Trip yr Ysgol Sul i'r Afan Lido *('lysh' medda Gwenlli)*
   Gala Nofio *(ti wedi gweld dy gala'n nofio, do?)*
   Ynys y Barri *(cysgod sâl iawn o Rhyl)*
   Alton Towers *(lot gwaeth na Rhyl a Barri efo'i gilydd)*
   Legoland, Denmarc
   Disneyworld Paris *(Never in Iwrop)*
   Santa Clôs yn Lapland, trip dwrnod o faes awyr Caerdydd *(no wê – rhy ddrud i Dad, rhy bell i'r ceirw)*
   Carnifal y Bae
   Techniquest
   Eglwys Norwyaidd Roald Dahl and his Giant Peach.
   CroESSO i Gymru *(hysbyseb drüsh i werthu i gwmni petrol – 'don't call us, we'll call you')*
   Sweet and Sour Sais *(Gwenlli bach yn bod yn anfwriadol hiliol ar gefn bwydlen yr 'Hong Kong')*
   Cwmni Balet y Fro *(Welsh language courses available subject to demand. 'I demand!' medda fi ond dyma Dame Fargo Containe yn deud na toedd na ddim digon o alw)*
   Gwersi clarinet...

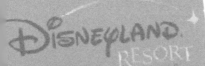

Gwersi telyn…
Gwersi piano…
*(Gwersi i Dad fynd ag ear-plugs efo fo tro nesa, ia?)*
Partïon Dolig
Partïon pen-blwydd
Partïon pyjamas
*(Ma' Jero Jones yn dal i rowlio chwerthin bob tro dwi'n sôn am 'ei pharti hi!)*
MMR
Testio llgada…
Pwmp asthma…
Eli eczema…

A+E Ysbyty Brenhinol Llantrisant – ffibia bod asgwrn wedi torri.

Munchaussen syndrome: pob clefyd sy gael ma' Gwenlli'n smalio bod o arni.

Doctor: "Sori, Mr Jones! Ma' hi'n gweld fel hawk ac ma' sgyfent fel Maria Callas 'da hi! Allwn ni ddim rhoi sbectol NHS a phwmp asthma iddi jyst achos bo hi'n meddwl bo fe'n cŵl!"

Noson PTA *(dallt dim)*
Dwrnod chwaraeon yr ysgol
Dwrnod marathon y teulu *(fyswn i wedi ennill 'blaw bod 'na gymaint o bobol o 'mlaen i)*

* 2.00 p.m. Ysgol Gynradd Saunders Lewis. Stafell y Prifathro.

Plant wedi bod yn Welshio ar Gwenlli am ei bod hi'n siarad Cymraeg ar yr iard.

Gwers hanes Dadi i Gwenlli: "Ti'n gwbod be nath y Dywysoges Gwenllian pan oedd Saeson yn ymosod arni, twyt?"

Prifathro wrth Dadi: "Gan bwyll, Mr Jones! O'n i'n pwslan o ble o'dd Gwenllian yn ei ga'l e!"

Siân: "Beth sy'n bod 'not ti? So hanner y pethe ar y rhestr hyn wedi digwydd 'to! Sdim ishe mynd o fla'n gofid, o's e?"

# Das Capital
## YR M4 CORIDOR

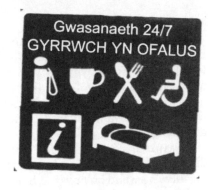

Gwasanaeth 24/7
GYRRWCH YN OFALUS

PWY FAGA BLANT, ia? Strygl ydi hi bob cam o'r ffor'. Digon hawdd deud na dy fabi di ydi'r Cynulliad. Ma' pawb yn glên iawn pan mae o'n cael ei eni, anfon cardia i dy longyfarch di, rhoid eu pleidlais i chdi'n bresant am dy draffarth a bob dim. Ond be sy'n digwydd pan ma'r babi'n mynd yn hŷn, yn dechra cambihafio, ac yn gneud cachu rwtsh ohoni a ballu? Digon hawdd rhyfeddu at y mwyafrif bach gwyrthiol 'na ddoth allan o'r groth – be sy'n cael ei ddelifro wedyn, dyna ydi'r cwestiwn, ia? Unwaith ti wedi ga'l o mae o'n blentyn i chdi ar hyd dy oes wedyn yndi?

O'dd lot o bobol wedi dechra gofyn y cwestiwn pwy o'dd y 'Cyn-' yn y Cynulliad, pwy o'dd yr 'Ass-' yn yr Assembli a ballu. O'dd ail etholiad y Cynulliad ar y gorwel yn rwla ac o'dd Siân a Ben Bach wrthi fel lladd nadroedd yn 'gosod seiliau'r ymgyrch' o leia ddwy flynadd ymlaen llaw.

"Beryg na socsan gewch chi tro 'ma!" me fi. "Amddiffyn y bilding – fysa'm yn well i chi ymosod ar y bobl sy'n ei redag o?"

Ond toeddan nhw ddim fel tasan nhw'n poeni dim. Oeddan nhw'n meddwl bysa pobol Cymru yn eu gwobrwyo nhw eto am eu hagwedd 'cyfrifol, hir-ymarhous a dirwgnach', ac roedd sbotleit Siân ar etholaeth 'Canolbarth Cambria' – rhanbarth yr oedd hi wedi ei 'dargedu'n arbennig' chwadal hitha.

Trwbwl ydi, o'dd rhaid i rywun aros adra i edrach ar ôl y babi go iawn, doedd, a gosod seilia'r cartra. O'dd Lun a fi yn teimlo fatha 'Footballers' Wives' tra roedd 'yn partneriaid ni allan yn nelu am y gôl genedlaethol.

"Fysat ti'n taeru bod nhw'n ca'l affêr ne' rwbath bysat?" medda fi wrth Lun, o'dd wedi 'ngwadd i draw i'r tŷ am damad o swpar chwara teg iddi.

"Pwy, Ben a Siân?" medda Lun dan chwerthin. "Watshia di mas, gw' boi. Bydd pobol yn dechre siarad 'bytu ti a fi! Ma' nhw'n gweud bo'r pysgod hyn yn affrodisiac, ti'n gwbod!"

"O'n i'n meddwl na wystrys o'dd rheiny?" me fi.

"Ie, wy i'n gwbod, ond so nhw'n stoco rheiny yn Kwiksave, t'wel!" medda Lun.

O'n i wedi disgwl rhwbath dipyn bach mwy sybstanshal na sardines ar dost ma'n rhaid i mi ddeud ond dyna fo ma' unrhyw newid yn tshenj i rywun sy'n gneud bwyd rownd y rîl fatha fi, yndi?

"Joia!" medda Lun. "Ti sy pia'r sardine mowr, 'drych. Elli di dynnu'r cro'n a'r asgwrn mas o'r llall a'i roi fe i Gwenlli."

"Ma' hi'n syndod pa mor bell ma' tun sardines yn mynd, tydi?" me fi. "Yr holl ffor' o Portiwgal, yli!"

O'n i'n sefyll mewn ciw tu allan i'r siop 'Radio Rentals' 'ma yn ganol Gaerdydd pan welish i Ben Bach yn siarad ar 'Maniffesto' ar y teli. Tydi'r rhan fwya o bobol y brifddinas byth wedi tiwnio i mewn i S4C ond mi o'dd pob un wan jac o delis y 'Rentals' yn dangos yr un peth, sef pedwar ar higian o Benna Bach yn serenu fatha gwelediadaeth uffern o 'mlaen i. O'n i wrthi'n gwrando ar y radio ar ailddarllediad o 'Eileen' – sef yr 'Eileen' – pan dynnodd y boi 'ma'r year-plug o 'nghlust i a gofyn:

"Hey, butt! Who's that twat on the telly? I could swear I've seen him before..."

"You've seen him on those other tellies by there, look!" me fi. "And, knowing him, he's saying something different on every one of 'em!"

Trw' gyd-ddigwyddiad anhapus iawn mi gafodd Tory Blêr a'i Blaid Lyfu'r Newydd ei ethol yn Brif Weinidog Lloegar jest cyn i ni ga'l senedd i Gymru. O'n i wedi ama ers sbel na ryw gloset Ceidwadwr, ryw lava-Tory o foi, oedd Ben Bach hefyd. Deud y gwir yn onast do'n i'm yn dallt be o'dd Siân yn ca'l dim byd i neud efo fo. Ond os o'dd o'n edmygu Margaret Thatcher o'dd o wedi gwirioni'n lân ar Yr Un Blêr. O'dd Llafur wedi ca'l cymint o landsleid o'dd pobol yn proffwydo na fysa'r Torïaid byth yn codi o'r mwd ac y bysa Tory Blêr fatha'r tlodion, efo ni am byth. O'dd Ben Bach yn meddwl bod Mandelson a Campbell a rheina yn bobol glyfar ar y naw. Yr un peth ydi spin-ddoctoriaid ledled y byd, ia? Ac o'dd Ben yn meddwl medra fynta fod gyn glyfrad bob tamad dros Gymru!

"What's 'e sayin'?" medda boi yn y ciw. "I don't understand Welsh even when it's silent!" mo.

To'n inna ddim yn medru darllan gwefusa chwaith ond toedd dim isho i mi. O'n i wedi clwad y cwbwl hyd syrffed, do'n?

1. Y geiria hud ydi 'consensws', 'clymblaid' a 'cynhwysol'.

2. Y nod ydi hunanlywodraeth nid annibyniaeth (Be 'di'r gwahaniath?).

3. Y logo newydd ydi y 'Party of Wales' fel bod pawb yn dallt y dalltings.

4. Gog-wydd gwleidyddol? AC/DC. Economi gymysglyd. 'Dan ni i gyd yn swingio ddwy ffordd bellach fatha Bob Blaid Bach.

5. Ac yn bwysicach na dim: dim smic yn y Maniffesto am unrhyw Gymraeg jest rhag ofn i ni ddychryn pobol waraidd a cholli'u hewyllys da nhw at yr iaith, ia?

Pan godish i'r pwynt dwutha na efo Ben dyma fo'n rhoid braich gynhwysol am 'yn ysgwydda fi ac yn egluro: "Popeth yn ei dro, ontife boi? Ca'l miwn gynta, gweithredu wedyn!"

"Be?" medda fi. "Deud clwydda?"

"Ma' rhaid bod yn gyfrwys, t'wel," medda Ben a wincio arna fi eto. "Bod yn gadno miwn byd o fleiddied, ontife?"

"Sgin ti'm lot o ffydd yn y bobol, nag oes?" me fi.

"Gron bach! So ti'n dyall, wyt ti?" medda fo'n nawddoglyd. "Cymer ddalen mas o 'Wisden' Robert Croft – so ti'n trechu neb trw' fowlo'n streit! Ma'n rhaid i'r cyfiawn ddechre sbino'r bêl hefyd, t'wel!"

Sôn am fwydro! Be gei di gin Campbells ond cawl, ia?

"Inclusive consensus? What the fuck does that mean?" medda'r dyn yn y stryd. "He doesn't expect me to vote for him, does he?"

"I think he's hopin'!" me fi.

"You gotta be jokin', butt!" mo. "He might stand a chance if he got off his arse and sorted this bloody queue out!"

O'dd 'na si ar led bod na go' dannadd yn Cathedral Road o'dd yn cymyd cleifion NHS newydd ar y llyfra. O'dd y ciw yn stretsho i fyny trw'r dre, heibio'r Stadiwm, heibio'r Castall yr holl ffor' i fyny Queen Street at fan hyn. Tydi'r Tory Blêr 'na ddim yn chwara o gwmpas, na'di? Mae o o ddifri calon ynglŷn â chreu dosbarth gweithio diddannadd.

O'dd Siân wrthi'n cnoi ei 'sushi' yn y lle 'Nippon' 'ma lawr yn y docia. O'ddan ni'n talu croc-bris am bysgod o'dd ddim hyd yn oed wedi bod yn y meicro. Dim ond dannadd 'Denplan' fysa'n medru cnoi'r blydi thing, a finna, con' dwl, yn mynnu sticio efo'r NHS trw'r cwbwl, ia?

O'dd Siân a Ben wedi bod yn y Cynulliad yn mwydro'r pwyllgor gwaith efo'u syniada ac o'dd Lun a fi wedi joinio nhw am bryd o fwyd. O'dd wir, medda fi wrth 'yn hun, wrth sbio ar 'y ngwraig yn sgramio, o'dd Siân wedi mynd yn 'wompen' o ddynas fel ma' nhw'n deud yn Sir Benfro. Ond dyna fo, fel dwi'n deud, be 'dach chi'n ddisgwl gin ddynas sgin 'uchelgais gwleidyddol, nid bychan', ia?

O'dd petha'n mynd yn uffernol o dda yng Nghanolbarth

Cambria, meddan nhw. Tasa digwydd iddyn nhw golli yn y rasus cynta heibio'r postyn mi fysa pwy bynnag o'dd ar ben y rhestr yn siŵr o fynd i mewn ar y PR p'run bynnag!

"Shwt byddet ti'n lico bod yn briod i AM?" medda Ben wrtha fi gan amneidio tuag at Siân.

"Be?" medda fi.

"Aelod Cynulliad!" medda fo. "Ma' Siân yn mynd i fod ar ben y rhester."

"Gad e fod nawr, Ben," medda Siân, dipyn bach yn flin. "Dyddie cynnar yw hi 'to. Ma'n rhaid i ni ennill calonne'r etholwyr gynta, o's e?"

Dwi'm yn gwbod pam bo nhw'n galw nhw'n AMs – tydi'r basdads ddim yn codi tan pnawn! Dyna lle ma' nhw wedyn yn potio ac yn sgramio ac yn hwrio lawr y docia 'ma, ac yn patro ar eu mobeils yn dragywydd.

"Don't tell me, tell Dafydd!" medda ryw gont ar y ffôn wrth y bwr' agosa aton ni. "He's the one who got us into this mess!"

"Esgusodwch fi!" medda fi. "Fysa ots gynnoch chi ddiffod y ffôn 'na? 'Dach chi mewn peryg o gwcio'n sushi fi!"

"Do you mind?" medda'r boi, cyfeirio at ei fodan. "I'm entertaining!"

"No you're not, you're very boring, actually!" me fi. "Sdim iws smalio efo fi bo chdi'm yn dallt Cymraeg. Gynnon ni deledu digidol rŵan, reit?"

Aeloda Cynulliad! Pwy ma' nhw'n meddwl ydyn nhw? Welish i doman o'r diawlad pnawn 'ma, Syphilis Jade, Candida Pritchard a rheina i gyd yn cerddad yn fân ac yn fuan ar hyd y bae, portffolios dan eu breichia nhw, meddwl bod nhw'n uffernol o bwysig. Gwaith calad siŵr o fod yndi, creu 51½ o jobsus allan o 'Amcan Un', llechio miliyna o bres Ewropeaidd lawr y draen achos bod Godro'n Brown yn rhy grintachlyd i roid arian cyfatebol iddyn nhw.

Esh i mewn i siop 'Jack Brown' y bwci, blys rhoid 'yn arian cyfatebol i gyd ar Lafur i ennill yr etholiad nesa eto: be bynnag ma' nhw'n neud ma' pobol fatha defaid, neith y Taffia byth golli ffor' hyn. Fi oedd yr unig wynab gwyn yn 'Jack Brown'. O'dd y llywodraeth wrthi'n rhedag ymgyrch 'Cacha ar dy Gymydog' ac oedd pawb yn meddwl na sbei DSS o'n i. Mae o fatha dau fyd lawr y docia 'ma, dwi'n deud wrthat ti. Faint o'r hogia sy'n gweithio yn y Cynulliad? Faint ohonyn nhw sy'n gwbod bod y lle yn bod? Ma'r dosbarth llywodraethol i gyd yn byw i'r de o'r M4 Coridor, mewn stribyn o 'South Bank', rhyw goridor pŵer rhwng gweddill Cymru a'r môr. A finna fatha rhyw 'illegal immigrant' yn 'y ngwlad yn hun yn echal-ôl i'r cwbwl. Y dosbarth canol Cymraeg – a ghetto nid myfi a ballu – y capal, a'r Aelwyd, a'r steddfod a'r cwbwl. Siân gyflwynodd fi i'r blydi lot ohonyn nhw ond tydi hi ei hun ddim yn mynd ar gyfyl yr un wan jac ohonyn nhw bellach! Light blue touch paper and retreat, ia? Tra bo hi'n colli 'phwyll mewn pwyllgora a ballu, yr hogyn sy'n mynd â Gwenlli i bob man!

"Ti'n swno fel J. R. Jones nawr!" medda Ben.

"Be?" me fi.

"Argyfwng gwacter ystyr!" mo. "Ti'n hala Siân i swno fel y 'Duw' a greodd y byd cyn bygro bant a gadel y mess i rywun arall!"

"Ar ei ben, Ben!" me fi. Tydi o'm yn ddrwg i gyd. Ma' perl i ga'l ym mhen llyffant weithia, does?

"Gwrandwch!" me fi, dechra meddwi braidd. Ma'r saké 'na'n mynd reit trwydda chdi pan ma' dy stumog di'n wag, yndi? "Ma'r Llyfu'r Newydd 'ma'n mynd ar 'y mrêns i. Eu Moses a'u proffwydi nhw sy wrthi'n malu cachu am greu môr coch sosialaidd rhyngthon ni a Lloegar a ballu. Pwy ma' nhw'n drio dwyllo? Yr un blaid ydyn nhw bob ochor i'r ffin. Be fedran nhw neud os ydi'i 'Big White Chief' nhw, Tory Blêr, wrthi fatha ryw Senator McCarthu'n trio ca'l gwarad o bob lefft-winjar fedar o? Ma' 'na uffar o fwlch rhwng y sein a'r seinia fanna, oes? Blaid ydi'r sosialwyr go iawn bellach, ia?!"

"Wel…" medda Ben yn betrus.

"Be sy…?" me Siân a'r tyndra yn dew yn yr awyr." Ma' Gron yn iawn! Ma' bwlch ar y whith – ma' ishe i ni lanw fe, on'd o's e?"

"Ie, ond clymblaid yw mudiad cenedlaethol yn ei hanfod, ontife?" medda Ben. "Ma' 'da ni Ryddfrydwyr yn ein plith ni, cofiwch, ambell i Dori twymgalon hyd yn oed. Trethdalwyr, pobol Annibynnol, cyfeillion o'r Blaid Werdd… Ond ma' 'da ni un ffactor sy'n ein clwmu ni i gyd 'da'n gilydd. Ni i gyd yn radical, on'd y'n ni?!"

"Be di radical?" me fi.

"Pobol s'ishe creu newid!" medda Siân.

"Sut 'dach chi'n gneud hynny?" me fi.

"Trw' greu gwrthdaro…" medda Siân a golwg fatha ci lladd defaid arni. Dyma hi'n sodro'i serviette ar y bwr' ac yn cychwyn yn wyllt am allan.

"Digon rhwydd nodi'r croestyniade, on'd yw hi?" medda hi wrtha fi a'i gwynab hi'n fflamgoch. "Eu datrys nhw – 'na beth yw'r pwynt, ontife?"

"Be sy?" medda fi wrth Ben a Lun. "Ddudish i rwbath, do?"

Nath Ben ddim byd ond gwenu'n gam a deud, "Paid â becso, boi! Nage ti yw e – fi sy'n ca'l honna!"

Hitia befo am y saké: fydda i'n teimlo bod hanas yn llifo reit trwydda i weithia! O'dd hi'n amlwg bod 'na densiyna mawr yn y Blaid Bach a'i bod hi mewn dipyn o gaeth-gyfla chwadal Nain Nefyn. Ben isho un peth, Siân isho rwbath arall. Be 'dach chi'n neud pan ma' rhywun yn trio sbinio'ch think-tank chi? Druan o'r pysgod yn y tanc, dyna'r cwbwl fedra i ddeud! O'dd 'na gymaint o gemistri gwleidyddol rhwng Ben a Siân o'dd hi'n beryg na babi test-tiwb fysa'r Cynulliad, ia.

Dwi'n cofio pan o'n i'n hogyn bach yn yr ysgol ers talwm, wedi ca'l yn hel allan o'r dosbarth am golli potelad o inc du dros y block-floor newydd sbon. Cofio sefyll allan yn y coridor yn sbio ar y plant erill yn y dosbarth a'i gweld hi'n braf arnyn nhw i gyd yn glyd tu fewn... Smotyn du dwi wedi bod byth ers hynny, ia. Pysgodyn allan o ddŵr yn sefyll tu allan yn sbiad i mewn... Ond dyna fo. Ella bod rhywun yn gweld mwy o fanna weithia. Dwi'n sefyll ar fault-line yr M4 Coridor yn meddwl tybad be ddigwyddith pan ddaw'r daeargryn. Dwi 'di mynd na tydw i'm yn gwbod i ba ddosbarth dwi'n perthyn bellach: y dyn ar y stryd 'ta'r dyn ar y sgrin? Be nei di pan ti'n byw rhwng y draffordd a'r môr ond boddi yn ymyl y lan, ia? Fyswn i'n bodio lifft o'ma taswn i 'mond yn gwbod ffor' dwi isho mynd.

# Dedlein

"Wyt ti'n gwbod o lle ma'r gair 'dedlein' yn dŵad wyt? Yn ystod rhyfal cartra America o'dd yr Iancs wedi rhoid y Joni Rebs yn carchar ac o'dd 'na weiran bigog o gwmpas y lle yn bob man. Ond jest rhag ofn iddyn nhw ga'l eu temtio i ddenig o'dd 'na lein wedi ca'l ei marcio fatha'r cylch 'na sy ar ganol cae ffwtbol. Os oeddat ti'n ddigon dwl i groesi honna, hwb, cam a sgidmarc, bwlat drw' dy ben fysa dy hanas di: dedar!"

"OK, OK!" medda fi wrth y golygydd. "Be wyt ti'n drio neud, 'y nychryn i?"

"Ma' dedleins yn dychryn pawb!" mo. "Ond lle fysat ti hebddyn nhw? Ma' hi'n unfed awr ar ddeg ar dy deitl di a tydi'r watsh ddim wedi stopio!"

"Sori!" me fi. "'Dio'm yn jôc trio sgwennu nofal, 'sti. Sgin i jest ddim digon o stamina, reit?"

"Lol botas maip!" medda'r boi. "Dwi'm yn dallt be 'di'r anhawster. Walia-wen, hil yr ab-swrd. Mae'r straeon i gyd gin ti ar blât. Cwbwl sy raid i chdi neud ydi dystio'r dystiolaeth a'u blydi wel cof-nodi nhw!"

"Digon hawdd i chdi siarad," medda fi. "Fi sy'n gorod slogio 'ngyts bedair awr ar higian bob dydd. Un peth ydi gwbod y straeon. Peth arall ydi'u blydi wel cysylltu nhw! Dwi wedi hitio walia a fedra i ddim mynd drostyn nhw, reit?"

Ond wedyn dyma fo'n mynd i'w ddrôr gan ystyn pishyn o bapur a'i ddanglo fo fatha abwyd o 'mlaen i.

"Ma' tsiec nesa'r Cwango Llyfra wedi cyrradd!" mo. "Dwi'm isho'i roid o i chdi," medda fo fatha ryw Chris Tarrant fargen. "Ond dangos di ddrafft i mi ac mi wna i!"

"Duw – ydi'r wasg wedi symud, yndi?" me fi.

"Nag 'di, pam?" mo.

"Arran y Lolfa Cyfyngedig mae o'n ddeud ar y tsiec. Pa mor gyfyngedig ydach chi os o's gynnoch chi swyddfa yn y Bala hefyd?"

"Gwranda'r cŵd! Tydi hyn ddim yn jôc, reit?!" medda'r boi a chythru i 'ngwddw fi. Dwi'n siŵr Dduw bysa fo wedi 'nhagu fi efo 'nhei tasa gin i un. "Ma' gin i ddau gas llyfr yn fan hyn," mo, "a ffyc-ôl i roid rhyngthyn nhw! Ond tydi hynna ddim hannar mor gas ag y bydd y Cwango Llyfra os na chyhoeddwn ni rwbath mewn pryd! Tydi rheina ddim yn cymyd dim 'Lol' dyddia yma, reit?!"

"Iawn!" medda fi. "Callia, nei di? Ti'n edrach fatha slob efo'r pastwn 'na!"

"'Yn ffon fara fi ydi hon, washi!" mo. "Dwi'n ddyn amyneddgar ofnadwy, mi 'na i ddiodda lot fawr o rwtsh gin awduron, ond toes na neb ond neb yn ffwcio o gwmpas efo 'musnes i, reit?"

"Reit!" medda fi rhag ofn i mi ga'l lefft hwc, a dyma fi'n tynnu drafft blêr ac annigonol iawn o 'mriffces.

"Hwn ydi dy fformiwla di?" medda fo'n syn. "Ffurflen y Cyfrifiad?"

"Ia, pam?" me fi.

"Ti'n galw dy hun yn wladgarwr?" mo. "Fyswn i'm yn cymryd buwch a llo bach a chydweithredu efo'r basdads! Ond, dyna fo, os wyt ti'n bwriadu ei llenwi hi elli di neud hynny cyn 29ain Ebrill, plis?"

# Dulliau Cynhyrchu

From:      awen@gwales.com
To:        goronwy@jones.co.uk

HAI! Awen yw e.

Rwyf yn fenyw broffesiynol, brunette, wyth ar hugain oed. Mae gennyf gamera cam yn fy swyddfa a buaswn wrth fy modd yn rhannu fy ngweledigaeth lenyddol gyda chi...

'Reuters Bloc', ife? Dim byd newydd!

Yma o hyd!

Yma i gynnig help llaw!

Yma i ddiwallu eich anghenion llyfryddol oll! Pwyswch ar fy motwm a dewiswch eich opsiwn. Mae problem sy'n rhannu yn broblem sy'n haneru... as in ...os yw'r awdur wedi 'marw' mae'n bosib gallaf roi min ar ei bensel... Cyfeiriaf chwi at fy thesis: 'Y Nofel fel Cywaith'... which... gadewch i mi nodi gan enghreifftio...

Un tro amser maith yn ôl roedd anthropolegydd oedd wedi dysgu gorila i siarad.

Ddim ar lafar wrth gwrs achos dydyn nhw ddim yn gallu (!) ond drwy wneud arwyddion a chyfathrebu fel 'ny. Roedd hwn yn arbrawf rhyfeddol. Fel y rhai a hyfforddid yn yr Ysgolion Barddol 'slawer dydd, roedd eu hiaith fel rhyw gôd cyfrinachol rhwng yr athro a'r disgybl. 'Pa fodd y moler pob peth', ontife? Roedd y gorila'n dysgu tipyn bach mwy bob dydd. Ond yn anffodus, dim ond gyda'r anthropolegydd roedd e'n gallu cyfathrebu a phan aeth e i ffwrdd i wneud gwaith arall doedd gan y gorila druan neb i siarad gyda fe. Aeth e'n dawel i gyd, ac fe sorodd e'n bwt yng nghornel trist y cawell (ah!)

Flynyddoedd wedyn daeth yr anthropolegydd yn ei ôl i

ymweld â'r gorila. Adnabu'r gorila fe'n syth, dechrau ecseito mas draw a dechrau siarad bymtheg yn y dwsin. Dwylo'n hedfan o gwmpas y lle bob man fel plismon traffig yng nghanol Caerdydd adeg rali'r Network Queue! Roedd iaith y creadur mor gyhyrog ag erioed: nid oedd un peth na allai mo'i fynegi. Roedd popeth ganddo ar gof a chadw... Nawrte, meddai'r anthropolegydd wrtho'i hun, drueni na bydde gorila'n galler ysgrifennu...

"Hei, dal dy ddŵr, del bach!" me fi. "Be wyt ti'n drio neud, nabio'n job i ne' rwbath? Fi sy'n deud y straeon fan hyn."

"Ie, ie, wrth gwrs!" medda hi.

"Dwi'm yn dwp, 'sti," medda fi. "Dwi'n nabod alegori pan dwi'n gweld un. Pwy ydi dy ffycin gorila di, cont?"

"Na, na, na! So chi'n dyall," medda hi. "Chi yw'r anthropolegydd! Trwy eich cyfrwng chi mae'r gorila'n dod yn fyw yn syth bin bob tro. Chwedl yr awdur wrth y cymeriad: 'What a lovely bunch of bananas you've got!'"

– Detholiad allan o'r gyfrol 'Credyd Duw: Y Golygydd Creadigol fel 'Auteur' – Rhai Agweddau', Dr Awen Gwales (Gwas Gregynog)

# Adroddiad Cyfrinachol y Darllenydd*

Diogelir y ddogfen hon gan y gyfraith ac fe'i cedwir dan glo yng Nghastell Brychan, Aberystwyth.

* At sylw'r awdur yn unig

WYT TI'N COFIO'R stori honno am Einstein? O'dd o wrthi'n gneud enw iddo fo'i hun fel ffisegydd enwog ac o'dd o'n mynd o gwmpas America yn darlithio ar y pwnc. O'dd o'n teithio miloedd o filltiroedd bob blwyddyn ac o'dd gynno fo chauffeur o'dd yn ei ddreifio fo i bob man. Lle bynnag o'dd o'n mynd mi o'dd y chauffeur bach yn ista'n y cefn yn disgwl tan iddo fo orffan y ddarlith.

Un noson mi o'dd Einstein wedi blino'n uffernol. Toedd o ddim wedi bod yn dda trw'r dydd, hel ffliw ne' rwbath ma' raid, a dyma'r chauffeur bach yn cymyd trugaredd arno fo.

"Gwranda, Bertie'r hen goes," medda fo. "'Dan ni wedi bod ar y lôn efo'n gilydd ers hydoedd rŵan. 'Dan ni fatha cwlwm coed erbyn hyn, tydan? Dwi wedi gwrando arna chdi'n traddodi'r ddarlith 'na gymaint o weithia dwi wedi'i dysgu hi ar 'y ngho, 'sti! Fysat ti'n licio i mi'i thraddodi hi ar dy ran di heno 'ma?"

Toedd Einstein ddim yn siŵr be i ddeud. Fysa'n beth cas iawn tasa fo'n ca'l ei ddal, ac eto do'dd yr un o'i draed o isho sefyll wrth y lectern am awr gron gyfa yn y neuadd 'na'r noson honno. Toedd 'na ddim teledu na dim byd yr adag honno a chydig iawn, iawn o bobol o'dd yn ei nabod o o ran ei weld. Felly dyma fo'n penderfynu, "Duw, ia! Pam lai?" Mi fysa fo'n ista yn y cefn a cha'l hoe bach tra bod y chauffeur yn traddodi'r ddarlith drosto fo.

A wir i chdi, yn union fel deudodd o, mi a'th y chauffeur drw'r ddarlith heb faglu unwaith, dim problem o gwbwl,

211

marcia llawn. Dyma'r gynulleidfa'n cymeradwyo fel byddan nhw ym mhob man arall. Dyma'r chauffeur yn bowio ac yn troi ar ei sowdwl yn barod i adael y llwyfan...

Ond yn sydyn dyma 'na rwbath anarferol yn digwydd. Doedd Einstein ddim yn arfar gwâdd cwestiyna o'r llawr. Ddim yn amal bydda neb yn ama dim un o'i ddamcaniaetha fo ond heno o bob noson dyma 'na ryw gwdyn annifyr yn codi ar ei draed ac yn gofyn stiffnar o gwestiwn calad...

Roedd Einstein yn chwsu chwartia yn y cefn ac yn dyfaru ei enaid bod o wedi bod mor rhyfygus. Ond na thralloder eich calonnau! Nath y chauffeur bach ddim byd ond troi at yr holwr a'i atab o mor cŵl â chiwcymbyr: "Syr," medda fo. "Ma'r cwestiwn yna mor hawdd fysa hyd yn oed 'yn chauffeur i yn y cefn yn medru'i atab o!"

\* \* \*

Y teimlad ar ôl darllen drafft cyntaf y nofel hon yw: nid da lle gellir gwell. Does dim eisiau teimlo'n wael ynglŷn â'r peth achos ti'n gwbod be ddeudodd Einstein ar ôl y rhyfal? Tasa fo'n gwbod y dioddefaint fysa'i waith o wedi'i achosi mi fysa fo wedi mynd i weithio fel gofalwr yn Sain Ffagan! Tydi 'fe ddrafftiwn ni eto' ddim yn ddrwg o slogan 'sti, nag 'di? Dymchwel y walia a'u codi nhw drachefn. Wedi'r cwbwl, mae pob chauffeur angen rhywun i'w ddreifio. Pam na chodi di'r ffôn ar dy bartnar, achos ma' gen i ofn na tydi dy 'Amcan Un' di ddim cweit wedi gweithio...

A. N. Hysbys

*Memo oddi wrth aelod o bwyllgor Cymreig 'Undeb yr Ysgrifenwyr': 'Cont powld! Gwitia i mi ga'l gafal ynddo fo. Fo ydi'r 'nit' yn yr incog-nit-o, ia?'*

# Dyddiadur Dyn Singl

## gan Goronwy Jones

"Ydach chi'n dŵad i lawr i weld Nelson?" medda Sam Cei'r Abar a golwg ar gychwyn arno fo.

"Be uffar ti'n fwydro?" medda Fferat Bach. "Ma' Nelson wedi llosgi siŵr Dduw!"

Siop o'dd Nelson yn ganol dre, tan a'th hi ar dân tua chwartar canrif yn dôl. O'dd y Cofis yn meddwl cymaint ohoni oedd gin neb ddim calon bildio dim byd yn ei lle hi.

"Nelson Mandela 'de'r crinc!" medda Sam. "Dowch 'laen. Yfwch lawr. Ma'r iot ar y cei, hogia. Dwi'n barod i godi angor!"

O'n i 'rioed wedi bod yn Gaerdydd o'r blaen, ond pum munud o notis a dyna lle'r o'n i, pot peint yn dal yn 'yn llaw, yn barod i hwylio yno.

O'dd hi'n olreit i Sam Cei. Mae o wedi arfar hwylio rownd y byd efo Johnny Tudor a'r lloia Llŷn 'na, ond fuoch chi 'rioed yn morio, do? Rownd trwyna Sir Benfro efo gwynt fatha rhechan deinasor tu nôl i chi? Cape of Chŵd Hope, myn uffar i. Fflat Huw Piwc. O'n i'n sâl fatha ci, a doedd Rottweiler Fferat Bach fawr gwell na fi.

"Con' dwl," medda George Cooks. "Be tisho dŵad â ci efo chdi?"

"Be ti'n ddisgwl i mi neud?" medda Fferat. "Adal o'n styc i'r polyn lamp tu allan i'r Black am wsnos?"

Pan 'dach chi'n meddwl am y peth, o'r môr bydda'r rhan fwya o Gymry yn gweld Caerdydd yn yr hen ddyddia. Fuo Taid Nefyn yn dŵad i'r docia 'ma geinia o weithia pan o'dd o ar y stemars ers talwm. Ond doedd o fawr o feddwl na fama fysa'r Senedd i Gymru, nag oedd?

"Lle ma'r Senadd, Bob?" medda fi wrth Bob Blaid Bach.

"Fancw!" medda Bob a phwyntio at ryw doman byd o le, debyg ar y diawl i Nelson. "Tydyn nhw ddim wedi'i bildio hi eto."

"Chwara teg," medda Sam. "Dim ond pum can mlynadd ma' nhw wedi ga'l i baratoi. Ond dyna fo. 'Dan ni'n symud ymlaen yn slo bach, 'sti."

'Waqar is a Welshman!' medda ryw graffiti cricet ar y wal yn Bute Street. Ella bod Sam yn iawn. Well na 'All Welsh are Waqars!' yndi?

O'dd hi wedi bod yn fis Mehefin ciami ar y diawl. Chydig iawn o bobol o'dd o gwmpas dre 'cw a finna, dyn busnas, wedi gobeithio gneud ryw niwc ne' ddwy dros yr ha', ia? Digon o lysh at y World Cup a ballu. Ond, chwara teg, mi o'dd hyd yn oed yr haul wedi troi allan i gyfarch Nelson Mandela.

"Ma' glaw yr Arglwydd yn syrthio ar y cyfiawn a'r anghyfiawn, cofia," medda Bob Blaid Bach.

Ma'n debyg bod Adolf Hitler wedi ca'l tywydd go lew yr ha'r enillodd o'r Tour de France ar ei Nuremberg Raleigh.

O'dd hi fatha nyth morgrug tu allan i Castall Caerdydd, miloedd o bobol yn bob man. 'Nath yr hogia ddim lol, dim ond ei nelu hi'n syth am Borth yr Aur. Be newch chi efo ciw ond trio'i jympio fo, ia?

"Tickets, please!" medda ryw snich wrth y porth.

"Faint ydi o?" me fi.

"Sori, syr," mo. "Mynediad drwy wahoddiad yn unig."

"Esgusodwch fi," medda Bob Blaid Bach. "Dwi'n gynghorydd sir 'dach chi'n gwbod…"

Ond doedd waeth iddo fo heb ddim.

Dyma 'na foi efo tyrban ar ei ben yn dŵad draw a dechra pregethu wrth yr hogia:

"Clywsoch ddywedyd na chwenychwch ffrwyth o bren yr 'Outspan'. Eithr yr wyf i yn dywedyd i chwi: dychwelwch tua Thesco a mynnwch fod eich cynnyrch oll yn dyfod o Ddeheudir yr Affrig…"

"Ffwcia Tesco!" medda Sam Cei. "Pam na cheith yr hogia

fynd i mewn i'r castall?"

"Ydych chwi yn gynghorwyr Torïaidd?" medda'r tyrban.

"Ti'n gall?" medda Bob.

"Aelodau o gorau meibion efallai? Chwaraewyr rygbi?
Dynion busnes fu'n cydweithredu gyda threfn apartheid? Mae
gen i ofn mai dyna yw hanner y bobl yn y castell yna heddiw!"

"'Dan ni wedi cael 'yn bradychu, hogia," medda Bob.

"Be 'di 'bradychu'?" medda George Cooks.

"Ti'n gwbod," medda fi. "Fatha Michael Owen!"

"Cont!" medda Fferat.

"Bastards!" medda Sam Cei. "Be ma' nhw'n feddwl ydi
fan hyn – Robben Island ne' rwbath?"

"Ydw i wedi'ch cyfarfod chi o'r blaen?" medda Harri
Bandej y Sikh wrtha fi.

"Naddo!" medda fi, sbio'n wirion. "Dwi 'rioed wedi bod
yn Gaerdydd o'r blaen."

"Dwi wedi," medda Fferat. "O'n i'n chwil yn cyrradd ac
o'n i'n honco'n gadal. Ond dwi'm yn cofio lot am y pishyn yn
canol."

"Deugain oed a 'rioed wedi bod mewn Internash!" medda
Sam yn sbeitlyd. "Pwy sy'n dy sbonsro di, Gron – 'Virgin'?"

A fanna buon ni efo'r miloedd o werinwyr gwrth-
apartheid, yn gwrando ar grach Caerdydd yn crafu tin Nelson
Mandela. Ar y tu allan yn gwrando ar yr uchelseinydd er
bod 'na ddigonadd o le i bawb ar y tu fewn.

"Dacw fo!" medda Sam wrth i dri ne' bedwar o geir mawr
du fomio allan o'r castall ar ddiwadd y sioe.

"Lle?" medda'r hogia i gyd efo'i gilydd. Trystio Sam. Fo
o'dd yr unig un i ga'l cip ar Nelson.

"Iesu! Mae o 'di gwynnu!" medda Sam.

"O'n i'n meddwl na dyn du o'dd o?" medda Fferat.

Idiot Fferat.

"Welish i mo'i gysgod o!" me fi.

"Dim ots," medda Sam. "Awn ni ar 'i ôl o. Mae o'n aros yn
y Parc."

"Be – campio?" medda George Cooks.

"Parc Hotel 'de'r con' dwl! Dowch 'laen!" medda Sam.

Ma' 'na ryw dda ym mhob drwg, meddan nhw, does? O'dd Rottweiler Fferat Bach wedi bod yn blydi niwsans drw' dydd ond mi sgi-dadlodd y dorf o flaen y Parc Hotel pan welson nhw'r ci'n cyrradd. Mi gafodd yr hogia fynd reit i ffrynt y ciw wrth i lwybyr fatha'r Môr Coch agor o'n blaena ni. Dyma'r cop clên 'ma'n deud bod Nelson yn fflio adra mewn awr a hannar. Matar o ladd amsar o'dd hi wedyn, ia? Peint fysa'n dda. Ond ma' siŵr bod Nelson a'i fêts yn hogio'r bar.

"Chydig iawn o bobol fyswn i'n ciwio i'w gweld nhw..." medda Sam. "Castro. Arafat, ella. Paisley, ia..."

"Paisley?!" medda Bob.

"Ia," medda Sam. "I mi ga'l rhoid swadan iawn iddo fo efo Beibil cas-calad."

"*Big Issue*, pal?" medda ryw foi wrtha fi.

"Yeah, Nelson Mandela, aye!" medda fi.

"Arabedd y Gogs!" medda ryw lais arall o'r drybola chwys o'n cwmpas ni.

"Pw' 'di dy Arab di, con'?" medda fi a dyfaru'n syth. Boi mwya peryg welish i 'rioed. Dwy hoelan fawr wedi'u plygu'n ei glustia fo.

"Be di 'ear-ring' yn Gymraeg?" medda fi yng nghlust Bob.

"'Clust-dlws'," medda Bob. "Ond 'dwn i'm be uffar ti'n galw nhw os ydyn nhw mor hyll â rheina."

"Gareth Connolly," medda'r boi a chynnig ei law i mi. "Goronwy Jones? Roeddwn i'n arfer adnabod rhywun o'r enw yna..."

A wedyn mwya sydyn dyma'r Dyn 'i hun yn dŵad allan o'r hotel mewn crys fatha crys pyjamas. Dyma pawb yn dechra bloeddio a chlapio a thynnu llunia efo fflash.

"Don't shoot til you see Soweto their eyes!" medda Connolly a dangos rhwbath i fi.

"*Private Eye*, 1976?" medda fi.

"Aye!" medda Connolly. "Ti'n siŵr nag 'yt ti ddim wedi bod yma o'r blaen?"

Dyma fi'n dechra teimlo'n paranoid. Ddim dyma'r tro cynta i fi deimlo fel hyn...

"Sam," medda fi. "Ma' 'na foi yn mynd o gwmpas Gaerdydd yn smalio na fi ydi o."

"Pwy ffwc fysa isho bod yn chdi?" medda Sam.

"Ma'r dyn yn sant!" medda ryw hen fodan wrth 'yn ochor i, wedi gwirioni'n lân ar Nelson. "Dyn mwya'r ganrif, heb os nac onibai."

"I don't know," medda'i ffrind hi. "It's between him and Mother Theresa. But he's above politics, see. Why can't they live together like that in Northern Ireland?"

"International terrorist, actually," medda Connolly.

"Pardon?"

"Nelson Mandela. Nationalist 'fyd. Ffrind mawr gyda'r comiwnyddion, t'wel. A sa i'n gwbod os y'ch chi wedi clywed ond ma'n debyg bo fe'n byw mewn pechod ar hyn o bryd..."

"Gino fo fodan, 'sti," medda Sam wrtha fi.

"Pwy?"

"Nelson. Honna fan'cw. Graca ydi henw hi."

"Be ddigwyddodd i Winnie?"

"A'th hi i grwydro, do? Chwara teg. Be fysa chdi'n neud tasa dy bartnar di'n clinc am saith mlynadd ar higian?"

A dyna lle' o'dd Nelson, yn bedwar igian oed yn mynd o gwmpas efo slashan ar ci fraich, yn ysgwyd llaw a malu cachu efo pawb, deud jôcs, codi babis, gwenu fatha giât ar y genod yn ffenast siop 'Radio Rentals' a ballu.

"Twll din crach Gaerdydd!" medda Sam. "'Sdim posib cadw boi fel'na tu nôl i walia, nag oes?"

"I wish I could say something to you all!" medda Nelson wrth yr hogia. Ond toedd dim isho iddo fo ddeud dim byd. Wrth eu gweithredoedd, ia, chwadal Bob? Os ydi dyn yn wironeddol fawr does 'na ddim byd yn fawr ynddo fo, nag oes?

—allan o'r gyfrol

*Dyddiadur Dyn Singl*

# Sêr yn y Nen

WYT TI'N COFIO Kevin Costner yn 'Dances with Wolves'? Dyn gwyn gwell na'r rhan fwya yn gadael y calfari ac yn mynd i fyw i ganol y Lakota Indians? Wyt ti'n cofio nhw'n mynd i hela'r byffalo a'r chief yn cynnig yr anrhydedd mwya posib i Costner sef y sgrag gynta o galon amrwd y tarw? O'dd y peth yn ddigon a chodi pwys ar Costner a phawb yn y pics, ond doedd fiw iddo fo wrthod ne' mi fysa wedi pechu'n anfaddeuol. Beryg na fo fysa'n ca'l y saeth nesa tasa fo'n gwrthod. Dyma fo'n sglaffio'r galon waedlyd ac yn smalio na dyna'r sgram fwya bendigedig glywodd o 'rioed.

Wyt ti'n cofio'r flwyddyn wedyn pan aethon nhw i hela'r byffalo eto a'u ffendio nhw wedi'u saethu yn eu cannoedd gin ddynion gwyn nad oeddan nhw isho dim byd ond eu tafoda nhw, gan adal y gweddill, gwareiddiad y Lakota, i bydru yn yr haul? Panic piws. Heb fyffalo, heb ddim! Dynion ifanc yn wyllt am godi'r tomahawk a ballu, yr hynafgwyr yn cymell pwyll ond be ma' dyn i fod i neud pan mae'i wareiddiad o'n hongian ar ymyl dibyn? Wyt ti'n cofio'r chief yn mynd at Costner un noson ac yn gofyn iddo fod yn onast efo fo? 'Deud y gwir wrtha i rŵan. Faint ohonyn nhw sy 'na?' mo. 'Dynion gwyn? Sêr yn y nen,' medda Costner gan gyfeirio at yr awyr glir uwchben y paith. Ac yn yr eiliad honno mi o'dd yr hen chief yn gwbod bod hi wedi cachu arno fo a'i genedl.

'Mhen blwyddyn ne' ddwy roeddan nhw wedi torri bôls y chief i ffwr', wedi streshio'i gŵd o a'i wisgo fo fatha het Davy Crockett ar eu penna, a'i Little Big Horn o'n hongian yn y cefn fatha cwmffon y byfflo o'dd yn da i ddim byd i neb bellach ar wahân i'r llefrith o'dd yn gneud caws mozzarella ar gyfer pizza huts Uncle Sam. Dim Sioux na Mioux o Washington, dim byd ond addewidion gwag am hawlia brodorion ac Indian Terri-tories a ballu nes i'r don nesa o wanc eu traflyncu nhw eto ar ffurf ranches yn Montana, aur yn Alaska neu dai rhad yng nghefn gwlad Llŷn… Y farchnad rydd a'r farchnad a gymerth ymaith. Be 'di seis Seisnigrwydd? Be 'di pendraw'r byd? Toes na'm lle i fab y bwthyn roid ei ben i lawr bellach, nag oes? A'r Big Wye Chief, Dodri'r Organ, sosialydd, yn sefyll o flaen y Cynulliad yn codi'i sgwydda a gofyn "Be chi'n dishgwl i fi neud, bois?"

☐ YN GWEITHIO GARTREF NEU O'CH CARTREF YN BENNAF

☑ DIM LLE SEFYDLOG ☐ LLEOLIAETH ALLTRAETH

TUDALEN 14

Sut byddwch chi'n teithio i'r gwaith fel arfer?
Ticiwch un blwch yn unig:

☐ RHEILFFORDD DANDDAEAROL, METRO, TRAM

☑ TRÊN

☐ BWS NEU FWS MINI

☐ BEIC MODUR, SGWTER NEU FOPED

☐ GYRRU CAR NEU FAN

☑ 

☑ TACSI

☐ BEIC

☑ TEITHIWR MEWN CAR NEU FAN

AR DROED

Ar gefn beic a 'nychymyg yn drên, mewn tacsi i'r tywyllwch, i'r pant y rhed y car heb frêcs… Fel y deudodd manijyr 'Railtrack', mae'r boi sy'n rhedag y lein bownd o ga'l 'i daro gin drên yn y diwadd, yndi?

☐ ARALL

219

# Prognosis

"Ers pryd y'ch chi'n teimlo fel hyn?"

"Ers cyn co'..."

"Beth yn gwmws yw'r symtome?"

(Yn betrusgar) "Dwi'n teimlo fatha cymeriad mewn opera sebon sydd ar fin ca'l y fwyall."

"Gadwch i ni ga'l hyn yn hollol glir. Chi'n teimlo fel cymeriad sydd ar fin ca'l y fwyall mewn opera sebon?"

"Gwranda, cont!" me fi. "Ella bod 'y mhen i isho'i drin ond toes na'm byd yn bod ar 'y nghystrawen i. Ddim y cymeriad sy ar fin ca'l y tshop ond y ffycin opera sebon ei hun, reit?"

***CYT***

"Ers pryd y'ch chi'n teimlo fel hyn?"

"1984!"

"Penodol iawn. O'dd hyn unrhyw beth i wneud â'r hyn oedd gan George ar ei Orwell?"

(Yn ddryslyd) "George pwy?" me fi. "Nag oedd! O'dd o fwy i neud efo'r hyn o'dd gin John Roberts Williams 'Dros ei Sbectol...'"

Ugain mlynadd yn ôl, siaradwyd yn fyrbwyll a ffôl. O'n i'n ista mewn pyb yn Barrow-in-Furness yn yfad peint o 'Strontiwm 90' ac yn sbio draw ar y gorwel i edrach os gwelwn i sein o Sir Fôn. Dim sein o ddim byd – sgin y moch ddim mynyddoedd, nag oes? Ond mi o'dd seinia 'Radio Cymru' mor glir â grisial, mor glir â chlychau Maes Gwyddno dan y dŵr yn fan'cw, mor glir â jin Mrs Mac, yr hen greaduras. Sgwn i be ddigwyddodd i honno?

Ma' hi yn y Canaries yn cadw Welsh bar, medda John Roberts Williams, sy'n gwbod bob dim am gefn gwlad Cymru, a fo o'dd y dyn a'n sodrodd i gyn sicrad â'r 'Strontiwm' efo'r ffaith frawychus bod un o bob tri o blant Ysgol Gynradd Aberdaron bellach yn dod o gartrefi di-Gymraeg...

"Hello! Is Gwenllian there please?" medda'r hogan bach ar y ffôn.

"Wyt ti'n siarad Cymraeg, del?" me fi.

"Ie!" medda hitha'n betrus.

"Beth am neud 'ta, ia cariad?" me fi.

"Sori, Mr Jones!" medda hi. "Ma' fe'n really, really caled i fi ar y ffôn. Ond bydd rhaid i fi siarad Cwmrâg wthnos nesa achos ni'n mynd ar gwylie ni i Abersoch, North Wales!"

Dio'm ots pw' 'da ni, na'di? Na lle 'dan ni'n byw. 'Dan ni'r Cymry alltud i gyd yn sugno maeth o'r ffaith bod 'na Gymru go iawn i fyny fan'cw rwla ar ben y map ar ben draw'r byd... Fatha tîm ffwtbol Cymru sy'n sefyll yn fud trw'r anthem genedlaethol yn y sicrwydd gwynfydedig bod 'na genedl allan fan'cw rwla yn canu drostyn nhw. Ond be fedrwch chi sugno allan o fuwch sy'n hesb? Dim ond rhith o'dd y cwbwl...

Tra roeddan ni lawr fan hyn yn trio adfer rom bach ar yr ardaloedd Scisnig a dychmygu bod Caerdydd yn Cymreigio dipyn bach bob dydd, tra roedd yr hogia allan yn peintio seins ac yn dringo mastia teledu ac yn gwthio ffinia'r Gymraeg yn bellach ac yn bellach, o'dd y basdads wrthi'n dringo dros y walia cefn ac yn chwalu seilia be o'dd gynnon ni'n barod! Yn dwyn 'yn tir ni, yn newid enwa'r llefydd ac yn nabio tai 'yn cyndeidia ni....

Fydda i'n meddwl weithia bod 'na rywfaint o Wyddal yndda i. Pan fydda Wolf Tone a James Connolly a rheina wrthi'n cwffio yn erbyn y Saeson, mi fydda'r beirdd yn cyfeirio at Werddon fatha hen wraig druan o'r enw Kathleen O'Houlihan, jest rhag ofn i MI6 ne' MI916 wbod am be oeddan nhw'n sôn. Beth rhyfadd, ia? Achos bob tro bydd neb yn sôn am 'Gymru', am Nain Nefyn bydda inna'n meddwl, a fedra i ddim diodda meddwl amdani hi'n ca'l cam...

Ma' bywyd yn ddigon calad ar y gora, yndi? Digon o drwbwl, digon o dreialon.

Ma' rhywun yn derbyn profedigaetha personol yn nhrefn naturiol petha, ond pan ma' nhw'n bygwth bodolaeth dy bobol di, does neb call yn derbyn hynny, nag oes? Oni bai wrth gwrs bo chi'n byw fan hyn... mewn cae o rwdins non-compost-mentis. Lle na tydi'r drychineb ddim hyd yn oed yn maniffestio'i hun yn nhiroedd y Blaid Bach heb sôn am feysydd y Llafur Newydd!

Lle'n troi'n Estronia, neb yn poeni Latvia, mae o'n ddigon i dy neud di'n Lithiwenia, yndi?

_**Diagnosis: paranoid Sais-osis.**_ _Ffenomenon sydd ar gynnydd trwy'r byd i gyd. Cyflwr lle mae'r claf yn teimlo euogrwydd dwfn am ei fod wedi gadael ei fro enedigol yn ei ymchwil am well byd. Cred yn ddwfn yn ei galon ei fod wedi bradychu'i gymdeithas ac wedi gwerthu ei enedigaeth fraint drwy symud i'r ddinas gan hyrwyddo drwy hynny y broses o San Ffaganeiddio stâd ei genedl mewn rhyw ffordd neu'i gilydd._

_(Füchs-Bollux, Berlin 1945)_

"'Victims die young', Mr Jones!"
"Be?"
"Arthur Miller, _Death of a Salesman_. Bob Dylan, 'My Back Pages'. Ma' gyda chi ormod o hen dudalennau ar eich ffeil. Mae'ch disg-galed chi'n orlawn, ma' ishe de-ffrag go eger arnoch. Cliro'r system ac ailddechre byw!"

Fformiwla dinistr: emosiwn torfol + meddylfryd unigolyddol – praxis = diymadferthedd gwleidyddol pur!

Trefn y moddion:

1. 'Cod 'ddar dy din!' Joe Hill

2. 'Os ydi seilia economaidd dy fodolaeth di wedi darfod amdanynt, crea rei newydd.' Rosa Luxemburg

3. 'Os wyt ti byth yn meddwl dy fod wedi canfod y gwirionedd meddylia eto achos does dim byd sicrach na bod chdi'n rong.' Bertrand Russell

4. 'Gna dy ora a disgwl y gwaetha.' Gramsci

Tranc? Distryw? Difancoll? Ffyc off!

Be nath chief y Lakota pan glywodd o bod hi wedi cachu arno fo?

Be fedra fo neud ond cwffio'n ôl yr un fath yn union?

Ar y paith, yn y fforestydd, yn Black Hills tywyllaf Dakota... Wyt ti'n meddwl bod Sitting Bull yn poeni lle roedd o'n parcio'i wigwam bob nos?

Paid cwyno wrtha i! Gin ti ddigon o arfa. Dy domahawk democrataidd a dy saetha sosialaidd. Dos ac ymlwybra dy ffordd allan o gors yr ôl-fodern! Dos i godi y Gymru newydd ar seilia cadarn dy ffydd yn dy bobol.

A chyn i ti ofyn – yndi siŵr Dduw ma' sgwennu'n weithredu!

Sgwennu ydi'r arf mwya subversive sgin ti!

Os wyt ti isho poeni, poena rywun arall! Dewis dy dargeda. Sigla'r basdads i'w seilia, a chadwa dy bowdwr yn sych!

# Gweld y Goleuni...

Dwi'm yn gwbod pam ond ma' nytars yn ca'l eu denu ata fi fatha gwenyn at bot jam. Ddim bod cymaint â hynny o ots gin i. Deud gwir yn onast fyddai'n meddwl bod pobol myll yn nes ati na phobol normal yn amal iawn... Peth sy'n synnu fi go iawn ydi cymint o ffanatics ydi pobol ynglŷn â'u hobis...

O'n i wedi dŵad â Gwenlli i lan y môr dre iddi ga'l iwsho'i bwcad a rhaw am chydig. Bildio castall ar lun a delw'r horwth 'na sy ar ochor arall yr Abar a wedyn ei chwalu fo'n dipia cyn mynd adra. 'Thrwytho hi mewn diwylliant go iawn, ia?

Dwi wedi byw yn ymyl y môr ar hyd 'yn oes ond fyswn i byth yn honni bod 'na ffasiwn beth â thraeth yn Gaernarfon. Ma' nhw'n gwagio holl fogia'r greadigaeth i mewn i Afon Menai ac ma'r llanw'n mynd â fo rownd Sir Fôn saith gwaith cyn ei fflyshio fo allan i'r môr mawr a gadal i bobol Werddon ei ga'l o. Elli di ddychmygu sut fath o gachu rwtsh sy'n ca'l ei adal ar y glanna truan 'ma? Tydi'r môr ddim ffit i'w ffiwmigetio heb sôn am drochi ynddo fo. Ond paid â phoeni, ma Gwenlli'n gwisgo sea-boots a phâr o fenig da amdani. O'n i wedi deud wrthi am ddychmygu na soldiwrs Edward y Cynta oedd y jyrms cryptosporidium o'dd yn cerddad i fyny walia'i chastall hi, ac mi o'dd hi wedi ymgolli gormod yn ei gêm realiti-mwy-neu-lai i sylwi ar yr hen foi 'ma dda'th i fyny i siarad efo fi.

"Ydach chi'n credu yn y Duw Dad Hollalluog?" medda fo wrtha fi.

"Pass!" me fi.

"Digon teg!" medda'r boi. "Ma' 'na fwy o gwestiyna nag sy 'na o atebion, cofiwch. Un o ffor' 'ma 'dach chi?"

"Dwi 'di byw 'ma ar hyd 'yn oes," me fi. "Ar wahân i'r

cyfnoda pan dwi 'di bod i ffwr'."

"Be ma' neb ohonon ni'n ei wbod am yr hen fyd 'ma, 'te?" medda fo gan dynnu gwniadur allan o'i bocad a dechra'i lenwi fo efo tywod sych.

"Sawl gronyn o dywod 'dach chi'n feddwl sy fama?" mo.

"Be 'dach chi'n neud?" me fi. "Gwerthu tocynna raffl ne' rwbath?"

"Geshwch!" medda fo, mynnu atab.

"Does gin i ddim syniad, nag oes?" me fi. "Fyswn i yma tan Sul y Pys yn cyfri, baswn?"

"Dyna fo 'dach chi'n gweld!" mo. "Rhy fyr yw tragwyddol-deb llawn i ddeud yn iawn amdano, 'de?"

"Gwrandwch," medda fi. "Ma' ddrwg gin i. Gin i betha gwell i neud na thorri tywod mân yn glapia. Ma'r hogan bach efo fi, ylwch."

"Faint o sêr sy yn y nen?" mo, gwrthod gadal i mi fynd. "Ddeuda i wrtha chi faint sy 'na! Ma' 'na fwy o sêr yn y nen nag sydd 'na o ronynnau o dywod ar holl draetha'r greadigaeth!"

"Pwy sy'n deud?" me fi.

"Stephen Hawking!" mo.

"Boi o dre ydi o?" me fi, methu madda actio'n ddwl er bo fi'n gwbod dipyn go lew am astrology'n hun erbyn hyn, ia?

"Naci, naci, naci!!" mo. "Gwrandwch! Os 'dach chi'n ca'l traffarth i amgyffred anferthedd y cread ma' gin i air o gysur i chi..."

Dyma fo'n tynnu bwrdd draffts bach portable allan o'i bocad ac ailadrodd y ffeithia. "Ella bod 'na fwy o sêr yn y nen nag sydd 'na ronynna o dywod ar holl draetha'r byd, *ond* ma' 'na fwy byth o gombinations mewn gêm o wyddbwyll!"

"Duw Duw!" me fi.

"Peth mawr ydi bychanfyd 'dach chi'n gweld," mo. Neuadd fawr rhwng cyfyng furia a ballu fel deudodd y ddynas 'no yn y sauna ers talwm. "Tasach chi'n tynnu'ch gwythienna i gyd o'ch corff fysan yn mynd rownd y byd yn grwn, w'chi!"

"Dipyn bach yn boenus fysa hynny, ia?" medda fi. "Ond 'dach chi'n iawn," medda fi, dechra ffidlo efo'i bishis gwyddbwyll o. "Ma' hi'n gysur gwbod bo chi'n medru gweld y'ch dyfodol i gyd o'ch blaen chi fel hyn, tydi? Yn enwedig os ydi rhywun yn medru chwara'r gêm, ia?"

"Be... Ydach chi'n chwara yndach?" medda fo yn syn.

"Yndw, yndw!" me fi rêl llanc.

"Ydach chi isho gêm?" medda fo'n eiddgar.

"Na, sori! Ma' rhaid i mi neud mŵf, w'chi!" me fi, troi at Gwenlli.

"Be sy, ofn?" mo.

"Nag oes Tad!" medda fi. "Sgin i'm ofn neb ar y bwrdd gwyddbwyll."

"O ia?" mo, a'i llgada fo'n tanio. "Dwi 'di clwad honna o'r blaen. Tyrd 'laen 'ta'r cont, mi ffycin leinia i di!"

# Check-mate

O'DD SIÂN A LUN wedi mynd allan i'w dosbarth aerobics ac o'dd Ben a finna'n chwara gwyddbwyll tra o'n i'n gwarchod Gwenlli. O'dd Ben wrthi'n marcio papura arholiad y coleg ac yn codi'i ben bob hyn-a-hyn i edrych ar y bôrd, gneud symudiad a chymyd joch arall o'r 'Old Speckled Hen' o'r botal. Braf ar rei'n medru gneud lot o betha'r un pryd, yndi? Hynny fedrwn i o'dd canolbwyntio ar 'y nhjess. Ma'r treiglad ei hun yn ddigon i roid cur pen i chdi!

Dim ond nofis o'n i o hyd, dwi'm yn deud, ond o'n i'n gwella'n slo bach. Fedra i ddim diodda cyfrifiaduron fel ti'n gwbod yn iawn ond ma' nhw'n handi uffernol i chwara gwyddbwyll yn eu herbyn pan wyt ti yn y siambar sori am nosweithia maith heb ddim byd gwell i neud. Yn wahanol i dy wraig di, tydi peiriant ddim yn cwyno pan wyt ti'n gneud mistêc, nag'di? Mi gei di ailgyfla gynno fo, troi'r cloc yn ôl a thrio eto. Dysgu o'rwth dy gamgymeriada, ia? Ond dyna fo. Practis ne' beidio. Ben o'dd y brenin o hyd... Hyd yn hyn, eniwê...

Ma' gêm o jess fatha sgwennu nofal. Wele awdur aeth allan i fod yn chwareus a ffendio dim byd ond strygl. Dysgu rheola, dysgu na does 'na ddim rhei... Symud pishis yn ôl. Symud nhw 'mlaen. Ymbalfalu yn y tywyllwch am fisoedd. Stryglo i roid unrhyw beth lawr ar ddu a gwyn. Mynd i lefydd na fuodd neb 'rioed ynddyn nhw o'r blaen, yng ngŵydd fy ngwrth-wynebydd. Bob dim yn bosib, i fyny i chdi... Peth rhyfadd ac ofnadwy ydi rhyddid, ia?

Ac wedyn un dwrnod ma' 'na rwbath yn clicio – ma'r darna fatha tasan nhw'n syrthio i'w lle.

Y cyfeiriada, yr ongla – i gyd yn glir fel jin! Ti'n gweld y patrwm cyfa mwya sydyn. Ddim slog ydi hi o gwbwl bellach ond gêm i'w mwynhau!

Dyma fi yn dechra efo'r Jones Gambit a Ben yn atab efo'r Dryslwyn Defence yn ôl ei arfar. Ond wedyn, ddau symudiad ar rhigian i mewn i'r gêm, dyma fo'n ca'l hiccup... Fedrwn i'm coelio'n llgada – o'dd ei fyd bach o ar Ben!

"Checkmate!" medda fi yn 'y Mhersieg gora.

"Beth?!" mo.

"Ma'r brenin wedi marw," medda fi eto i weld os bysa cyfieithiad yn helpu.

"Ffycin myfyrwyr, ife!" medda Ben yn flin a lluchio'i feiro goch ar y bwr'. "Ma'r calibyr yn mynd lawr bob blwyddyn, t'wel! Ma' shwt gymint o gamgymeriade yn yr atebion hyn. O'n i jyst ddim yn edrych, o'n i?" medda fo a dechra adjystio'r pishis gwyddbwyll.

"Be ti'n neud?" me fi.

"Symud yn ôl!" medda fo.

"Ffwc o beryg mêt!" me fi.

"Dere 'mla'n! Sdim pwynt sbwylo'r gêm, oes e? Y'n ni mewn sefyllfa ddiddorol."

"Mi oeddan ni mewn sefyllfa ddiddorol, boi!" me fi. "Ma'r gêm drosodd!"

"OK, OK!" mo. "Ffycin cont babïedd. Os yw ennill mor bwysig â 'ny i ti! Chware'r gêm, 'na i gyd sy'n bwysig i'r connoisseur, t'wel!" mo. "Ond 'na fe. 'Na pham o't ti mor hael 'da dy 'Old Speckled Hen', ife? Trial 'yn meddwi fi!" mo gan chwalu'r gêm yn dipia mân a rhoid y pishis yn ôl yn y bocs.

Ond doedd waeth iddo fo heb ddim. Mi o'dd y gêm hanesyddol hon ar gof a chadw 'y nghyfrifiadur i.

'Do you want to save your game?' medda'r peiriant.

"Yes! Yes! Yes!" medda fi, gyda mwy o arddeliad na fuo gin i ynglŷn â dim byd ers yr ymgyrch 'Ie dros Cymru'. Am y tro cynta 'rioed o'n i wedi leinio Ben ar ei gêm ei hun.

"Dyna'r gêm yna allan o'r ffor', 'ta!" me fi wrth Ben. "Dwi'n barod i ddysgu rheola rygbi rŵan!"

Nath Ben ddim byd dim ond gwenu'n gam a gneud lipsia fatha hogyn bach ar ôl i rwbath nabio'i dda-das o. Ac o'r noson honno 'mlaen fuo petha byth yr un fath rhyngthon ni... O'dd 'na shifft wedi bod yn y balans o pŵar. O'n i'n teimlo fatha'r boi 'nw yn *Endgame* Samuel Beckett. O'n i'm yn siŵr iawn be o'dd yn digwydd, ond o'dd hi'n amlwg bod 'na rwbath yn dilyn ei hynt...

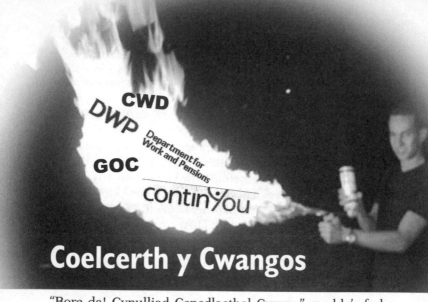

# Coelcerth y Cwangos

"Bore da! Cynulliad Cenedlaethol Cymru," medda'r fodan yn siriol ar y ffôn.

"Bore da!" me fi. "Alla i siarad efo rhywun ynglŷn â…"

"Sorry!" medda hi. "I don't speak Welsh."

"You just did!" medda fi.

"Yes, I know," medda hi. "We're told to say that. It's the bilingual policy, see."

O'dd hi'n tynnu tuag at noson tân gwyllt. O'dd gofyn i mi drefnu rhyw fath o Guto Ffowc i Gwenlli ac o'n i'n meddwl bysa coelcerth y cwangos yn gneud y tro.

"Sdim Cwangos i ga'l nawr," medda'r gwas yn sifil. "ASPBs y'n nhw. Assembly Sponsored Public Bodies. Oes diddordeb gyda chi mewn bod ar un o'r cyrff?"

"Pwy, fi?" medda fi.

"Ie, ie!" mo. "Ni yn y Gymru newydd nawr. Cymru gynhwysol. Cymru ddemocrataidd. Ma' hawl 'da pob un i gymryd rhan yn y system."

"Be sy raid i mi neud?" me fi.

"Llanw ffurflen, 'na i gyd!" mo. "Beth yw'ch enw chi?"

"'Rhoswch funud bach," medda fi. "Pwy sy'n apwyntio?"

"Y panel," mo.

"Pwy sy ar y panel?" me fi. "Yr un bobol â cynt ma' siŵr, ia?"

"Allen i ddim possibly commento ar hynny," mo... ei Gymraeg o'n dechra mynd yn rhacs unwaith o'dd o'n crwydro 'ddar lwybyr cyhoeddus yr ystrydeba.

"Cwestiwn arall. Pam ti'n iwsho terma Susnag? Be 'di'r enw Cymraeg ar y 'cyrff' 'ma?" medda fi.

"Cyrff Cyhoeddus a Noddir gan y Cynulliad," medda fo.

"Dipyn o lond ceg, ia?" medda fi. "Be 'di'r nacronym am hynna?"

"Sdim acronym Cymraeg i ga'l!"

"Pam?"

"Sneb byth yn gofyn," mo.

"Be ti'n falu cachu?" medda fi, dechra ca'l llond bol ar y cont dwl. "Dwi'n gofyn tydw, a toes gin ti ddim ffwcin atab. Wyt ti isho i mi weithio fo allan i chdi ne' be? Cyrff a Noddir gan y Cynulliad... Y nacronym am hynna ydi CNECs!"

"Sa i'n credu bydde hynny'n addas iawn, bydde fe?" medda'r gwas yn stowt.

"'Dach chi'm yn meddwl?" me fi. "Dwi'n meddwl bysa fo'n addas iawn ar gyfar rhechod g'lyb fatha chi!"

Coelcerth myn uffarn! O'dd gin Nain Nefyn air am betha fel hyn. Tân oer oedd hi'n ei alw fo. 'To'dd o'm yn gweithio nes i chi roid matsian ynddo fo. Yr un hen stori, ia? Pan 'dach chi'n gweld cyrff cyhoeddus yn cael nacronyms fatha GOC a CWD a petha felly does dim isho bod yn genius i weithio allan na toes neb yn Swyddfa Cymru yn malio yr un ffadan-ffwc am be ma'r Cymry dwyieithog yn feddwl ohonyn nhw, nag oes?

'The GOC has been working overtime to find a solution,' medda'r *Daily Post*.

'The CWD has been juggling many balls in the air,' medda'r *Western Male*.

"Cymro ydw i!" medda fi. "Dwi 'di ca'l llond bol o ga'l 'y nghymyd yn ysgafn. Ti'n gwbod be 'di'r anagram o 'cyff gwawd'? A gwd ffyc, w!"

"Os gwelwch yn dda," medda'r boi. "Y Gwasaneth Sifil yw hwn!"

"Bydda di'n sifil efo fi, fydda i'n sifil efo chditha!" me fi. "Dwi wedi ca'l llond bol ar fod yn ddinesydd eilradd yn 'y ngwlad 'yn hun! Os nag wyt ti'n watshiad fydda i wedi cynna'r goelcerth 'yn hun! A dwi'n gwbod pwy fydd y guy ar ei ben o hefyd! O's 'na ddim Cymry Cymraeg wedi ffonio ynglŷn â'r cwangos o'r blaen?"

"Oes, wrth gwrs," medda'r boi. "Ond sneb o nhw byth yn codi cwestiwn yr iaith. 'Na i gyd ma' pawb call moyn yw'r £10,000 p.a. am ugen dwrnod o waith!"

# Llais dros Gymru

**Crynodeb o Gynigion y Llywodraeth ar gyfer Cynulliad Cymreig**

Bilingual publicati[on]
please turn ov[er]
an English v[ersion]

MEDI 18 SEPT

# Sgwrs gyda Thywysog

E.bost agored at: y Prins o' Wêls
Oddi wrth:          Goronwy@Jones.co.uk

Annwyl Carlo,

  Gobeithio na toes dim ots gin ti bo fi'n dy alw di wrth dy enw cynta ond fel'na dwi wedi dy nabod di 'rioed, byth ers pan ddoist ti i ga'l dy arwisgo yn dre 'cw ers talwm. Dim ond hogyn bach o'n i ar y pryd ac mi o'dd rhei pobol yn deud na enw ar gi o'dd Carlo. Ond mae o'n well na Toss, ne' Mot, ne' Fflei, yndi? Dwi'n gwbod na twyt ti ddim yn un o rheiny, a toes gin i ddim mynadd efo ryw enwa gwirion fatha Siarl ne' Siarlys achos bo fi'n gwbod na twyt ti ddim yn bons chwaith.

  Sgwennu i ofyn i chdi am dipyn bach o help ydw i. Dwi'n gwbod bod chdi'n ca'l lot o strop gin y papura newydd a ballu ond dim ots gin i be ma' neb yn ddeud. Byth ers i chdi stretshio dros ben toman o bobol er mwyn cymyd y bwnshiad o floda o'dd Anti Mair Sir Fôn wedi'u prynu i chdi ar ddwrnod yr arwisgo, dwi'n gwbod yn iawn bo chdi'n foi iawn sy'n gwbod be 'di chwara teg a bo chdi'n fodlon mynd y filltir arall dros dy bobol a ballu.

  Dwi wedi bod yn gwrando arna chdi dros y blynyddoedd yn cega ar bobol ynglŷn â bildings hyll, a'r GM cropian 'ma a ballu. Ma' hi'n amlwg bo' chdi'n dipyn o rebal fatha finna. Ddim dy fai di ydi o bo chdi wedi ca'l dy eni yn be wyt ti a toes gin ti ddim help bod dy gachu di'n drewi fatha pob un arall ohonon ni.

Dwi'n gwbod yn iawn bo chdi mewn cysylltiad agos efo Cymru dyddia yma. Ma' gin ti dy feirdd llys a dy delynorion swyddogol a ballu a dwi'n gwbod bod gin ti gannoedd o farchogion Cymreig a chomandos of the British Empire a ballu sydd wedi derbyn anrhydedda gin dy fam. Dwi'n siŵr bo' nhw i gyd wedi deud wrtha chdi pa mor giami ydi hi yng Nghymru heddiw 'ma. Dwi wedi dy glwad di'n deud lot o weithia cymint o drysor ydi'r iaith Gymraeg, cymint o bechod fydda'i cholli hi a ballu. Sgwennu jest i d'atgoffa di ydw i. Dim byd yn erbyn pobol o Loegar s'isho dŵad yma i fyw, ond fel ti'n gwbod dy hun ma' gofyn cloi'r drws yng Nghastall Windsor 'cw ar adega hefyd toes, ne' ma'n beryg bysa rhyw fastard drwg wedi bachu'r crown jewels i gyd!

Gweithio yn Amgueddfa Werin Sain Ffagan ydw i. Tydw i ddim yn deud bo fi'n gwbod cymaint â chdi am hanas ond mi dwi'n gwbod mwy na byddwn i. Dio'm ots ar ba ochor wyt ti, Hitler, Stalin, Kissinger, Bush… basdads ydi pawb sy'n chwilio am rym, ia? Toedd Edward y Cunta ddim gwahanol nag oedd, a dwi'n siŵr bo chdi'n teimlo'n annifyr iawn – fel Sais sy'n credu mewn chwara teg – na trw' goncwest rwyt ti'n dywysog ar y Cymry. Ond dyna fo, fel dwi'n deud, toes gin ti ddim help am be ddigwyddodd yn y gorffennol. Diolch i Dduw bod ni i gyd yn gallach heddiw 'ma, ia?

Dwi'm yn gwbod amdana chdi ond mi dwi'n hun yn bersonol yn cytuno na rhwbath sy'n perthyn i'r gorffennol ydi'r British Empire. 'Dan ni i gyd yn gwbod na tydi anrhydeddau'r frenhinas ddim byd i neud efo grym a dylanwad ac ennill breinia a hel pres a ballu bellach. Jest 'ych ffor' chi o helpu pobol i godi mwy o bres i elusenna ydi o, ia? Wyt ti'm yn meddwl dylsan ni i gyd anghofio am y gorffennol a dechra eto ar bejan lân?

Yli – dwi'n gwbod yn iawn pa mor brysur wyt ti fel darpar frenin, bomio rownd y byd, sortio dy fywyd personol allan a ballu. Chwara teg i ddiawl! Ma' gin ti ddigon ar dy blât heb i chdi orod ymlafnio i fod yn dywysog arna ni hefyd, does? Dwi'n gwbod bo chdi'n dechra grŵmio dy fab fatha'r tywysog nesa ond go iawn rŵan, does dim isho i chdi fynd i draffarth! Ella na'r hen wraig dy fam sy'n iawn – toedd hi ddim isho i chdi fynd drw'r arwisgo dwutha, nag oedd? Dwi'n gwbod be wyt ti'n mynd i ddeud, bysa hi'n neis i ni ga'l arwisgo arall, cymint o help fysa fo i'r diwydiant ymwelwyr yn dre 'cw a ballu ond meddylia am y peth mewn gwaed oer. 'Dio jest ddim yn neud sens nag'di, yn yr oes gynhwysol, ôl-fodan, ôl-oleuedig sydd ohoni: gofyn i bobol reoli nhw'u hunan mewn senedd yn Gaerdydd a wedyn disgwl iddyn nhw ddathlu eu concwest eu hunan mewn seremoni yn G'narfon! Deud y gwir yn onast rŵan. Ddim pasiant ydi rhwbath fel'na, nage boi, ond theatr y ffycin abswrd!

Ti'n gwbod be fysa'n neis? Tasat ti jest yn dŵad lawr i'r Black ryw noson a gneud datganiad bach: 'Ylwch hogia, ffwcio hyn! 'Dio'm yn iawn. Pwy dwi'n drio dwyllo? Dwi'm yn dywysog arna chi, nag'dw?' Fysat ti'n uchal iawn dy barch, wsti. Dwi'n gwbod na 'The Welshing Prince' fysa'r pennawd yn y *Welsh Mirror*, ond be sy'n iawn sy'n iawn, ia?

Dwi'n gwbod yn iawn pa mor bwysig ydi hanas i chdi. Mi gest ti C a D yn dy lefel 'A' ac mi est ti i stydio hanas ac anthropoleg yng Nghaergrawnt chydig o flynyddoedd cyn 'yn ffrind i, Ben Bach. Dwi'n gwbod bo chdi wedi treulio chwe wsnos yn Aberystwyth yn dysgu dipyn bach o Gymraeg a dwi'n gwbod na toes dim iws codi pais ar ôl arwisgo ond meddylia… Tasat ti wedi gweithio chydig bach cletach ac wedi ca'l gradda dipyn bach gwell ella bysa chdi wedi ca'l mynd i Aber am dair blynadd gron. Meddylia pa mor wriggle fysat ti wedyn! Dafydd ap Gwilym yn dy wely bob nos myn uffar? Fysat ti'n ca'l Morfudd a Dyddgu a'r genod Cymraeg i gyd dan y duvet wedyn siŵr Dduw!

Peth od ydi etifeddiaeth, ia? Tasa rhywun yn lladd dy fam di fysat ti'n frenin i mi ond tasa rhywun yn lladd dy famiaith di mi fysat ti'n fud wedyn, bysat? Co UK ydw i gwaetha'r modd – toes gin i ddim gwladwriaeth arall i'n amddiffyn i! Toes na'm Cymru heb Gymraeg felly tynna dy fys allan a gna rwbath droson ni wir Dduw. Ma' pobol yn medru bod yn gas iawn efo'u brenhinoedd 'sti os nag ydyn nhw'n watshad. Sdim isho i chdi boeni, dwi'm yn meddwl bod 'na Oliver Cromwell arall o gwmpas na dim byd ond twyt ti'm isho i'r bobol neud be neuthon nhw i frenin Sbaen a dechra dy alw di'n Wanc Arlos, nag wyt?

Gron

ON: Jest rhag ofn bod yr hen wraig dy fam yn ystyriad rhoid OBE i mi am fy ngwasanaeth diflino dros lenyddiaeth Gymraeg, deud diolch yn fawr ond fysa well gin i beidio. Deud y gwir yn onast wrtha chdi, toes 'na ddim llawar iawn o Order yn y rhan yma o'r British Empire ar hyn o bryd.

# Dal dy Dir

'Adeiladwyd gan dlodi' medda'r englyn ar y lechan tu allan.

O'dd yr hogia wedi mynd yn lond car o'r dre i neuadd Mynytho, Pen Llŷn, i gyfarfod sefydlu 'Cymuned'.

Sam Cei ddeudodd wrtha fi bod 'na ryw foi o'r enw Gaiman Slim wedi 'laru ar y mewnlifiad ac wedi penderfynu neud rwbath yn ei gylch o.

O'dd Bob Blaid Bach wedi gwrthod dŵad efo ni achos bod cwyno am Saeson yn hiliol. Ma' pawb sy'n byw yn y wlad 'ma gystal Cymry â ninna bob tamad, medda fo... Cont gwirion, ia?

"Pratmatiaeth gwleidyddol, gyfaill!" medda Bob. "Ma' croes y Sais cystal ag un neb yng nghynteddau y blwch pleidleisio!"

"Ia, ond ni sy'n *cario*'r groes, ia?" medda Sam.

O'n i rhwng dau feddwl ynglŷn â mynd i Mynytho deud gwir achos bod gin i flys mynd i brotest arall. O'dd Harri Mul, mêt yr hen go', wedi bod ar streic ers blwyddyn a hannar yn hen ffatri Ferodo. Wel – dyna dwi'n ei galw hi o hyd, ia. O'dd ei fab o, Harri Mul Bach, yn croesi'r picet-lein bob bora – dal i weithio am na fedra fo ddim fforddio peidio, medda fo. Peth creulon ydi streic, hollti cymdeithas, hollti teuluoedd. Ti'n gwbod y lôn 'na'n Llanbêr sy'n mynd o'r Fic i fyny'r Wyddfa? Stryd y Cynffonwyr ma' nhw'n dal i alw honna 'sti, gan mlynadd ar ôl Streic Fawr Penrhyn. Blydi stiwardiaid o'dd yn byw 'na adag hynny. Dwi'n gwbod am amball i fasdad sy wedi byw yna ar ôl hynny hefyd, ond dyna fo, stori arall ydi honno, ia?

"Peidiwch â phoeni, hogia!" medda Cen Cŵd Camera. "Fyddwn ni'n ôl mewn digon o amsar i fynd i brotest Ferodo!"

C'nychydd ydi Cen, un o gyfryng-gwn y dre 'cw sy'n aelod selog o 'Cymuned'. O'dd Sam Cei wedi gofyn iddo fo am lifft am ei fod o'n gwbod bod o'n mynd i Mynytho i dynnu llunia ar gyfar yr ymgyrch. Mi o'dd dreifio draw yn dipyn o broblem i'r hogia; fysa dwrnod allan ddim yn dê-owt heb ryw lasiad ne' ddau ar y ffor', na fysa? Ond chwara teg i Cen, doedd dim ots gynno fo fynd â ni. Mae o wedi mopio efo'i gameras a'i dreipods a ballu – ei ddau ddwsin o lensus ydi'r unig wydra mae o'n poeni amdanyn nhw, ia?

Mi o'dd y cwarfod wedi hen ddechra erbyn i ni gyrradd Mynytho. Ond dyna fo. Mi o'dd Cen yn mynnu bod yr hogia yn stopio mewn tafarn yn Llanbedrog ryw ddwy filltir o Mynytho. Dipyn bach o lun-iaeth, ia, tra roedd o'n tynnu'n llunia ni!

"'Tŷ Du' o'dd enw'r dafarn 'ma ers talwm, 'sti," medda Sam, o'dd ar ei bumad peint yn barod. "Ond 'aru rhywun newid yr enw er cof am ryw dransfestait lleol o'r enw Glyn-y-weddw!"

"Gwenwch!" medda Cen. O'dd hyn yn grêt, lysho'n yr haul mewn tafarn yn Llŷn tra ro'dd rwbath arall yn gneud yr ethnic lensing.

O'dd Neuadd Mynytho'n llawn dop erbyn i ni gyrradd ac mi o'dd 'na gannoedd o bobol yn gwrando ar uchelseinydd tu allan. Ti'n gwbod pa mor gul ydi lonydd Pen Llŷn. Prin o'dd 'na le i barcio.

"What's goin' on, pal?" medda ryw Sais o'dd yn styc yn y traffic.

"Cymuned!" medda Sam yn sych.

"Come-in-Ed? Sounds like 'Keep-out-Ed' to me!" mo. "Do you know the way to Abba-sock?"

"Yes thanks!" medda Sam. "Now fuck off!"

Bob hyn-a-hyn ma' 'na fudiad newydd yn codi yng Nghymru. Pobol yn ca'l llond bol ar ga'l eu trin fatha cachu ac yn troi allan yn eu cannoedd i fynnu'u hawlia. O'dd Gaiman Slim wedi tynnu nyth cacwn y cwîn-bi Gelynys Chinook a phawb yn ei ben trw' ddeud ar goedd bod y gymdeithas Gymraeg yn cael ei boddi gin y mewnlifiad. Dyma'r Blaid Lafur yn codi fel un gŵr i'w alw fo'n hiliol.

Ddeudith y basdads rwbath, g'nân? Pwy ma' nhw'n drio dwyllo? 'Con' olaf y concwest ydi peth fel'na, ia?

"Ma hi'n beryg na tân siafins fydd hyn eto!" medda Sam Cei wrth i ni fomio adra i dre i drio dal protest Ferodo.

Ond methu neuthon ni.

Erbyn i ni gyrradd o'dd Harri Mul wrthi'n diawlio arweinwyr y 'Transport and General' am dderbyn anrhydedda gin y cwîn.

"Be 'di transport nhw – Rolls Royce? Be 'di general nhw – Franco ma' siŵr ia?!" mo wrth ei fêt. "Lle ddiawl 'dach chi wedi bod, hogia?"

"Bendraw byd, ia," medda Sam. "Protest Cymuned, ia."

"Wel, yr Arglwydd!" medda Harri Mul. "Nabio'n tai ni, nabio'n jobs ni, be 'di'r gwahaniath? Nath neb feddwl am gynnal y ddwy brotest yn yr un lle ma' siŵr, naddo?"

Chydig o wsnosa'n ddiweddarach o'n i'n ista i lawr yn watshad teledu digidol S4C ar ben 'yn hun tra ro'n i'n disgwl i Siân ddŵad adra o'i phwyllgor yn y Fox and Hounds. Tro ar fyd, ia? Yr hogyn yn disgwl i'r wraig ddŵad yn dôl o'r dafarn! Ond wedyn dyma fi'n ca'l sioc ar 'y nhin pan welish i'r rhaglen pry ar y wal 'ma, 'Cofis yn y Gymuned', yn llenwi'r sgrin. Y cynhyrchu a'r cyfarwyddo, y camera a'r sain – y job lot wedi'i neud gan fand-un-dyn sef neb llai na Cen Cŵd Camera.

Sôn am fflei ar y wal, myn uffar i! O'dd gin y cwdyn gwmni teledu o'r enw 'Fiction Deinamic' ac o'dd o'n mynd o gwmpas dre yn brolio sut o'dd o wedi manijo torri cyfloga pob copa walltog o'dd yn gweithio iddo fo yn ystod y flwyddyn dwutha 'ma. Sam Cei o Benyceunant a Mimw Bach ei frawd a deg o hogia gwirion o lannau'r Fenai dlawd... O'dd y cont wedi bod yn iwsho'r hogia heb ddeud dim gair wrthyn nhw! Dwi'n licio peint cystal â neb, ond dim ond ffŵl fysa'n gwerthu'i enaid am lasiad o stowt! Mi o'dd Ben Bach yn rong, ddim syniad yn nwfn y galon ydi cenedlaetholdeb, syniad yn nwfn y bocad ydi o.

# Cymorth Cristnogol

**FFILM FER: CAMERA OBSCURA: GORONWY JONES**
*TAKE ONE:*

Dacw hi, Greta Grabo! Ma' hi ar dy sgrin di bob nos jest yn
cyhoeddi pa mor ecseiting ydi arlwyaeth S4C. Ma' hi a Kevin
K2 newydd ga'l contract i neud 'Topless North Face of the
Eiger' / 'Wyneb Gogleddol yr Eiger Heb Ddim Top'. Erbyn i
chdi orffan darllan y teitla ma' nhw wedi cyrraedd y copa,
wedi sbotio Iolo yn stagio adar ar ben y Matterhorn ac mae
Greta'n gleidio'i ffor' i lawr gan ddangos ei balŵns i bawb.

Mi wyt ti'n sbio drw' ffenast llofft ffrynt ei thŷ hi. Ma' hi
wrthi'n sortio'i wardrob allan. Dwi'm yn siŵr os oes gynni hi
steil ond ma' gynni hi lot fawr o ddillad, a rheiny'n rhei drud
uffernol. Ma' hi'n diffod y gola, OK Props? Achos 'na bora
eitha tywyll yn y gaea ydi hi.

Ma' Greta'n dŵad allan o ddrws ffrynt ei thŷ Edwardaidd
ac yn cario pedwar carrier bag i'r car. Ma' hi'n gneud hyn yn
ddeddfol bob chwartar achos bod gas gynni hi wisgo'r un
dillad yn rhy hir. Tu ôl i'w char hi ma' 'na gar arall, efo rhywun
yn ista ynddo fo ac yn gwitiad amdani ond tydan ni fwy na
Greta ddim yn gwbod pwy ydi o eto.

Mae Greta'n gyrru'r Merc i lawr y stryd o dai moethus
*c*.£450,000. Mi o'dd Sain Ffagan wedi ystyried prynu'r teras
i'r genedl ond mi oedd y genedl wedi'u prynu nhw'n barod.
Cymry Cymraeg sy pia bob un wan jac o'r tai. Cymdeithas
glos gytûn, ia?

Ma' Greta'n stopio wrth y goleuada yn Nhregala ac yn
codi'i llaw ar rywun. Mae hi'n adnabyddus ymhlith y Cymry
Cymraeg a'r prin-eu-Cymraeg fel ei gilydd yn rhinwedd ei

rhaglen ddwyieithog 'Wish-you-had-a-posh-house-like-mine-don't-you-you-extremely-envious bastard? / Na-chwennych-dŷ-dy-gymydog-y-cont-bach-cenfigennus'. Mae Greta'n edrych yn y drych i jecio'i lipstic ond tydi hi ddim yn ymwybodol o'r ffaith ei bod yn cael ei dilyn. Mae hi'n troi'r botwm ar ei sownd-pac i glywad ei rhaglen ei hun ar y radio.

Nid cywen ifanc mo Greta rhagor ond er gwaethaf ei phrysurdeb mae'n llwyddo i greu amser i ymlacio efo'i dau Alsatian sy'n cachu yng ngwterydd y cymdogion bob dydd gan fod Greta'n llawer iawn rhy ymwybodol o'r amgylchedd i adael iddynt wneud eu busnes yn y parc. Mae ganddi dri o gariadon yn ogystal â meistres. Toes ganddi ddim plant, hyd y gŵyr hi beth bynnag, ond mae ganddi fila yn Tuscani ac er nad yw'n siarad yr iaith mae'n mynnu bod y Tuscaninis bach yn ei hystyried fel un o'r brodorion bellach.

Mae amser Greta yn fwy gwerthfawr nag amser y rhan fwyaf o bobol ac mae'n amseru ei dwrnod i'r eiliad. Ond y trwbwl efo hynny wrth gwrs ydi bod pobol erill yn sylwi ar y patryma...

Mae Greta'n parcio'r car ar linellau melyn dwbwl, yn codi ei llaw ar y warden ac yn wincio arno cystal â deud: 'I'm a celebrity, you don't expect me to waste a second of my precious time do you?' Ac mae'r warden yn ddigon taeog i dderbyn. Mae o'n nabod y celebrities Cymraeg i gyd achos bod nhw i gyd ar gloria *Golwg* sydd ar werth yn ei archfarchnad leol bob wythnos.

Ble mae Greta'n cael y nerth i wneud y pethau hyn i gyd? Mae'r ateb yn syml. Mae Greta yn Gristion. Nid yw byth wedi anghofio'r droedigaeth a gafodd wrth sefyll mewn dau gae un diwrnod yn gwylio'i thad a'r chwe gwas cyflog yn gyrru gyr y pum cant o wartheg godro tua'r parlyrau pres ar ffarm ddi-nod y teulu yn Nyffryn Aerwen.

Nid yw Greta byth yn anghofio llwch y llawr. Mae'n cerdded i mewn i siop 'Cymorth Cristnogol', yn gwenu'n dirion ar y merched tu ôl i'r cownter, yn cyflwyno offrwm y carrier bags iddynt, ac yn teimlo fel Mother Superior am weddill y diwrnod.

Ond beth sy'n digwydd tu allan pan mae Greta'n dychwelyd i'w char? Yr heliwr cudd, y stelciwr… Duw a'n gwaredo! Oes rhywun ar fin gwneud niwed i'r Samariad Drugarog hon?

Na thralloder eich calonnau, canys nid oes gan y stelciwr ddim diddordeb yn Greta, dim ond yn ei dillad hi. Ddeng eiliad ar hugain ar ôl i'r seleb adael y siop mae gwraig arall yn rhuthro i mewn, yn bachu'r carrier bags oll ac yn eu gwasgu fel trysor i'w mynwes. Wardrob ail-law orau'r deyrnas, naw Nadolig wedi'u rhowlio'n un! Gorau arf gwaith ymchwil trwyadl. Fu sbotio seleb erioed mor broffidiol. Ffasiynau Paris am bris cadw-mi-gei.

TAKE ONE myn uffar – take the fuckin' lot, ia, tra 'dach chi wrthi!

Eluned Bengoch Howells ydi'r ddynas fwya crintachlyd yng Nghymru, yn y byd, yn y bydysawd a thu hwnt. Fysa hi ddim yn rhoid cachu Alsatians rhywun arall i chi, Greta. Ond, dyna fo, fyddwch chi byth ddim callach… Mae Greta ac Eluned, ill dwy, yn gywion o'r un brid, sy'n ffond iawn o bartïon cyfryng-gwnol dirifedi ond am ryw reswm rhyfadd welwch chi byth, byth monyn nhw yn yr un rhai…

A4@Goronwy Jones / Ffilmiau Cala

Programme note: HTV: for internal use only.
*'Crap script, old hat – rejected out of hand"*

# Problemau Prifysgol

"Rhag dy gywilydd di!" medda Siân.

"Be?" me fi.

"Iwso dy ffrindie fel 'na! Pam wyt ti'n casáu Lun gyment?"

"Dwi ddim yn ei chasáu hi!" medda fi. "Ond ma'n rhaid i chdi gyfadda bod ei chachu hi'n drewi!"

"Cachu pob un yn drewi!" medda Siân. "Ma' Ben a Lun wedi bod yn dda iawn i ti."

"Gwranda!" medda fi. "Sdim isho i chdi boeni. Fysa neb byth yn sylwi. Ma' pobol yn betha sala 'rioed am nabod nhw'u hunan a ma' hynna'n dy gynnwys di a fi!"

"Sa i'n gwbod beth i weud ymbytu ti!" medda Siân. "Ti'n gwmws fel sbynj! Grondo... Sylwi... Nodi... Storo popeth lan am wthnose, mishodd, blynydde withe. Ond mas dewn nhw i gyd yn y diwedd, ontife? Ti'n gwmws fel poli-parrot! Sdim ots pwy yw e. Os wyt ti gyda rhywun yn ddigon hir ti'n dechre'u dynwared nhw!"

"Bob sgwennwr yr un peth!" me fi.

"Odyn nhw, wir?" medda Siân yn sarcastig. "Bydden i'n rhedeg milltir cyn ishte ar dy bwys di miwn dinner-party, alla i weud 'na 'thot ti!"

"Rhedag i lle?" medda fi. "Toes na'm denig rhag dy gydddyn, nag oes? Ma' 'na foi ar ochor arall y bwr' 'na sy'n gneud yn union yr un peth i chdi a fi rŵan hyn. Ffilm, llyfr, cario clecs, pasio remarks – be 'di'r gwahaniath? Dim ond defnydd ydan ni i gyd yn y pendraw, ia?" me fi.

"Sa i'n lico ti pan ti fel hyn," medda Siân.

"Be?" me fi.

"Ti'n swno lot rhy coci!"

"Dwi'm wedi dechra eto!" me fi. "Ti'n athrawas dda iawn, Siân. Dwi 'di dysgu cymaint o'rwtha chdi!"

Parti o'dd o i fod. Parti dathlu. Pob math o gedor o goleg Ben Bach a swyddfa Lun wedi dŵad draw i 'Sycharth' i lychu pen Ceidrych Hywel ar ei lwyddiant anhygoel yn y lefel 'A'. Dyna lle'r oedd mein host Ben yn edrach fatha Liberace yn ei siwt wen a Lun rêl sioe yn ffrog ail-law Greta Grabo. Pawb wrthi'n pigo danteithion bach blasus y buffet bysadd – syndod faint gewch chi am igian punt yn 'Lidl' Llanishen, yndi? O'dd 'na ddigon o lysh achos o'dd Lun wedi gofyn i bawb ddŵad â photal. Fforffycsêc! Ma' hon yn wlad Gristnogol. 'Dach chi'm yn disgwl i rieni dalu am fedyddio llwyddiant eu mab, na'dach?

Pobol fawr gachu oedd y rhan fwya o'r gwahoddedigion. Sylvia Pugh, mam Siân, wedi gwirioni'i bod hi wedi ca'l gwahoddiad. O'n i wedi bod yn lyshio ben 'yn hun ers hydoedd, fel bydd pysgodyn pan mae o allan o ddŵr, ia?

"Dere! Ma' nhw'n barod am y llwncdestun," me Siân, dŵad i'n nôl i o'r cyntedd, a dyna lle'r oeddan ni i gyd yn drachtio Brüt – ryw sent cedor-cesal o champagne – a Ben Bach yn dangos ei orchast yn uffernol, dynwarad Parch. Philip Jones, Penarth, gwatwar yr hen bregethwr wrth ganmol ei epil:

"Hwn yw fy annwyl fab, yn yr hwn y'm bodlonwyd!" medda Ben gan godi'i wydyr.

Doedd Ceidrych ei hun ddim wedi cyrraedd eto ond o'dd amball i Sais o'dd yn bresennol yn ca'l traffath uffernol efo'r fflemsan oedd yn codi'n eu gyddfa nhw wrth drio ynganu'i enw fo.

"Pedair 'A' yn lefel 'A'. Meddylia!" medda Siân.

"A rheini'n serennog hefyd, mwn!" me fi, trio dangos 'yn hun.

"Sdim serennog i ga'l yn lefel 'A' y twpsyn!" medda Lun.

"Nag oes?" medda fi. "Dyna i chdi fasdads crintachlyd, ia?"

O'dd Ben wrthi'n dal pen rheswm efo Finbar Murphy, ryw ffwcar hyll o'dd yn y coleg efo Ben ers talwm.

"Chip off the old block, eh?" medda Finbar. "Another one bound for Oxbridge!"

Dyna lle'r oedd y ddau ohonyn nhw'n malu cachu am oes pys ynglŷn â faint o'u ffrindia nhw oedd wedi cyrraedd swyddi uchel yn y BBC yn Llundan a meinciau yr Old Bailey, cabinet Tony Blêr ac ati.

O'n i mor bôrd o'n i'n llowcio gwin fatha dyn gwyllt. O'n i mor despret am sgwrs fuo rhaid i mi droi at Sylvia Pugh yn 'y ngwendid.

"Oxbridge, meddyliwch!" medda Sylvia ar ei seicophantig ora.

"Be sy mor wych am hynny?" medda fi.

"Class, 'te!" medda hitha.

"Ia, ond dim lot o working-class, ia?" me fi.

"Peidiwch â rhuo!" medda hi. "Fanna bydd Gwenllian Arianrhod ryw ddwrnod – marciwch be dwi'n ddeud wrthach chi!"

"Ddim os medra i neud rhwbath yn ei gylch o!" me fi, dechra cynddeiriogi ynglŷn â'r holl gachu rwtsh yma am Gaergrant a Rhydrechan.

"Llongyfarchiada, Ben!" medda fi, ysgwyd llaw fy nghyfaill yn galonnog. "Ma' Ceidrych wedi gneud yn wych. Ond deud wrtha i, pam ddiawl bod Welsh nash fatha chdi yn gyrru'i hogyn i goleg yn Lloegar?"

Distawrwydd llethol. Pob un yn rhewi megis ffrîs-ffrêm ar untroed oediog R. Williams Parry wrth glwad yr hog yn gweiddi'r cwestiwn bloesg a digwilydd. Wyddoch chi fel bydd hi cyn storm – pawb yn disgwl am y daran, ia?

"Goronwy!" medda Siân yn stowt.

"Na, na, na!" medda Ben yn oddefgar. "Gad 'ddo fe ga'l ei weud."

"Be sy'n bod arna chdi?" medda fi eto. "Oes 'na rwbath yn bod ar golega Cymru, oes?"

"So ti'n dyall!" me Ben. "Ma' 'da Rhydychen draddodiad Cwmrâg anrhydeddus iawn. Syr John Morris-Jones... Syr Idris Foster... Cymdeithas Dafydd ap Gwilym... Ma' ysgolheigion disgleiria'r genedl wedi ca'l eu meithrin a'u magu 'no, t'wel. So ti'n cofio gwrthryfel Glyndŵr a'r holl fyfyrwyr yna'n dychwelyd o'r coleg i ymrestru yn ei fyddin e?"

"Ia," medda fi. "Ond toedd 'na ddim Prifysgol Cymru adag hynny, nag oedd?"

"Nag o'dd wrth gwrs!" medda Ben. "Breuddwyd Glyndŵr o'dd sefydlu un, ontife – a 'na beth nethon ni 'da ceinioge prin y werin…"

"Tasan ni 'mond yn gyrru'n plant iddi, ia?" me fi.

"Gron bach!" medda Ben, ysgwyd ei ben yn nawddoglyd. "Culni! O, gulni! So ti'n disgwl i bob stiwdant sefyll gatre, wyt ti?"

"Tasa'u hannar nhw'n gneud fysa'n help!" me fi. "Ma' rhan fwya o stiwdants Cymru yn dŵad o'r tu allan, 'sti!"

"So ti'n dyall!" medda Lun, brysio draw i amddiffyn ei gŵr. "Ma' Ceidrych wedi paso'n uchel. Cas e gyfweliad gwych. Ma' fe wedi ca'l ysgolorieth, t'wel!"

"Be ti'n feddwl?" me fi. "Ma' Prifysgol Cymru'n ddigon da i Jo Sôp ond ddim i dy fab di, ia?"

"Dewch 'mla'n, nawr!" medda Siân, gweld Ben Bach yn dechra cochi. "Gadwch i ni joio'r achlysur, ife?"

"Na, na!" medda Ben. "Ma' flin 'da fi. Wy i wedi ca'l llond bola ar y taeogrwydd hyn. Blydi Saeson! Pam dylen nhw ga'l y llefydd gore i gyd? Hufen ein hieuenctid ni! Dangoswn ni iddyn nhw bo' ni cystal â nhw bob tamed!"

"Fedrwn ni neud hynny trw' aros adra!" me fi. "Llenwi'n Prifysgol 'yn hunan yn union fatha ma'r Scots a'r Gwyddelod a phob gwlad gall arall yn neud!"

"So ti'n dyall dim byd!" medda Lun. "Ma' Ceidrych yn mynd i fod yn ddoctor!"

"So what?" medda fi. "Fedar o aros yn Gaerdydd a lladd pobol yn Ysbyty'r Heath!"

"'Na fe, ontife?" medda Ben. "Paid disgyn i'w lefel e, Lun! Dim ond gwamalrwydd gei di ganddo fe yn y diwedd! Ble wyt ti wedi ca'l y nonsens dwl hyn, gwed?" medda fo a gwenu'n dosturiol arna fi.

"Gin ti 'de'r crinc! Lle arall?" me fi. "Praxis makes perfect, ia? Fedra i ddim diodda pobol sy'n deud un peth a gneud rhwbath arall. Dyna ydi trwbwl y dosbarth canol Cymraeg!"

"Ti'n dechre mynd yn bersonol nawr!" medda Ben, ei figyrna fo'n cau'n dynn am ei wydyr gwin o.

"Yr holl betha ti wedi ddeud wrtha fi am yr Ymerodraeth Brydeinig – a dyma chdi rŵan jest â torri dy fol isho ca'l dy blant i mewn i'w ffycin system freintiedig nhw!"

"Ffyc off, y cont!" medda Ben, gwydyr yn malu'n ei law o wrth iddo fo drio rheoli 'i hun.

"Brensiach y bratia!" medda mam Siân.

"Ti'n gwaedu!" medda Lun a dechra tendio ar ei gŵr.

"Dere! Mas! Nawr!" medda Siân wrtha fi.

"Pam dyliwn i?" medda fi. "Dwi'm wedi gneud dim byd!"

"Sounds like an interesting discussion!" medda Finbar Murphy yn sbeitlyd. "Could you repeat it in English so we can all join in?"

"Why don't you learn Welsh?" me fi.

"North Walians!" medda Finbar. "They're bigger bigots than any Balkan!"

"Excuse me!" medda Siân. "Don't talk like that about my husband."

"Look!" medda Finbar. "I'm all in favour of bilingualism but you can't foist it on the people of Llanfoist if they don't want it!"

"Why not?" medda Siân. "You're foisting your language upon us!"

"I'm sorry!" medda Finbar. "I don't want to be unkind but you are a very small minority, after all, who speak a rather limited vernacular…"

"Don't patronize me, you bastard!" medda Siân. "How can you possibly evaluate the Welsh language when you can't speak a fuckin' word of it!"

"Nefoedd yr adar!" medda Sylvia Pugh.

"Brandi – glou!" medda Lun, gweld bod yr hen ddynas jest iawn â ffeintio, clwad y dosbarth canol yn rhegi mor galad.

"Gad Finbar i fod!" medda Ben wrth Siân. "Ma' fe a fi'n mynd yn ôl yn bell iawn!"

"Pella i gyd, gora i gyd mor belled â wy i yn y cwestiwn," medda Siân. "Ma'r dyn yn blydi Philistiad!"

"Tyrd 'laen rŵan, Siân!" me fi. "Sdim isho ecseitio nag oes?"

"Sa i wedi dechre 'to!" medda Siân, troi at Finbar. "Call yourself an historian? How can anybody study the history of Wales without a grasp of the Welsh language?!"

"Gad hi, reit?" medda Lun yn wyllt gan ddal bôn gwydyr candryll Ben Bach yn fygythiol o flaen gwynab Siân. "Sa i'n dishgwl dim byd gwell o' wrtho fe!" medda hi gan bwyntio ata fi. "Ond wy i'n synnu atot ti, Siân, ma'n rhaid i fi weud! Dwrnod hapusa'n fywyd i!" medda hi'n ddagreuol. "Chi wedi strywo'r cyfan! Beth yw e, cenfigen ne' beth? "

"Sori!" medda Siân. "Wy i'n cytuno 'da Gron! Wy i wedi ca'l llond bola ar 'whare'r ffon-ddwybig hyn! Y math hyn o fflyrtan gyda Phrydeindod sy'n rhoi enw drwg i wladgarwyr Cymru. Let's face it! Nage ma'r tro cynta, ife? Sa i wedi gweud dim byd tan nawr ond sa i'n gwbod pam dylen i geuad 'y mhen!"

"Beth?" medda Lun yn syn.

"Miss Croeso '69 – Castell Caernarfon – un o'r tywysferched tu ôl i Stella Mair. Falle bo ti wedi newid o ran pryd a gwedd ond bydden i'n nabod y coese 'na yn rhywle!"

"So what?" medda Lun. "Beth yw hyn nawr? Rhagor o genfigen, ife? O'dd 'yn 'whâr wedi bod yn 'Dairy Queen' Llambed ddwyweth, ac o'dd 'y nghnither wedi bod yn 'Rag Queen' Coleg Hyfforddi Abertawe! Miss Asbri o'n i moyn bod! Ond o'dd y beirniaid yn bent. O'dd hawl 'da fi ga'l rhwbeth 'fyd, on'd o'dd e?"

Dyma Lun yn dechra beichio crio a dyma Ben Bach yn dŵad draw i'w chysuro hi.

"'Na fe, bach! Paid gadel 'ddo nhw d'ypseto di!" mo.

Ond cwbwl nath o o'dd gneud petha'n waeth. Dyma 'na ddafn o waed o bopo'i fys briwiedig o yn colli dros wisg wen Lun i gyd!

"Christ Almighty!" medda Lun. "'Drych beth ti wedi neud nawr!" medda hi, ddim wrth Ben ond wrtha fi! "Dy fai di yw hyn i gyd!" medda hi gan sgrechian point-blanc yn 'y ngwynab nes o'dd 'na gawod o vin-blanc a pheanuts a fflem yn landio dros 'yn llgada fi i gyd.

"'Drych beth ti wedi neud i 'ngwisg newydd sbon i!" medda hi gan ffrothio fatha gast gynddeiriog.

"Newydd i chdi ella, ia, del?" medda fi'n sbeitlyd gan sychu 'ngwynab efo serviette.

"Beth?" medda Lun yn syn.

"Gron..." medda Siân yn rhybuddiol. Un peth ydi dadla politics ond ma' gin ferchaid ryw solidariti rhyfadd lle ma' cyfrinacha'r wardrob yn y cwestiwn.

"Na, sori!" medda fi. "'Na i ddiodda lot o betha ond toes 'na neb yn ca'l gobio yn 'y ngwynab i! Dwi wedi sgwennu tri o lyfra ond tydi rhein 'rioed wedi darllan dim un ohonyn nhw, a ti'n gwbod pam? Achos na tydyn nhw byth yn prynu dim byd o un pen flwyddyn i'r llall! *Golwg*: ma' Ben yn ei ga'l yn staffrwm y coleg bob wsnos. *Y Cymro*: llyfrgell Caerdydd, ia, Lun? *Barn*: 'ma' fe'n lot rhy ddwfwn, 'ta beth, on'd yw e?' Dwn i'm be ma' Ned Tomos yn traffath trio creu papur newydd dyddiol. Tydi'r dosbarth canol Cymraeg byth yn prynu ffyc-ôl, dim ond tai!"

Peth nesa dwi'n gofio o'dd potal yn smashio dros 'y mhen i a Ben Bach yn hyrddio'i hun fatha tasa fo'n rhif wyth Pwllheli nc' rwbath a 'nhaclo fi nes o'n i'n sgrialu dros y bwr' bwyd. Dim ond un o'r byrdda picnic simsan cach 'na oedd o, wedi'i fenthyg o festri capal rhwla rhag bod neb yn mynd i gosta, dim ond y gweinidog tlawd. Dyma'r bwr' yn snapio fel matsian dan bwysa Ben Bach a finna nes oeddan ni'n un gybolfa o gateaux a profiteroles a jyncet, a jygaid o hufen dwbwl yn diferu'n ara bach drost y ddau ohonon ni ar wastad 'yn cefna ar lawr.

Ac ar y gair, dyma hufen y genedl yn ymddangos yn drws. Dyna lle'r oedd Ceidrych a Gwenhwyfar yn sobor fel saint, yn syllu'n syn ac yn methu credu be ma'r ddiod gadarn yn medru neud i bobol yn eu hoed a'u hamsar.

# Brad

Un peth 'di meddwi – peth arall ydi hangofer, ia? Fuo 'na gwmwl du yn hofran uwchben tŷ ni am ddyrnodia. O'dd Siân yn dawedog uffernol, fatha dynas wedi ca'l siom, wedi moni, wedi pwdu, wedi llyncu mul ma' hi'n amlwg, a finna fanna yn dredio meddwl am y gic geuthwn i pan fysa hi'n ei bwyri fo allan! O'n i wedi creu drwg rhyngthi hi a Ben Bach ac o'dd hi'n amlwg mod i'n mynd i dalu am 'y mhechoda. O'dd yr hen Gramsgi'n iawn, gobeithio am y gora ac ofni'r gwaetha, dyna'r cwbwl fedrwn i neud bellach. Os o'dd hi'n mynd i jopio 'môls i ffwr', gobeithio bysa 'na fin go lew ar y fwyall, ia?

Ond pan agorodd y llifddora yn diwadd, doedd o ddim cweit be o'n i wedi ddisgwl…

"Gron," medda Siân mewn tôn leddf uffernol gan gymyd y lliain sychu llestri o'ddarna fi. "Ishte lawr. Wy i moyn gweud rhwbeth wrthot ti. Man-a-man i fi gyfadde. Sa i wedi bod yn gwbwl onest 'da ti…"

"Be?" medda fi yn syn.

"Y ffrae rhyngthot ti a Ben," medda hi. "Nage dy fai di o'dd e, t'wel. O'dd e'n dod ta p'un 'ny 'blaw bo fi'n trial gohirio pethe. Y gwir plaen yw taw twyll a brad sy wrth wraidd y cwbwl. Y berthynas rhyngtho i a Ben – 'na beth sy tu ôl i hyn i gyd, t'wel!"

Ffagan Sant a Yorath Pete!

Dyma'n holl fywyd i'n fflachio o flaen 'yn llgada fi, fatha tudalenna nofal yn fflicio am yn ôl…

Yr holl bwyllgora 'na!

Y cynadledda blynyddol!

Y borea Sul pan o'dd Gwenlli a finna'n y capal…

Y tripia i wlad y Basgiad a'r Baltig a'r Caucasus a ballu…

Pwy ddeudodd bod petha bach yn brydferth?

Peth hyll ar y diawl ydi anffyddlondeb hyd yn oed pan 'dach chi wedi'i weld o'n dŵad o bell fatha dydd y farn…

O'n i wedi dychmygu pob math o scenarios – ond Ben Bach o bawb!

"Gron – ti'n iawn?" medda Siân, dechra poeni amdana fi, 'ngweld i'n wyn fatha calchan.

"Safia dy wynt, del!" me fi. "Sdim isho i chdi ddeud chwanag."

"Beth sy'n bod?" medda hi.

"Dwi'n gwbod yn barod, reit?" medda fi. "Be ti'n meddwl ydw i, ffŵl? Ffycin politishans! Fedrwch chi drio twyllo'r etholwyr os 'dach chi'sho ond fedri di 'mo nhwyllo fi, reit?"

"Beth ti'n siarad ymbytu?" medda Siân.

"Dy blydi affêr di, 'del!" me fi. "Be arall?!"

"Yffarn gols! Beth sy'n bod 'not ti?" medda Siân. "Ti 'rio'd yn meddwl bo…! Y berthynas wleidyddol sy rhyngtho Ben a fi – 'na beth wy i'n siarad ymbytu!"

"O – dwi'n gweld!" me fi, ymhen hir a hwyr… Chwara teg i finna hefyd. Pan ti'n meddwl bo chdi wedi colli pob dima sgin ti ma' hi'n cymyd dipyn o amser i'r geiniog ddropio ma' siŵr, yndi?

"Etholaeth Canolbarth Cambria!" medda Siân yn chwerw. "Ti'n cofio fel o'n i fod ar ben y rhester PR?"

"Yndw… dwi'n meddwl…" medda fi, dal y smelling salts o flaen 'y nhrwyn, dal i drio dŵad dros y sioc.

"Wel, sa i ar ben y rhester rhagor, t'wel," medda hi. "Sa i'n gwbod yn gwmws beth ddigwyddodd ond ma' hi'n amlwg bo Ben wedi bod yn cynllwynio ers ache. Cadw'n glos ato i, dwgyd 'yn syniade i, eu cyflwyno nhw fel ei syniade fe'i hunan, a nawr… Fe sy ar ben y rhester!"

"Ffycin cont uffar!" me fi. "Ddeudish i, do? Ma'r dwyn dillad pobol erill 'ma wedi mynd yn rhemp, yndi?"

"Paid siarad 'da fi!" medda Siân. "Wy i mor ypset. Yr holl waith wy i wedi neud. Yr holl 'whys a llafur. 'Yn holl gynllunie i – ma' nhw'n rhacs jibidêrs!"

Dyma Siân yn dechra beichio crio a dyma fi'n ei chysuro hi.

"Hei, tyrd 'laen rŵan!" me fi. "Anghofia am y basdad. Chdi ydi'r gwleidydd mwya penderfynol dwi'n nabod! Mi godwn ni eto, 'sti – paid â Phoenix am hynny!"

Ma' 'na ryw dda ym mhob drwg, does? Hyd yn oed yn Ben Bach a'i Siân-anigans. Dwi'n gwbod mod i ar fai ond o'n i'n eitha enjoio hyn i gyd. Am y tro cynta ers cantoedd mi gesh i gip ar yr hogan bach fregus honno brodish i. O'n i wedi ca'l 'y ngwraig yn ôl, am ryw hyd o leia... Pwy a ŵyr? Ella bysa hi wedi ca'l llond bol ar bolitics yn gyfan gwbwl ar ôl profiad fel hyn!

"Gwranda!" medda fi. "Deud y gwir yn onast wrthat ti, dwn i'm be wyt ti'n rwdlian efo'r blaid 'na beth bynnag. Os ydyn nhw'n fodlon ar ryw dw-lal fatha Ben Bach fel ymgeisydd, mae o'n gneud i chdi feddwl, yndi?"

"On'd yw e, 'te?" medda Siân. "So fe'n sosialydd o fath yn y byd erbyn hyn, t'wel. Jyst gweud y pethe iawn pan ma' fe'n siwto, 'na i gyd ma' fe'n neud! Rhethreg gwag yw'r cyfan!"

"Ia, dwi'n gwbod," medda fi. "Ond...".

"Wy i'n gwbod beth ti'n mynd i weud!" medda Siân, gan dorri ar 'y nhraws i fel arfer. "Beth ma' Marcsydd yn neud miwn plaid petit-bourgeois, ife?"

"Wel, ia, yn hollol! Ti wedi dwyn y geiria o 'ngheg i," me fi. (Be?!)

"Ma' rhaid i bob un ffito miwn yn rhwle, o's e?" medda Siân. "Sa i wedi bod yn iawn 'ddar i wal Berlin gwympo, ond beth yw'r iws? Pwy help i neb yw adyn ar gyfeiliorn? Ma'n rhaid trial ca'l dylanwad yn rhwle, o's e? Ewn ni byth i unman os nag y'n ni yn y prif ffrwd gwleidyddol."

"Ia, ond deng mlynadd o lafur calad!" me fi. "Faint o ddylanwad wyt ti wedi ga'l? Ffurflen y cyfrifiad 'na – sticar melyn y Blaid. Tydi honna ddim mwy o brotest na phibo babi yng nghachdy Lucifer, na'di?"

"Grondo di!" medda Siân. "Bydden i wedi dwlu trefnu ymgyrch yn erbyn y ffurflen 'na, reit?"

"Be 'di'r broblem, 'ta?" medda fi.

"Ma'n rhaid i fi weithio 'da'r defnydd s'da fi, on'd o's e?" medda Siân, gan ddechra ar ei phregath.

"Pwy yw dy ddosbarth di?

Pobol adawodd iddyn nhw foddi Tryweryn.

Pobol dderbyniodd yr Arwisgo.

Pobol fu'n condemnio Cymdeithas yr Iaith am golli seddi iddyn nhw yn y saithdegau.

Po fwyaf y sarhad, mwya i gyd bydd y blaid genedlaethol yn ei anwybyddu fe!

Shwt allen i drefnu ymgyrch yn erbyn y Cyfrifiad? Bydde hi'n cwmpo'n fflat yn 'y ngwyneb i! Faint o'r dosbarth canol gwladgarol fydde'n fodlon talu mil o bunne o ddirwy i achub Cymru? Synnet ti gyn lleied!

So ti'n cofio'r hen gerdd 'no 'slawer dydd?

'O Gymru, Gymru rwy'n dy garu

(o fewn ffinia cyfansoddiadol felly)'

Ma'n rhaid i ti ddeall deinameg datganoli, t'wel.

Mae'r broses yn cynhyrchu tomenni o swyddi, mae'r dosbarth yn ciwo lan i'w llenwi nhw, ac unwaith maen nhw wedi'u ca'l nhw, does 'na ddim byd ar wyneb daear all eu symud nhw!

Paid byth â gofyn iddyn nhw ddewish rhwng eu gwladgarwch a'u buddianne economaidd. No contest o gwbwl, boi!

Does gan y dosbarth canol Cymraeg ddim problem o gwbwl gyda'r system Brydeinig cyn belled taw fe sy'n ei gweinyddu hi!

A'i raison d'être? Chwarae teg i Gymru! Ehangu gorwelion yr iaith!

Marcia beth wy i'n weud 'thot ti. Bydd y cyfrifiad nesa 'ma'n dangos cynnydd gwyrthiol yn nifer y siaradwyr Cymraeg. Shwt elli di ddadle gydag ystadege? Faint mwy o brawf wyt ti ishe? Mae strategaeth y dosbarth yn gwitho. Ma'r Gymrâg yn ddiogel, ma'i gydwybod e'n dawel, ac mae e'n cysgu fel babi bob nos!"

"Whiw!" medda fi, sychu'r chwys 'ddar nhalcian.

"Sori!" medda Siân. "Ma' flin 'da fi gadw 'mla'n! Wy i'n gwbod taw dy nofel di yw hi!"

"Popeth yn iawn!" me fi. "Paid â phoeni! Dwi'n gwbod na tydw i'm yn deilwng i ddaffod creia dy sgidia di!"

"Hei, gad dy ddwli pathetig, nei di?" medda hi. "Wy i'n gweld digon o daeogion yn y swyddfa 'co bob dydd! Wyt ti'n cofio'r ffilm 'ny, 'Il Postino'?"

"Ara deg rŵan!" me fi. "Yn yr UCI dwi'n gweld 'yn ffilmia. Dwi'n dallt ddim am y petha arti-ffarti 'na yn 'Chapter'!"

"Ar y teledu man hyn rhyw nos Sadwrn welson ni hon!" medda Siân. Neis gweld hi'n chwerthin eto. "Pablo Neruda, y bardd o Chile, yn mynd i fyw i'r Eidal ac yn dod yn ffrindie 'da'r postmon bach diniwed 'ny wrth iddo fe ddelifro'i bost e bob dydd. So ti'n cofio? Y postmon yn troi'n gomiwnydd dan ddylanwad y bardd ac yn cael ei ladd mewn protest pan o'dd y bardd i ffwr' yn cael gwobr Nobel..."

"Dim byd yn newydd yn fanna, nag oes?" me fi. "Beirdd yn pregethu a'r hogia yn diodda!"

"Ie, ond darllen rhwng llinelle'r 625 lines, 'na beth o'dd yn ddiddorol ontife? Pwy ddylanwad cas 'Il Postino' ar Neruda? Grondo, Gron! Wy i'n gwbod bo fi'n coethan digon 'not ti a bo fi'n gas ofnadw 'da ti weithie ond... Paid meddwl nagw i ddim yn gwerthfawrogi'r pethe bach ti'n neud bob dydd. A nage jyst y gwaith tŷ wy i'n ei feddwl chwaith. Falle byddi di'n ei cha'l hi'n anodd credu hyn ond ti yw 'nghydwybod gwleidyddol i yn amal iawn, t'wel!"

*  *  *

O'n i wrthi'n gweithio yn yr oruwchystafell un p'nawn, Sylvia Pugh wrthi'n gwarchod Gwenlli lawr grisia (ne' ffor' arall rownd, dwi'm yn siŵr erbyn hyn) pan ganodd y ffôn yn y cyntedd.

"Dadi! Dere glou! Ma' Mami moyn ti. Ma' hi'n ffono o Cibec!"

Haleliwia! medda fi wrth 'yn hun. O'dd y dedlein yn dynesu

ac o'n i wrthi ffwl-pelt yn trio gorffan 'y ngwaith taswn i 'mond yn ca'l llonydd i neud o...

Ond fedrwch chi ddim cadw Siân i lawr yn hir, buan iawn roedd hi wedi anghofio am siom Canolbarth Cambria ac wedi ymuno ym merw gwleidyddiaeth rhyngwladol eto. Galwad o'r Gynhadledd i Leiafrifoedd yng Nghanada ydi hon. Ma' Gwenlli wedi hen arfar ac mae hi'n trin y peth fatha tasa Mami yn galw o waelod yr ardd.

"Ha-ia, del! Sut wyt ti?" medda fi, allan o wynt wrth i mi gyrraedd y ffôn lawr grisia.

Ma' Siân yn llawn cyffro, fedar hi ddim credu! Ma' hi wedi cwarfod â chymdeithas o Esgimos sy'n ddwyieithog Ffrangeg/ Innuit ac yn byw mewn iglw cymunedol yng Ngogledd Quebec. Ma' gynnyn nhw bedwar ar higian o eiria gwahanol am eira ond does gynnyn nhw ddim syniad be 'di 'snow'!

"Diddorol iawn!" medda fi yn ysu am ga'l gofyn sut flas sy ar y 'Labatt' a ballu. Gynnyn nhw lagers diddorol iawn yn Canada. Ond pa obaith sgin i? Fi ydi Ben Bach Siân bellach a'r cwbwl dwi'n ga'l ydi'r 'Canada Dry'. O'dd hi wedi anghofio bod hi wedi gaddo'n ffyddlon annerch cangen ddiweddara'r blaid mewn mosque yn blydi Grangemouth. Fysa ots ofnadwy gin i fynd Islamio'n ei lle hi?

"Be...?!" medda fi.

"Diolch!" medda Siân.

"Gwranda!" medda fi.

"Sori! Sa i'n clywed ti..." medda Siân. "Cofia fi at Mami. Caru chi..."

Ffyc mi Toronto!

Sut fedri di ddadla efo dynas ma'i signal hi'n torri fyny, filoedd o filltiroedd i ffwr' ar lanna Lake Hwran? Gwaetha fi'n 'y nannadd gosod o'n i dros 'y mhen a 'nghlustia yng nghanol y frwydr eto!

Dwi'm yn gwbod pam ond tydi'r dudalen wag ddim yn peri cweit cymaint o ddychryn i mi dyddia yma. Fedrwch chi ddychmygu rwbath mwy dychrynllyd na bod yn gydwybod gwleidyddol i Siân?

# Dyn Newydd Sbon II

### GOL. 1 – EXT/CAR – COWBRIDGE ROAD WEST

Y 'mai i o'dd o. O'n i wedi ca'l tri pheint o SA yn yr 'Ivor Novello' efo Jero Jones y Dysgwr amsar cinio ac o'n i'n gyrru fel diawl trw' Trelai am adra:

a) am bo fi wedi yfad ar stumog wag;

b) am bo fi isho cyrradd yn ôl cyn i'r lysh registro yn 'y ngwaed i a 'ngyrru fi dros y rhicyn eto;

c) am bo fi'n despret am bishad.

Beth wyddwn i be o'dd yn 'y nisgwl i? O'dd Siân wastad wedi deud bysa'r ddiod yn 'yn arwain i i ddistryw...

### GOL. 2 – EXT/WALIA WIGLI

Cyrraedd dreif y tŷ 'cw. Brecio'n galad a sgidio. Slamio drws y car ar gynffon 'y nghôt. Rhegi a rhwygo cyn rhedag am y tŷ nerth 'y mhegla.

### GOL. 3 –INT/GRISIA/BOG

Rhuthro mewn i'r tŷ. Bomio fyny grisia. Agor 'y malog wrth fynd, a chwilio am y wialan yn barod. Drws y bog ar agor... Tyd 'laen! Tyd 'laen! Fflic syd i 'ngarddwrn nes bod y gledd allan o'r wain. Dim ond ca'l a cha'l fysa cyrra'dd mewn pryd...

"Ohhh!" medda rhywun yn hysterical hollol o bendraw'r stafall molchi.

Ritaganita myn uffar i! Neu 'i hannar hi o leia. Be wyddwn i bod hi yno yn golchi dan ei cheseilia? Freeze-frame arni'n cuddio'i bronna noeth ac yn syllu'n gegrwth ar Jôs yn fanna a'i ddarn yn ei ddwrn!

"Beth yn y byd mawr...?" medda Siân sydd yn rhuthro draw fel siot bob tro ma' hi'n clywad 'Gwaedd yng Nghymru'!

"Paid â chamddallt! Fedra i egluro!" medda fi a chau'r zip ar 'y mlaengroen druan wrth drio'i rhoid hi o'r neilltu.

"Ti wedi neud hi tro hyn, on'd do fe'r twat?" medda Siân, trio cysuro'r hogan bach o'dd yn crynu fatha jeli, cyn troi at yr hogan camera a gweiddi: "Stop filming will you, for fuck's sake!"

Dwi'm yn gwbod be sy'n digwydd i ddyn pan mae o'n ca'l sioc. Ma' raid bod y piso'n mynd yn ei ôl i fyny'r peipia ne' rwbath. To'dd gin i ddim mymryn o awydd piso wedyn beth bynnag.

Fedrwn i weld penawda'r papura yn serenu o 'mlaen i'n barod. 'Siân Arianrhod Pugh a briododd bric'. Fysach chi'n fotio i wraig dyn sy'n fodlon dangos ei flew gerbron yr holl genedl (a'r byd ehangach hyd yn oed, ar ddigidol)? OK, ella bysan nhw'n medru torri'r darn allan (fel petai) ond beth am Ritaganita, yr hen gotshis bach ffyslyd ag ydyn nhw? Beryg na llys barn fysa 'niwadd i. Ennill Oscar am 'Indecent Proposal'. Beth am gataracts yr hogan camera a chwilydd yr ym-chwilydd? Mi o'dd gyrfa wleidyddol ddisglair fy ngwraig ar groesffordd ddifrifol iawn o 'mhlegid i. Dwi'n gwbod na rhaglen pip-ar-y-person-preifat ydi 'Dyn Newydd Sbon' ond ddim pry fel hyn oeddan nhw'n ddisgwl ei ga'l ar eu wal, naci?

Ffwr â fi, yn hollol wirfoddol, i Siberia'r siambar sori i gysgu ar ben 'yn hun am weddill 'yn oes, gwbod yn iawn na fysa 'na ddim maddeuant i ga'l gin Siân tro 'ma unwaith bysa c'nychydd y sioe yn clwad am y 'Goolie Archipelago'.

Ond gwyrth y gwyrthia! Dim ffasiwn beth. O'dd Franklin Ffiaidd wrth ei fodd.

"What a wonderful moment of televisual spontaneity!" mo. "Y gath mas o'r cŵd! Yr ochor ddynol i fywyd gwleidyddol y genedl! Cig a gwaed y'n ni i gyd, ontife? Haleliwia!"

"Ara deg rŵan!" me fi, ofn weld o'n dŵad yn ei drowsus. O'dd y cont wrthi'n masajo'i ffigyra gwylio yn barod. Dyma fo'n rhoid sws 'lyb i mi ar 'y ngwefla.

"Rwyt ti'n athrylith!" mo a chomisiynu chwech o ffilmia byr gin i yn y fan a'r lle. "Rwyt ti wedi bod yn cwato dy dalente dan lester, on' do fe?"

Ma' hi'n anodd dallt y drefn weithia, tydi? Yr holl A4s 'na o'n i wedi bod yn eu gyrru at S4C: o'n i'n wastio'n amsar, do'n? Thyrti Thymthing, Thecs and the Thiti. Cwbwl o'dd rhaid i mi neud o'dd mynd Ibitha, Ibitha a dangoth 'y mhithyn ar y thgrîn! Hwn o'dd y brêc o'n i wedi bod yn chwilio amdano fo!

GoronwyJones@Who wants to be a millionaire?
Ffilmiau Tarrant Ddeuddeg

NID OES MWY O GWESTIYNAU AR GYFER PERSON 1.
GADEWCH Y TUDALENNAU NESAF YN WAG...

# MANIFFUSTO

**Darllediadau gwleidyddol
ar gyfer etholiadau Ewrop
gan yr ymgeisydd Annibynnol
GORONWY JONES**

*Y Pesetas Olaf*

'Barcelona!' medda Freddie Mercury a Montserrat Caballé efo'i gilydd yn un môr o gân wrth i ni fynd ar y bys ar daith gelfyddydol o gwmpas y ddinas. Mi fysa'n well gin Gwenlli a fi fynd i lan y môr: "Ma' Cambrils yn bril!" medda Gwenlli. "Be am ga'l sit-down yn Sitges?" me fi wrth Siân, ond doedd waeth i mi heb ddim. I weld 'La Sagrada Familia', Eglwys Gadeiriol Gaudi, dyna lle'r oeddan ni'n mynd heddiw 'ma.

Dyna be 'dan ni'n neud pan 'dan ni yn Sbaen. Ehangu ein gorwelion diwylliannol. Dwi wedi bod mewn mwy o amgueddfeydd na dwi wedi ga'l o *dapas*. Dwi wedi gwgu yn y Guggenheim ac wedi alaru yn yr Alhambra. Dwi'n gwbod bod Picasso yn dŵad o Malaga a bod Salvador Dali yn dŵad o Figueras. Dwi'm yn siŵr iawn o lle o'dd Van Goya'n dŵad. Cwbwl dwi'n wbod ydi bod byw efo Siân fatha mynd rownd Sbaen ar gefn easel. Be wn i am gelfyddyd Cain fwy na chelfyddyd Abal, ia?

Ma' nhw'n deud bod pobol sy'n sgwennu yn y person cynta yn bobol hunanol – yn bobol sy'n licio rhoid bob dim mewn ffrâm a'i ffitio fo i gyd i mewn i'w llun bach nhw o'r byd. Ydw i'n edrach fatha rhywun sy'n cynllunio'i fywyd, yndw? Ma' hi'n bosib bod gin i blot ryw dro ond mi gollish i o ar hyd y ffor' yn rwla. Boi sy wedi ca'l 'i fframio ydw i, ia? Yr agendas wedi'u sgwennu gin rywun arall bob gafal, a finna'n dilyn fatha oen ll'wath.

Olides ha' o'dd o i fod. Cheuthwn i ddim pacio'r nofal yn y cês ond o'dd hi'n dal i fwydro 'mhen i o hyd! Os ydi llun yn peintio mil o eiria pam na fedra i brintio llond album o snapsiots a'u galw nhw'n nofal?

O'n i wedi bod yn deud 'Cerveza por favor' ers blynyddoedd

maith rŵan. Pwy fysa'n meddwl pan o'dd Franco'n fyw bysa Sbaen yn joinio'r Ewro cyn bod ni'n gneud? Pwy fysa'n meddwl bysa gin Catalonia senedd well o beth uffar na 'sgynnon ni, a'r iaith yn ca'l lot mwy o barch, ia? Ond o'dd bob dim yn newid efo'r pres 'leni. O'dd chwith gin i feddwl na rhein fysa'r pesetas olaf...

"Dere 'mla'n!" medda Siân. "Beth ti'n neud?"

"Talu am y bys, ia!" medda fi, trio 'ngora i wagio 'mhocedi a cha'l gwarad o'r pesetas mân.

"Dod y blwmin lot 'ddo fe, ife?" medda Siân. "Byddan nhw'n da i ddim byd i ti 'to! Sdim ots faint ti'n trial, cei di byth wared â newid, t'wel!"

Tip gora gafodd y dreifar 'rioed dwi'n siŵr! medda fi wrth 'yn hun, gan bwyntio'r camera digidol at Eglwys Gadeiriol Gaudi...

A Gaudi ydi'r gair hefyd! Welish i 'rioed eglwys debyg iddi. O'dd hi fatha ryw 'Leaning Tower of Pisa' o'dd wedi bod yn siopio yn H. Samuel yn rhy amal, yn grown jewels drosti i gyd!

"Anhygoel, on'd yw e?" medda Siân. "Swrealaeth dan reolaeth geometri, 'na beth galwodd rhywun e!"

Braf gweld ôl-strwythur ar rwbath, yndi? medda fi wrth 'yn hun, dechra meddwl am Gymru druan sy'n swrealaeth dan reolaeth ffyc-ôl!

"Be ddeudist ti o'dd politics, Siân?" me fi. "Celfyddyd y posib, ia?"

"Ie, pam?" medda Siân.

"Dwi'n meddwl bo chdi'n rong, 'sti," me fi. "Dwi'n tueddu i gytuno efo Gaudi. Celfyddyd yr amhosib ydi'r cwbwl neith 'yn hachub ni bellach!"

## Ffilm 2

*Gron Tôn Gron*

(*Traditional Welsh Folk Music: simultaneous transmission on* 'Cymru a'r Byd')

Crash, bang, wali! Dyma ddrws yr efail yn agor a dyn gwyllt yn rhuthro i mewn efo iwnifform FWA amdano a gwn dwy faril yn ei law.

"Reit! Mas nawr!" medda fo a phwyntio'r gwn ata fi.

"Da iawn rŵan!" medda fi. "O'n i'm yn gwbod bod 'na arddangosfa yma heddiw!"

"Beth?" medda fo.

"Ti yn y tŷ rong," medda fi. "Ti'm yn nabod Sain Ffagan, nag wyt? Fan'cw ma' teras Rhyd-y-car. Ti'n edrach reit othentig chwara teg i chdi. O'dd Merthyr yn berwi efo hogia FWA yn y chwedega, oedd?"

"Paid ti mesan ymbytu 'da fi!" medda fo'n flin. "Nage jôc yw hyn, reit?"

Dyma fo'n 'y mhwnio fi efo'r gwn ac yn 'yn hel i allan o'r tŷ yn ddiseremoni. Hwp, hwyth a hergwd – sodro stôl ar lawr tu allan i'r efail a deud wrtha i am sefyll arni.

"Pwy uffar ti'n meddwl wyt ti, Muscle-ini?" me fi.

"Jyst cau dy ben a cana, reit?" mo.

"Be?!" medda fi.

"Cana'r bastard, cana!" mo a sodro'r ddwy faril yn 'y ngheg i. "Ma Taff man hyn moyn dy glywed di'n canu, reit?"

"OK! OK!" me fi, sylweddoli na peth peryg uffernol o'dd dadla efo hwn. O'dd hi'n amlwg bod o a'i fêt wedi denig o rwla. 'Care in the community', ia? Couldn't care less, myn uffar i! Dyma fi'n cofio cyngor yr Prif Ofalwr, goc oen ag ydi o, mae hi'n handi cofio weithia na'r cwsmar sy bob amsar yn iawn.

"Os na cân 'da chi isho, cân gewch chi," medda fi. "Ond os wyt ti'm yn meindio dwi'n tueddu i ganu'n well heb feicroffon!"

Chwara teg i'r boi, doedd o ddim yn hollol sensles. Dyma fo'n tynnu'r gwn o 'ngheg i ac yn ei bwyntio fo at 'y nghalon i, gosod ei stop-watsh ac ysgyrnygu:

"Cwmint o ganeuon Cwmrâg a gelli di! Ma' 'da ti ddeg muned. Dechre nawr!"

Do'n i'm yn gwbod lle i ddechra ond ceffyl da ydi 'wyllys, ia? Ma' deng-munud-tan-ddiwadd-y-byd yn dipyn o sbardun, yndi? O'n i'n dychmygu gweld gwraig weddw o'r enw Siân Arianrhod Pugh AC yn ista yng nghadair ddu y Cynulliad a bob dim... Ond diolch i'r Duw dad mi ddoth ysbrydoliaeth o rwla. Mi o'dd drws yr efail yn agorad wedi'r cwbwl, toedd? Mi migl-di-maglish i hi i lyfr *Hwiangerddi'r Dref Wen* a'n adrenalin i'n drên!

"Mynd drot, drot..."

"Mi welais Jac y Do..."

"Gee ceffyl bach yn cario ni'n dau..."

"Mae gen i ebol melyn" (a hwnnw'n cachu yn ei drowsus)

"Siglo, siglo cwch bach fy Iolo" (a 'nghoesa matsis druan i i'w ganlyn o)

Cofio Siân yn trio 'ngha'l i joinio Côr Cochion Caerdydd ryw dro a'r arweinydd yn gofyn os na tenor 'ta bastard o'n i. Rwbath yn y canol ia, medda fi. Côr cymysg o'dd o wedi'r cwbwl, ia?

"Sori!" medda fi. "Gin i lais fatha sment-micsar efo craic ynddo fo."

Ond toedd dim ots gan yr FWA am safon y consart. Prin o'n i wedi gorffan lein gynta cân nad o'dd o'n 'y mhwnio fi efo'r gwn yn 'y mocs canu a'n siarsio fi fynd ymlaen i'r gân nesa... O'dd hi'n ddigon hawdd cofio'r hwiangerddi achos mod i'n eu canu nhw bob dydd ond mi o'dd harbwr Corc yn dechra sychu fyny a toedd gin i ddim oba-dei lle'r euthwn i wedyn... O'n i'n dechra gweld drychiolaetha uffernol o

Gwenlli bach yn sefyll yn amddifad yn nrws 'Glan Geriwbiaid' a neb yn troi fyny i'w nhôl hi...

'Glân Geriwbiaid a seraffiaid!' Diolch iddo byth, amen!!

Dyma'r Llyfr Emyna a'r Detholiad Cymanfa yn agor o 'mlaen i.

'O Iesu Mawr, rho d'arian pur, pan oeddwn i mewn carchar tywyll du. Arglwydd dyma fi' (trefniant Cerys Matthews, tremolo fi).

Oeddan nhw i gyd yn llifeirio fatha peintia o SA o 'ngena fi a'r FWA yn 'Sankey a Moody' yn dal i hwrjo am fwy drw'r amsar.

Peth rhyfadd ydi'r meddwl, ia? Ingejo dy frên a thapio'r adrenalin. Ma' hi'n syndod cymint o stwff sgin Cymro ar ei hard-dreif, tydi? Bob tro mae o'n styc ma 'na gyfrol arall ar y shilff...

'Be Bopa Lula'r Delyn Aur... Edward H, Tebot Piws, Meic Stevens, Geraint Jarman.'

'Caneuon Cwrw y Lolfa': 'Paham mae dicta-ffôn Myfanwy yn llenwi'th lygaid duon di.'

'Caneuon Gwerin Budur' (Frogit Press): 'Anna, tynn dy sana, tynn dy bais i ga'l banana...'

'Caneuon Glanllyn a Llangrannog'. (Ma' hi'n syndod pa mor isal eith rhywun pan mae o'n wirioneddol despret!) 'Goolies, goolies wash wash' (cân am bla o grabs gafodd un o benaethiaid y gwersylloedd yn y dyddiau cynnar).

Ella bod yr awdur wedi marw, medda fi wrth 'yn hun, ond oedd y llyfr yn dal yn fyw, a diolch i Dduw am hynny!

Deud y gwir yn onast, o'n i'n dechra ca'l hwyl arni, dechra ca'l blas. O'dd 'na griw bach o dwristiaid wedi hel o gwmpas yr efail ac wedi dechra cymeradwyo.

"Wunderbar!" medda un boi.

"Excelenti!" medda rwbath arall.

"Domo! Domo!"

"Bravo! Bravo!"

"Such a musical nation!" medda un hen wraig yn ei dagra.

O'n i'n dechra teimlo fatha taswn i yng Ngŵyl y Vinyl ne'

rwla. Buan iawn ma' enwogrwydd yn mynd i ben rywun, ia?

"OK! OK! Show off!" medda'r FWA gan stopio'i watsh a chicio'r stôl o'dana i nes o'dd 'y nhraed i yn ôl ar y ddaear.

"See!" mo wrth ei fêt. "Told you, didn't I? In Welsh-speakin' Wales any twat off the street can reel off a hundred best tunes in ten minutes flat!"

"I don't believe it!" medda Taff a dechra chwerthin ei hochor hi, methu coelio'i glustia.

"I don't know why you're laughing," medda'r FWA. "It's your turn next, you bastard!"

## The Official Welsh Singles Chart
## Y DEG UCHAF – SIART SWYDDOGOL WALES

### Welsh charts

**Black Eyed Peas make the grade in Wales for a second week ...**
1 Where Is The Love – Black Eyed Peas
2 I Believe In A Thing Called Love – The Darkness
3 Sweet Dreams My LA-Ex – Rachel Stevens
4 White Flag – Dido
5 Rubberneckin' – Elvis Presley
6 Superstar – Jamelia
7 Baby Boy – Big Brovaz
8 Going Under – Evanescence
9 Someday – Nickelback
10 Innocent Eyes – Delta Goodrem

### UK charts

**The King is back! Long live Mr P ...**
1 Where Is The Love – Black Eyed Peas
2 I Believe In A Thing Called Love – The Darkness
3 Sweet Dreams My LA-Ex – Rachel Stevens
4 White Flag – Dido
5 Rubberneckin' – Elvis Presley
6 Superstar – Jamelia
7 Baby Boy – Big Brovaz
8 Going Under – Evanescence
9 Innocent Eyes – Delta Goodrem
10 Someday – Nickelback

■ *Kevin Hughes reads the Official Welsh Singles Chart every Mo*

## Ffilm 3

# Dyfroedd Dyfnion y Taff

*My hen laid an adder, enamel M.E.,*
*Glad bear an Cantonian an walk on referee*
*Aye'n good old revolver glad Garry tram mad*
*Dross rathered coalescent, ye glad!*

*Glad! Glad! Applied whole whiffin glad...*

O'dd y Bwrdd Iaith wedi ca'l y Welsh FA i roid geiria ffonetig
'Hen Lad fy Nada' i fyny ar sgrins er mwyn i holl Stadiwm y
Mileniwm ga'l codi ysbryd tîm Sparky Hughes cyn y gêm.
To'dd o'n codi FA ar 'yn ysbryd i, ond mi o'dd Ben Bach wedi
meddwi'n gaib ar yr awyrgylch.

"Bendigedig!" medda fo gan wylo bwcedad o 'Ddagrau'r
Ddraig'. "Deng mil a thrigen o bobol yn canu'r anthem. Hala
iâs lawr dy gefen di, on'd yw e?"

"Ti'n meddwl?" medda fi. "Be 'di'r pwynt i bobol ganu
geiria na toes gynnyn nhw ddim clem be 'dyn nhw?"

"Emosiwn yw e, ontife?" medda Ben. "Gwmws fel yr
opera!"

"Ia!" medda fi. "A'r un mor ffwcin abswrd hefyd, tasat ti'n
gofyn i mi!"

'Good game.' 'The boys done brilliant.' 'Got a result.' O'dd
yr 'hen lad' wedi dodwy 'adder' arall. Gwasgu'n ffor' allan o'r
cae, 'senna ni'n gwegian, lwcus bo ni wedi ca'l spare-ribs i
ginio, ia.

"Wales are on a roll!" medda ryw foi yn y dorf wrtha fi ar
y ffor' allan.

"On a roll?" medda fi. "We're on the fuckin' skids, man.
Look! Your feet aren't touchin' the ground!"

Stwffio'n ffor' at y bar yn y City Arms, sgrialu drw'r sgrym yn trio potio rhywfaint o'n peintia cyn iddyn nhw golli ar lawr. O'dd yr hogia wrthi'n bloeddio'u repertoire llawn o bum cân.

'And they were singin' Pimms and Arias
Land on my father's
Ar hyd her nose!'

'Bread of heaven. Feed me till I want no more bad lager, ffagots and pys, plastic leeks and Lacrimosa.'

'We are the Welsh! We are the Welsh!'

'Why, why, why, Delilah?'

"Ti'n gwbod be?" medda fi wrth Ben. "Dwi'm yn meddwl dylsa Cymru ga'l tîm ffwtbol!"

Fuo jest iawn i Ben dagu ar hynny o'dd gynno fo ar ôl o'i beint.

"Dwi'n 'i feddwl o!" medda fi. "Tydan ni ddim hyd yn oed yn wlad go iawn, na'dan?"

"Walle bo ni gwpwl o syllte'n llai na sofran," medda Ben. "Ond ni ar 'yn ffor', t'wel!"

"Ar y ffor' i lle?" medda fi. "Dwi 'di laru chwara'r ffycin gêm 'ma! Dwi'n meddwl dylsan ni neud dîl efo pobol Cymru a deud wrthyn nhw'n blwmp ac yn blaen. Gewch chi dîm ffwtbol pan 'dach chi'n wlad annibynnol fatha pob gwlad arall yn FIFA. Deud y gwir yn onast wrtha chdi dwi'm yn meddwl ddylsan ni ga'l tîm rygbi chwaith!"

"Ca' dy ben y con' dwl!" medda Ben dan ei wynt. "Ma'r Cardiff City Boot Boys miwn man hyn! Swansea Jacks! Rhondda Destroyers! Pob un!"

"Dio'm ots gin i," medda fi. "Dwi 'di blino deud clwydda wrth bobol. We're all Welsh aye! Ffyc the English! Ti cystal Cymro â fi, a ballu. Dio'm yn wir, nadi? Ma' George Cooks yn iawn. Be 'di Wales? Un peth yn saff i chdi, dio'm yn ffycin Gymru, na'di?"

O'dd Ben wedi mynd i'r bog i gachu yn ei drowsus. O'n i wedi ca'l pum peint ac o'n i'n teimlo reit hapus. O'dd 'na horwth o foi mawr efo locsun yn ista'n y gongol, dillad lledar amdano, tshaen moto-beic am ei ganol, fatha Hell's Angel, ia? O'dd gynno fo homar o datŵ ar ei fraich: 'Rhydd Cymru Am Byth!'

"Cymro wyt ti?" me fi.

"You talkin' to me?" medda'r boi. "I haven't got a clue what you're sayin', butt, but at least you're not fuckin' English! I always thought the Welsh language was a load of shit but then I figured... what the fuck? It must 'ave been of some use otherwise those bastards wouldn't 'ave taken it away from us!"

"Nice tattoo!" me fi.

"Proud of my heritage, see!" mo.

"Do you know what it means?" me fi.

"What d'you think I am, thick or somethin'?" mo. "Course I fuckin' know. Free Wales Forever, in'it?"

"Not quite..." medda fi.

"What?" mo.

"You're quite right!" me fi. "It's not your fault you've lost the language but I'm afraid the tattooist has made a grammatical error!"

Dyma Ben Bach yn ei ôl o'r bog jest mewn pryd i ga'l hartan wrth 'y nghlwad i'n mwydro. Dyma fo'n troi at yr Hell's Angel ac yn deud: "Sorry, mate! Is he bothering you? Twat's pissed as a rat, see!" Dyma fo'n gafal yn 'y mraich i a thrio'n llusgo fi o'na...

"Hold your horses!" medda'r horwth, wedi cynhyrfu'n lân ac yn pwyntio at ei datŵ:

"What did you say about my beauty?" mo.

"Nothin'!" me fi.

"Fuck off, you cunt!" mo. "I've had this tattoo since I was a kid. It's baroque art as far as I'm concerned, and no West Walian wanker is goin' to come in 'ere and diss it!"

"North Wales actually," me fi, meiddio'i gywiro fo eto.

"Fuck me Penrikhyber!" medda'r boi. "You takin' the piss?"

Dyma fo'n codi oddi ar ei orseddfainc ac yn tynnu'r tshaen o'dd am ei ganol ac yn tyrru uwch 'y mhen i fatha ryw

Archangel Goliath.

"Wassa matta Cledwyn?" medda'r Glân Geriwbiaid erill fel un gŵr. "You in trouble?"

"Don't worry!" medda Cled. "I can andle 'em!"

Dyma fo'n codi Ben Bach a finna un ar bob ysgwydd a'n cario ni yn ddiseremoni allan o'r dafarn.

Wyt ti 'rioed wedi bod ar gefn Harley Davidson yn mynd lawr yr M4 ffor' rong 150 m.p.h. efo dy wallt di'n chwyrlïo yn y gwynt achos na toes gin ti ddim helmet? Un pasenjyr o flaen yr Hell's Angel, llall ar y pilion tu ôl iddo fo'n apilio'n daer ar i'r Arglwydd ei arbad o rhag difancoll.

Wyt ti 'rioed wedi ca'l dy hongian ben i lawr o ben Bont Hofran nes bod 'na chwe peint o SA a saith peint o waed yn llifo i dy ben di?

Gest ti 'rioed dy hongian ar bolyn tu allan i'r border-control rhwng Cymru a Lloegar fatha 'puppet on a string' nes bod dy bres di i gyd yn syrthio allan o dy bocedi di i'r afon islaw?

"Sorry, butt!" medda Cled wrth ryw dwrist cegrwth. "Just showin' these guys some traditional Welsh customs!"

"See that 'Croeso i Gymru' sign?" medda fo wrth Ben a fi. "It means 'Welcome to Cardiff', if you don't mind walking forty miles back. Count your lucky stars that I'm a forgiving little soul. Don't you ever, ever rubbish my culture again!"

"Y pwrs! Y twat!" medda Ben Bach wrtha fi wrth i ni ddechra bodio adra yn y glaw. "Ti'n ffycin liability!" mo.

"Sori!" medda fi. "Ond dwi'n meddwl bo fi wedi profi 'mhwynt. Beirniadu'i Gymraeg o, dyna'r cwbwl nesh i. Meddylia be fysa fo'n neud tasa rhywun yn bygwth ei dîm ffwtbol o!"

## Ffilm 4

*The Party of Wales*

O'n i'n ista mewn transit gwyn yn Dover yn disgwl i fynd drw'r customs, ac yn trio ffendio'r atab i'r 'West Loire-ion Question': os ydi Ewrop yn Undeb pam bod cwrw mor uffernol o ddrud yn fama i be 'di o dros y dŵr yn Calais? O'n i wedi bod i'r warws lysh i lenwi'r fan efo lager cry o'r cyfandir. O'dd Plaid Siân mor ffyddiog eu bod nhw'n mynd i ffurfio mwyafrif yn ail etholiad y Cynulliad oeddan nhw wedi archebu'r lysh flwyddyn ymlaen llaw. 'Fydd y cwrw wedi mynd yn fflat erbyn hynny!' me fi, ond doedd na thwsu na thagu, stocio fyny o'dd raid.

Yn ffodus iawn i'r criw ffilmio mi o'dd gynnon ni gyd-deithwyr byd-enwog ar y fferi efo ni. O'dd y grŵp pop dwyieithog Snowdon Black Dave wedi gneud mwy na neb i ddinistrio'r sîn roc Gymraeg unigryw o'dd gynnon ni ar un adag ac mi oeddan nhw wrthi'n chwara hen ganeuon y 'Band' i'w plesio nhw'u hunan: 'Million Dollar Bash', 'The Night They Drove Old Disc a Dawn' a ballu. Oeddan nhw wedi cychwyn allan efo bwriad da iawn sef cynnal 'massive, amazing, immense tour' oedd yn mynd i roid cyhoeddusrwydd byd-eang i'r byd Cymraeg. Trwbwl ydi, erbyn iddyn nhw gyrradd adra doedd 'na ddim byd Cymraeg ar ôl...

O'dd gin i flys mynd draw i wynebu'r miwsig pan ddoth 'na swyddog draw yn ei gap pig i ofyn am weld 'y mhasport i. Yn anffodus i mi, wrth i mi fynd yn hŷn, dwi'n mynd yn debycach ac yn debycach i'r Aelod Cynulliad 'na. Ddim o Gaerdydd ond o Stormont...

"Security alert! Possible false passport! What d'you reckon?" medda'r cap pig a dangos y llun i'w fêt.

"Bloody hell! You're right, too!" medda'r llall. "It's Martin

McGuinness! What have you got in the back pal?"

"Liquid plutonium!" medda fi. "I'm helpin' San Marino develop weapons of mass destruction to attack the Vatican!"

Ffagan Sant! 'Sat ti'n gweld eu gwyneba nhw! Ma' gneud jôcs yn deyrnfradwriaeth yng ngolwg y 'Customs and ex-Sais' dyddia yma dwi'n deud wrthat ti. Dyma nhw'n agor drysa cefn y fan efo crowbar ac yn sgrechian, "Now that's what I call smugglin'!"

"No, no, no!" medda fi. "Private consumption, aye. I'm having a party!"

"Party?" medda'r boi. "Drink this lot and you'll have a hangover 'till Kingdom come!"

"You don't understand!" me fi. "My wife is on the national executive. I'm buyin' the booze for the Party of Wales!"

"Who?" mo.

"The Welsh Nationalist Party!" medda fi.

"Party of Wales! Who are you tryin' to kid, pal?!" mo. "Every bugger in the UK knows that the Welsh Nats are called Plaid Coomree! Lyin' little sheep shagga! Book him, Bill!"

Peth hallt ydi treth ar werthoedd, ia? Mi gollish i'r cwbwl in transit, ar y ffor' o goll Walia i Wales...

## Ffilm 5

# Nein! Nein! Nein!

(Ni fynn y Taeog Mo'i Ryddhau)

Dyn yn rhuthro mewn i'r cemist yn Zurich heb air o Jyrman ar ei elw.

"Guten tag!" medda'r fodan wrth y cowntar.

"Digon teg!" medda finna yn ôl. "I want something but I can't tell you what it is. Do you speak English?"

"Nein!" medda'r fodan. "Du bist ein Inglisher?"

"No, no, no!" medda fi. "Not English, Welsh aye."

Ma' 'na rei petha ma'n rhaid i chdi neud yn glir hyd yn oed mewn emergency, does?

"Twyt ti'm yn digwydd siarad Cymraeg, nag wyt?" medda fi. Tydach chi byth yn gwbod dyddia yma efo'r proffeil sgin y Cariad @ Iaith 'na ar y World Wide Wep a ballu.

Nath hi ddim byd ond codi'i hysgwydda a gofyn: "Parlez-vous français?"

"Petit-pois!" medda fi. "Yli! Ma' 'ngwraig i'n fforti-ffôr, ma' hi off y pil a tydi hi'n bendant ddim isho plentyn arall. Cwbwl dwi isho ydi tacla atal-cenhedlu! Como se dice…? Condom?"

Sbio'n wirion.

"You know! Durex, aye. Sache bach, aye. Jonis!"

O'n i'n teimlo fatha llo Llŷn yn straffaglu yn fanna, yn hollol a chyfan gwbwl despret. O'n i mor despret dyma fi'n dechra canu 'All you Need is Love', rhoid 'y mys yn 'y nwrn, ffegio ffwrch a bob dim. Ma' rhaid i chdi fod yn ffranc efo'r Swiss achos tydyn nhw ddim yn yr Eurozone, nag 'dyn?

"Il papa – no amore mit latex!" me fi yn fy El Desperanto gora.

"Ah!" medda'r fodan, y pfennig yn dropio o'r diwadd. "Vouz voulez protection?"

"No, no, no! Not protection!" me fi. "I want action and I

want it now!"

"Auf wiedersehen pet!" medda fi yn ddiolchgar, a bomio'n ôl i'r gwesty efo rhwbath o'dd y fodan yn ei alw'n 'Ze Englishman's Trenchcoat'. Ma' nhw'n deud bod y Ffrancod yn genedl romantic; wel, tydi'r Swiss Ffrancod ddim. Fedri di feddwl am ddelwedd mwy anghynnas na hynna, fedri?

Sefyll yn stond tu allan i'r gwesty, allan o bwff yn lân, a mynd trw' 'mhocedi. Goriada'r stafall – lle ffwc roish i nhw? Chwilio fatha pic-pocet ar sbîd trw' bob llogall o'dd gin i, ond yn ofar. Syllu fyny'r adeilad can-llawr, di-reception a meddwl am Siân druan yn styc yn y stafall i fyny fan'cw a styc dwi'n feddwl.

Siân a fi o'dd 'Dream Ticket' y Blaid. Oeddan ni ar 'yn ffor' i Geneva i gyflwyno papur gerbron y Cenhedloedd Unedig er mwyn i'r byd gael gwbod am 'yn Wounded Ni ni, yr hil-laddiad a'r Munch-housing by proxy sy'n digwydd yng Nghymru. A be sy'n digwydd? Yr innane hanas, ia? Boddi yn ymyl y lan. Fysa ni byth yn cyrradd mewn pryd rŵan, na fysan? O'dd dirprwyaeth Cymru mewn sefyllfa ddelicet uffernol!

Hulpan wirion! Ei bai hi o'dd o, hi a'i harferion caru bourgeois. Simone de Boudoir a ryw falu cachu felly. Y ffetish 'ma sgynni hi ynglŷn â'r Ymerodraeth Brydeinig a ballu. Ddeudish i wrthi am beidio bod yn wirion ond doedd dim dadla: 'yng ngwres y frwydr', 'mewn foreign parts' a ballu o'dd hi wedi mynnu mod i'n gwisgo fatha Governor General tra bod hi wedi 'chlymu wrth bostyn y gwely fatha taeog. O'n i wedi gadal y goriada ym mhocad 'y nhrowsus khaki yn llofft a do'n i ddim hyd yn oed yn cofio rhif 'yn stafall ni!

Diplomatic creisus, Mr Picton!

Diwedd gwareiddiad fel y gwyddom amdano.

Cyff gwawd y byd yn ddi-os.

Sut oedd dŵad allan o hyn heb i'r *Welsh Mirror* 'yn dal ni?

Dwi'n gwbod mod i wedi seinio 'Cytundeb Ymrwymo Awdur' ond o'dd hyn yn blydi stiwpid! Tydi o ddim yn jôc trio achub Cymru, na'di?

## Ffilm 6

'Syphilis Jade'

Dwrnod oer yn y gaea oedd hi ac o'n i'n swatio o flaen tân yn Ffermdy Kennixton, y tŷ pinc-galchog 'na o Fro Gŵyr, yn yfad coffi o'r fflasg fawr deg-panad 'na sgin i. Tydan ni ddim i fod i ddarllan yn gwaith ond to'n i ddim wedi gweld enaid byw trw' bora a dyna lle'r o'n i yn craffu ar y *Western Mail* yn y twllwch. 'One woman date-raped in Cardiff every week!' medda'r pennawd. Be sy'n bod ar yr hogan? medda fi wrth 'yn hun. "Ydi hi byth yn dysgu?"

O'n i wedi menthyg tâp o adran y trafodieithoedd ac o'n i wrthi'n gwrando ar y Parch. Philip Jones, Penarth, yn pregethu. Cyfla i ddysgu rhwbath na tydi Ben Bach ddim yn ei wbod, medda fi wrth 'yn hun, ac o'dd yr hen ddiwygiwr yn dechra mynd i hwyl go iawn pan ddoth na rywun i mewn i'r tŷ…

Ma' gin ofalwr yn Sain Ffagan fantais ar yr ymwelwyr sef bod ei lygad o wedi cynefino efo'r twllwch ers oria: mi fedar weld pwy sy 'na cyn iddyn nhw weld pwy ydach chi. Fysa digon hawdd i mi fod wedi cau 'ngheg a smalio na toedd 'na neb yma ond o'n i'n sylwi na ryw bladras fawr oedd hi a to'n i ddim isho bod yn gas efo hi. Dwi'n siŵr Dduw mod i wedi gweld hi yn rwla o'r blaen…

"Bora da/G'mornin!" medda fi yn 'y nwyieithrwydd gora.

"Man 'na y'ch chi!" medda hitha a'i llgada hi'n sgwintio. "O's llawer o ymwelwyr ymbytu'r lle bore 'ma?"

"Synnach chi gyn lleiad!" medda fi. "Ydach chi wedi bod yn Kennixton o'r blaen?"

"Fy hoff adeilad yn yr amgueddfa!" medda hi. "O'ch chi'm yn nabod Frankie Lynch o'ch chi?"

"Saer maen gora nabodish i 'rioed!" medda fi.

"Cytuno'n llwyr! Min arbennig ar ei ebill e!" medda hi. "Ma' hi'n dwym braf miwn man hyn, on'd yw hi?"

Ac yn sydyn dyma hi'n tynnu'i blwmar i lawr ac yn dangos ei thin i'r tân.

"Sdim byd fel gwres y fflam, o's e?" medda hi. "Wy i wedi bod yn ishte miwn pwyllgore trw'r bore. Sa i'n gwbod beth yw 'mhen-ôl i!"

'Mawr' o'dd yr atab, ond feiddiwn i ddim deud!

"Watshiwch losgi'ch camagara!" medda fi, yn cochi at 'y nghlustia tasa rhywun yn medru 'ngweld i yn y twllwch. Os o'dd y fflama'n gweld ei thin hi, sdim isho gofyn be o'n i'n weld, nag oes?

"Sa i'n gwbod beth yw e," medda hi a dechra'n stydio fi yng ngola'r tân. "Ond byth ers pan o'dd tada'n dod yn ôl o'r llynges wy i wastad wedi ffansïo dyn miwn iwnifform!"

"Ara deg rŵan!" medda fi. "Ddim iwnifform go iawn ydi hon, w'chi. Tydi o'm 'run fath â taswn i'n soldiwr ne'n blisman ne' rwbath, nag 'di?"

"Beth sy'n bod?" medda hi. "Nag y'ch chi'n 'y ngweld i'n ddeniadol?"

"Fyswn i'm yn deud hynny!" medda fi (ddim ar goedd beth bynnag – o'dd hi'n ddynas sylweddol iawn, iawn a to'n i ddim llai na'i hofn hi).

"Beth sy'n bod, 'te?" medda hi a dechra dynesu tuag ata i.

"Dim byd!" medda fi. "Ond mi dwi'n ŵr priod 'dach chi'n gweld!"

"Ie, ond ody'ch gwraig chi'n 'ych deall chi?" medda hi a 'ngwthio fi i gongol gyfyng lle buo rhaid i mi setlo yn erbyn y setl tu ôl i mi.

"Keep the home fires burning, ontefe?" medda hi. "Does unman yn debyg i gatre, o's e?"

Cartra myn uffar! Debycach i garchar. O'n i'n styc, o'n i'n gaeth, wedi 'nal yn ddiamddiffyn fatha cwning-lingus mewn trap yn fanna!

O'dd Philip Jones, Penarth, yn dechra mynd i berorasiwn yn y cefndir... 'Dyma'r Bendefiges yn dychwelyd i'r llys,' medda fo. 'Mae gwên serennog ganddi... Nid yw'n unig y tro hwn. Mae'n cerdded ym mraich gŵr ifanc, tecach na meibion dynion, harddach na'r wawr…'

Dyma hi'n dechra daffod botyma ei blows ac o'dd pen ei brynia hi'n dechra llawenhau…

"Good morning!" medda hi. "And what a very good morning it is for Wales!"

Ffagan Sant! medda fi wrth 'yn hun. Syphilis Jade, conciwbein y Cynulliad! Trap efo dannadd ynddo fo, os gwelist ti un 'rioed! Sbia ar y breichia 'na Gron bach! medda fi wrth 'yn hun. Mysls fatha clams. Coesa fatha ffycin feis yn cau amdana chdi. Os na fysa'r beic yn dy ladd di fysa hon yn siŵr Dduw o neud!

"Sori!" medda fi. "Fedra i ddim, w'chi. Ma' hi'n benwthnos, tydi?"

"Beth?" medda hi.

"Gin i glwy Gwener-ôl!" me fi.

"Y'ch chi'n trial bod yn ddoniol?" medda hi. "Wy i'n gwbod yn iawn beth ma' nhw'n 'y ngalw i yn y Bae, ond sa i'n dishgwl yn ffôl am hanner cant a saith odw i?"

Pum deg saith myn uffar! Ma' pobol wedi bod rownd y byd deirgwaith erbyn yr oed yna: clit fatha Cleopatra yn mynd o'i blaen hi i bob man. Be wyddwn i lle o'dd hi wedi bod? Pandora's Pocs myn uffar yn berwi o Aids! Ebola ne' rwbath erchyll felly, yn barod i'ch byta chi'n fyw! Dyna lle o'dd hi a'i '57 varieties' yn ymagor led y pen o 'mlaen i! O'dd hi wedi canu arna i: o'dd hi'n amlwg bod hon yn mynd i'n rheibio fi doed a ddelo!

Fedrwn i neud dim byd ond bagio'n ôl yn slo bach am y wal, gobeithio'r Arglwydd medrwn i wingo fatha pry copyn i mewn i dwll tu nôl i'r dresal ne' rwbath. Dwi'm yn meindio gneud joban o waith edrach ar ôl y lle 'ma ond pwy sy'n gofalu am y gofalwr, dyna dwi isho wbod! O'dd hi'n amlwg bod Phillip Jones, Penarth, yn teimlo i'r byw drosta i yn y cefndir: 'Gollwng ef yn rhydd!' mo. 'Gollwng ef yn rhydd!! Tydi hyn ddim yn iawn!'

Ac yn sydyn fel gwyrth o rwla dyma dyner lais y Prif Ofalwr yn galw arna i ar y peiriant-patro: "Goronwy Jones – i'r Castell os gwelwch yn dda! Goronwy Jones i'r castell!" Llef un yn llefain o'r diffeithwch! Gas gin i'r cont ond tasa fo yma rŵan fyswn i'n rhoid 'y mreichia amdano fo a'i gusanu fo. Dyna i chdi ddangos pa mor hyll oedd hon!

"Ble chi'n mynd?" medda Syphilis yn gas pan ddechreuish i nelu am y drws.

"Dyletswydd yn galw!" me fi, pwyntio at y radio.

"Sefwch ble y'ch chi!" medda hi. "Sa i wedi bennu 'da chi 'to! Os nag y'ch chi'n cydweithredu bydda i'n gweud bo' chi wedi 'nhreisio i!"

Fi a pwy armi? medda fi wrth 'yn hun. Hi o'dd yn ymosod! Hi o'dd yn treisio!

O'n i ar fin ca'l yn fframio gin AM nymphomanic! Qué faire? Qué faire? Tydi hyn ddim yn ffêr! Helpa fi Philip! medda fi wrth y pregethwr. Be ddigwyddodd i'r solidariti traddodiadol o'dd rhwng y Jonesus? O'n i'n gweld penawda'r *Welsh Mirror* yn dechra ffurfio o 'mlaen i eto:

# FOLK IT!

## Welsh Museum Rapist Strikes Again!

*FADE TO JADE*

"Jones!" medda'r Prif Ofalwr wrtha i yn ei swyddfa. "Allwch chi esbonio eich ymddygiad os gwelwch yn dda?"

"Sori!" medda fi. "Toedd gin i ddim dewis. Tydw i ddim yn swyddog iechyd a diogelwch i ddim byd, w'chi!"

"Ie, ond jet o pressure-foam?" medda fo'n anghrediniol. "Allwch chi byth a chwistrellu'r cwsmeriaid ddyn!"

"Be 'dach chi'n ddisgwl i mi neud?" me fi. "O'dd y ddynas yn nwydwyllt eirias! O'dd rhaid i mi ecstingwisho'i thân hi rwsut, doedd?"

*FADE TO WHITE-COLLAR FRAUD*

Mae clwy gwenerol Syphilis Jade wedi lledaenu i bob cornel o'r Deyrnas Unedig, drwy Ewrop benbaladr a thu hwnt. Pan esh i adra noson honno, mi o'dd 'na stori ar y niws am ryw fodan o Sgandalnafia gerddodd i mewn i swyddfa yn Strasbourg ne' Brwsel ne' rwla a dal gang o ddynion mawr tew yn stwffio'u pocedi efo hynny o Ewros cyhoeddus a fedran nhw.

"Sefwch lle 'dach chi!" medda'r fodan gan ddeialio 999, Mayday – unrhyw gôd rhyngwladol fedra hi gael gafal ynddo fo, codi'i phib a chwthu rhybudd lawr y lein...

Ond nath y dynion ddim byd ond chwerthin am ei phen hi.

"Cyfrifyddiaeth, be 'di hwnnw?" meddan nhw. "Does dim ohono fo'n cyfri fan hyn siŵr Dduw, mewn comisiwn sy'm yn gyfrifol i neb!"

Chafodd y fodan ddim byd ond sac am ei thraffarth, fatha finna. Ma'r byd wedi troi ben ei waerad, yndi? Y boi sy'n chwthu'r chwiban ydi'r bai am bob dim heddiw 'ma, ia?

# Prolog

DYCHMYGA bod 'na wlad o'r enw Cymru.

Dychmyga bod chdi'n teithio ar hyd yr arfordir a be wyt ti'n weld?

Toman o felina gwynt: maen nhw'n deud bod nhw'n hyll.

Toman o gestyll, sy'n ddel meddan nhw achos bod nhw'n hen.

Sy'n grêt achos bod o'n helpu'r diwydiant 'Croeso i Gymru' sef o'i gyfieithu'n gywir: 'You're welcome to Wales'.

Mi ddoth ac mi goncrodd ac mae o yma o hyd...

Does dim ots gin i am felina gwynt: pwy sy pia nhw, dyna be sy'n 'y mhoeni fi!

Mae'n nhw'n deud bod pobol sy'n chwerthin yn amal yn byw yn hŷn.

Ma'n rhaid bod o'n wir, achos 'dan ni wedi bod yn giglo ar ymyl dibyn ers saith can mlynadd o leia. Ma' Cymru'n gymaint o jôc does dim rhyfadd na'r Gymraeg ydi un o ieithoedd hyna Ewrop, nag oes?

Ac mae'r jôcs yn parhau.

Gag y ganrif oedd anfon rhywun o'r enw Peat Terrain (rhywun sy'n nabod y tirwedd yn dda) i ysgrifennu'n wladol dros Gymru. Mi fysa Cymru annibynnol yn gyff gwawd rhyngwladol, medda fo yn ei ddoethineb. Sut gŵyr o hynny mae hi'n anodd deud, ond cheith proffwyd mo'i gydnabod yn ei wlad ei hun meddan nhw, na cheith? Felly dyma fo'n sbotio'r 'ap-' yn yr apartheid ac yn dŵad i fan hyn i fwydro ynglŷn â gwlad rhywun arall!

Tydan ni ddim yn gwbod pwy oedd awdur ei sgript o. Cwbwl 'dan ni'n wbod ydi bod y jôc wedi bacffeirio. Sarhad ar genedl gyfa ydi deud rhwbath fel'na, ia? Mae'r sen yn glir yn amser y ferf. Hyd yn oed *petaen* ni'n dewis yn

279

ddemocrataidd bod yn wlad, ma' methiant yn 'yn DNA ni mae'n rhaid. Dim ond y modd dibynnol 'neith byth y tro i bobol Cymru, ia?

* *Caveat emperor: pwrpas y concwest oedd dod â rhyddid a democratiaeth i Gymru. Ni fu gan y Sais erioed ddiddordeb imperialaidd yn y wlad. Gwarchododd ein buddiannau ar hyd yr oesoedd; y brodor biau'r tir, y glo, yr olew, y dŵr. Efe a neb arall ddewisodd fabwysiadu'r Saesneg fel ei famiaith ei hun... bla, bla, bla... Cymysgwyd pob synnwyr tu hwnt i adnabydd-iaeth a chyhoeddwn gan hynny ddehongliad amgenach o'r term 'sim-bai-osis'. Does dim bai ar Loegar am ddim byd. Moesymgrymwn gerbron yr ymerawdr yn ei ddillad newydd.*

# Yn y Dechreuad...

MA' HANAS yn ailadrodd ei hun ddwywaith, medda Siân, y tro cynta fel trasiedi a'r ail waith fel ffars. Un cam ymlaen a dau gam yn ôl, dyna fuo hanas yr hogia drw'r oesoedd, ia? Ond ma'n dyfodol ni i gyd o'n blaena ni, medda hi, a tydi'r stori ond megis dechra... Ma' 'na gyswllt rhwng y straeon 'ma i gyd, tasan ni 'mond yn joinio'r dotia...

Fyswn i'n licio taswn i'n medru bod mor bositif â Siân. Sbardun ydi set-bac i fynd i'r set-flaen, medda hi. Tydi hi'm yn siŵr iawn be i neud – derbyn prifathrawiaeth Ysgol Colyn Dolphyn, ne' chwilio am sedd saff dros ei phlaid yn rhwla. Tydi'r hen gymdeithas yng Nghaerdydd ddim fel buo hi, ma'r ddau ohonon ni'n cytuno ar hynny o leia.

Ma' Ben Bach wedi ymddeol yn gynnar o'r Brifysgol ac wedi buddsoddi ei gynilion prin mewn mentar yn ei etholaeth yng Nghanolbarth Cambria. 'Bydd wrol, sefydla fusnes', medda hys-bys y Cynulliad a dyna be nath o un noson efo Lun yn nodi cynllun busnas ar gefn yr enfilop yn ôl ei harfar. 'Detailed business plans not strictly necessary', chwedl pa gwango bynnag o'dd yn pluo'i bocedi fo ac yn gneud yn siŵr bod o'n ELWa. 'Gobeithio nad oes unrhyw ddrwgdeimlad rhyngom ni bellach,' medda Ben yn ei lythyr cariadus. Ma' croeso i ni fynd i aros efo nhw unrhyw amsar medda fo er mwyn i ni ga'l 'rhannu atgofion am yr amseroedd da...'

Ma' Ben yn pwysleisio nad busnes cyffredin sydd ganddo ond menter. Nid cyfalafiaeth mo hyn ond cenadwri. Ceidwaid y Fro Gymraeg ydi Ben a Lun Howells bellach. Nid entre-ond pentre-preneurs.

O'n i reit ecseited pan glywish i bod Siân â'i bryd ar symud o Gaerdydd hefyd...

"Ma' 'na sêt reit saff geuthat ti yn Arfon, 'sti, does?" medda fi. "Fedrwn i ga'l transffer o Sain Ffagan i Amgueddfa Lechi Llanberis a chydweithio efo Sam Cei...!"

"Elli di anghofio 'bytu 'na!" medda Siân yn syth. "So ni'n symud yr un fodfedd pellach i'r Gogledd nag Aberystwyth. Sdim byd saffach na 'na i ti!"

Am ryw reswm ne'i gilydd ma' Siân yn gwrthod yn lân a gadal i mi grwydro Gwynedd â 'nhraed yn rhydd!

"Dyddia cynnar ydi hi eto," medda Siân. "Ma' gofyn i wleidydd ystyried ei hopsiynau yn ofalus cyn dechre hopio i nunlla newydd."

Ond yn y cyfamser, tydi hi'm yn sefyll yn ei hunfan, chwaith, ella i ddeud hynny wrtha chdi!

Pan ddoish i adra o'r gwaith un pnawn dyna lle'r oeddan nhw i gyd yn disgwl i roid syrpreis i mi. Yr hen fod, Brenda'n chwaer a'i phum plentyn a'u plant nhwtha...

"Dadi! Dadi!" medda Gwenlli gan redag tuag ata fi wedi gwirioni'n lân. "'Drych! Ma' Shane wedi dod hefyd!"

"Sut 'dach chi i gyd? Croeso i Gaerdydd, ia? Am faint 'dach chi'n aros?" me fi.

"Wel, am gwestiwn i ofyn!" medda Siân. "All pob un aros cyhyd â ma' nhw moyn, allan nhw, Gron?"

Ma' Siân wastad wedi bod yn eiddigeddus o 'nheulu estynedig i, medda hi, a tydi hi'm isho i Gwenlli fod yn blentyn unig. Mi o'dd hi wedi penderfynu adfer y comiwn- yn ei chomiwnyddiaeth ac wedi deud bod 'na ddrws agorad i bawb unrhyw amser.

Toedd dim isho gofyn ddwywaith i Sylvia Pugh, nag oedd? Mi symudodd hi mewn acw trannoeth nesa, gwerthu'i char a chymyd mantais o'r ffaith ei bod hi wedi cyrradd oed addewid y bys-pas am ddim.

Mi o'dd 'na ryw sôn bod Gwen, chwaer Siân, ar ei ffor' adra o Zimbabwe efo'i gŵr: dyn fuo'n cwffio efo Mugabe ond sy'n cwffio efo Mugabe bellach os ti'n gwbod be dwi'n feddwl... Mae map yr Ordnance Servile fatha tasa fo wedi troi ben i waered. Ma' cefn gwlad i gyd yn wag achos bod y trigolion i gyd lawr fan hyn!

"Diolch i ti, Gron!" medda Siân.
"Am be?" me fi.
"Am 'yn atgoffa i o 'ngwreiddie," medda hi. "Ma' mwy i sosialeth na gwleidydda, o's e?"

Ffagan Sant! Be o'n i wedi neud? Ma' hi'n beryg bywyd agor dy geg weithia, yndi? Mi o'dd Meibion Brenda wedi ffurfio grŵp o'r enw 'Seiontific Breakthrou' a dyna lle'r oedd eu dryms nhw'n drybowndian yn yr atig tan berfeddion nos. Digon hawdd newid hanas, yndi? Dychmygu'r canlyniad, dyna be sy'n anodd! Unwaith ti wedi gwthio cwch i'r dŵr does dim dal lle'r eith o, nag oes?

FAINT O BOBOL SY'N BYW YN EICH TŶ CHI AR NOSON Y CYFRIFIAD?

☐ERRATUM    dim blydi syniad!

"Gyda llaw," medda Siân. "'Wy i wedi seino ffurflen y cyfrifiad. Paid anghofio'i hala hi, 'nei di?"
"Paid â phoeni – siŵr o neud!" me fi. "Be wn i am bolitics, ia? Beryg bod rhaid plygu i'r drefn, yndi?"
Aethon ni i gyd i lawr i'r bae am dro. Dyna lle'r oedd Gwenllian yn rhedag fel ffŵl ar hyd y ffrynt yn gweiddi fatha Alan Ladd ar ôl 'Shane'. Roedd pawb wedi gwirioni'n lân efo'r morglawdd a'r marina a ballu ond ddaru neb sylwi ar yr holl ffurflenni cyfrifiad oedd yn fflotio lawr afon Taf tua'r môr. Roedd 'na rywun wedi plannu coed tu allan i'r Cynulliad ac roedd y llifoleuada yn llewyrchu'u goleuni arnyn nhw trw' gydol y nos. Roedd hi'n noson braf o haf, roedd hi'n unfad awr ar ddeg ac roedd yr adar yn canu fatha tasa hi'n gefn dydd gola...

# Atodiad I

## LLYTHYR AT Y CAMBRO CARIADUS

*'Lost in Translation' in the Assembly vaults and filed in error
under 'Iaith Pawb':*

Wyt ti'n cofio *Shogun* gin James Clavell? Hanas peilot llong
o'r enw John Blackthorne yn landio yn Japan yn 1600 ar ôl
i'w long o gael ei llongddryllio. Toedd 'na neb yn Japan 'rioed
wedi gweld Sais o'r blaen ac mi aethon nhw â Blackthorne
at y 'Shogun', y penbandit o'dd yn rheoli'r ardal efo dwrn
dur...

"Domo! Wakari-mas! Konichi-wa!" medda pawb gan
fowio'u penna'n fanesol wrth gerddad i mewn i'r llys. Toedd
neb yn malu cachu efo'r 'Shogun'. O'dd Blackthorne wedi
gweld hynny o'r eiliad cyrhaeddodd o. O'dd y 'Shogun' wedi
gorchymyn i'w soldiwr dorri pen rhyw was druan yn y fan
a'r lle am nad o'dd o wedi bowio cweit digon isal pan ddaeth
o mewn i'r stafall...

O'dd y 'Shogun' yn ddigon clên efo'r peilot, deud bod
croeso iddo fo aros yn Japan a bob dim – ar un amod... bod
o'n dysgu Japanese mewn chwe mis. Ac os na fysa fo'n rhugl
erbyn diwadd y cyfnod mi fysa'r 'Shogun' yn troi at y fwyall
eto ac yn torri pen – nid y peilot ei hun – ond pob copa walltog
yn y pentra...

Cyfrifoldab, dyna be wyt ti'n galw rhwbath fel'na, ia?
Cymhelliad!

Does neb yn gofyn i chdi ddysgu Japanese ond wyt ti'n
meddwl bysat ti'n medru dysgu Cymraeg yn rhugl tasa
rhywun yn deud wrthat ti bod pen y genedl ar y bloc?

# Atodiad 2

H1

29 April
**count me in**
Census2001

England Household Form

Census Helpline 0845 301 2001   Text Phone for the Deaf 0845 303 2001   Website www.statistics.gov.uk

THIS QUESTION IS NOT APPLICABLE IN ENGLAND: GO TO:

☐ DATGAN BE MA' DATGAN-OLI?

☐ PWY YDI'R 'ASS-' YN YR ASS-EMDLI?

☐ BETH YW'R 'CON-' YN Y CON-CWEST?

☐ PWY YDI'R 'IMP-' YN YR IMP-ERIALAETH?

☐ PWY ROTH YR '-AETH' MEWN SOSIAL-AETH?

☐ PWY DYNNODD Y 'DEMO-' ALLAN O DDEMO-CRATIAETH?

Mae'r walia mor wigli ma' hyd yn oed y cwestiyna yn datgymalu.

Ond be 'dach chi'n ddisgwl pan ma'r fam yn fama a'r tad yn y tŷ yn dadadeiladu? Dyn nos Lun ddistaw yn y pyb ydw i, ond o'dd arna i gymaint â hyn i'r hen go': bod ni'n dechra cychwyn cyn bod ni'n gorffan darfod, bod ni'n deud y plaendra os ydi'r hil i barhau.

Wele amheuwr aeth allan i hau toman o gwestiyna rhwng llinella'r cyfrifiad.

Ac yn bresennol mi wnawn y casgliad mai'r unig walia sgynnon ni ydi'r Gymraeg. Mae'r atebion ymhlyg yn y cwestiyna a'r geiria'n hollti fel llechan lân...

ST.NO | − 2795
C NO | 065959
CLASS | WIF
DATE | 14/7/06
STAFF |

H3

29ain Ebrill
# Cymru'n cyfri
Cyfrifiad 2001

**Ffurflen Cartrefi Cymru**

Llinell Gymorth y Cyfrifiad  0845 302 2001 Ffôn Testun ar gyfer y Byddar 0845 303 2001 Gwefan www.statistics.gov.uk

ENW: GORONWY JONES
CYFEIRIAD: Nid oes bradwr yn y tŷ hwn!!

Twyll!
Brâd!
Cymru'n cyfri dim!
Stwffia dy ffurflen
i fyny dy din, y
basdad!

ARWYDDWYD: *Goronwy Jones*

*Siân Arianrhod Pugh.*

286